Ludwig Apers

Ituri

Houtekiet

Antwerpen / Amsterdam

Scheldezicht

Hij keek voor zich uit zonder iets te zien. Hij staarde door het brede raam van zijn kantoor op de vijfde verdieping van het gerenoveerde pakhuis op de Scheldekaai. Hij zag niet dat de Schelde erbij lag als een gekreukeld stuk zilverpapier waar de binnenschepen V-vormige voren doorheen trokken. Hoe het zilverpapier heviger opblonk naarmate de zon schuiner inviel op de machtige stroom, schuiner en schuiner tot het licht uiteindelijk verdween achter de woonblokken op Linkeroever.

Serge had zich nauwelijks bewogen sinds hij het telefoontje had gekregen. Hij dacht er zelfs niet aan licht te maken om de schemering te verdrijven, om het grijze meubilair te verlichten en de met zorg gekozen wandversiering zichtbaar te maken. Hij sloeg geen acht op de foto's van exotische vakantiebestemmingen, op de stenen sculpturen op de vergadertafel in de hoek, of het enorme Afrikaanse masker dat een van de muren domineerde. Het geheel oogde modern en stijlvol, alles paste bij zijn jonge onderneming. *Reizen.Natuurlijk!* was het geesteskind van Serge Verbeek. Exotisch en gedurfd reizen, maar binnen het kader van een 50 mm-lens, nooit buiten beeld. Vrijheid binnen de geborgenheid van een goed geoliede organisatie, waar zelfs toeval op voorhand was gepland. Het concept bleek een succes voor de doelgroep: de goed bij kas zittende single die meer wou dan de Club Med en daarvoor graag een inspanning leverde.

Maar vanavond was succes het laatste waar hij aan dacht. Hij staarde voor zich uit, zijn gezicht alleen verlicht door de screensaver van het computerscherm. Vale tinten, die wisselden naargelang het beeld veranderde. Grijs en donkerrood wanneer het logo van *Reizen.Natuurlijk!* voorbijschoof. Hij wreef over zijn getrimde stoppelbaard en bleef zitten met zijn hoofd in zijn handen.

Zijn broer was dood. Dirk was verongelukt met een zeilboot op het Kivumeer. Robert, Dirks metgezel op de reis in oostelijk Congo, had opgebeld. Hij had gezegd dat er iets verschrikkelijks was gebeurd, dat Serge zich op het ergste moest voorbereiden. Serge had gevraagd of er iets was met een van de deelnemers. Hij had moeten weten dat het erger was, waarom belde Robert anders, en niet Dirk zelf? Dirk was toch de reisleider?

Ze hadden hem vandaag gevonden, nadat hij gisteren was vertrokken voor een zeiltocht en niet was teruggekeerd. Dirk, die de Noordzee had bevaren bij windkracht zeven en in zijn eentje rond Schotland was gevaren tussen de herfststormen. Hij had eerder met een zeilboot overweg gekund dan met een fiets, had met zijn ogen dicht een boot op- en afgetuigd en deed dat sneller dan iemand zonder blinddoek. Serge kon het bericht nauwelijks geloven. Het Kivumeer was groot en er was een tropische storm opgestoken. Vanmorgen was het lichaam van Dirk gevonden door een visser, mijlenver verwijderd van de jachthaven. Zonder boot. Had hij zich dan niet vastgeklonken aan de reling toen het weer ruw werd? Had hij gedronken? Kon hij zo stom zijn? Serge had nauwelijks iets gevraagd. Robert zou zo vlug mogelijk naar Kampala reizen met de rest van de groep en terugkeren met de eerste vlucht. En zijn broer? Daarvoor werd gezorgd, de ambassade was op de hoogte, zij wisten wat er moest gebeuren.

Serge kreunde. Dirk in een vliegtuig, verpakt in een body-bag. Stommeling. Verdronken op een binnenmeer in the middle of nowhere. In Afrika, waar hij jarenlang had verbleven als bioloog en waar hij nu aan de kost kwam als reisbegeleider voor *Reizen.Natuurlijk!*. Bewonderd en geprezen door de luxe-avonturiers die hij door oostelijk Congo en Uganda had geloodst. Geroemd om zijn terreinervaring en zijn onmetelijke kennis van het Afrikaanse binnenland. Hoe was het in Godsnaam mogelijk dat hij zich had laten verrassen door een storm op een meer? Serge schudde langzaam het hoofd. Hij balde zijn vuisten en klopte op het bureaublad. Voor het eerst sinds het rampzalige telefoontje keek hij op. Hij staarde naar de muur met het enorme masker. Een ebbenhouten masker met holle ogen en dikke lippen en een wilde haardos die af en toe rossig verlicht werd wanneer de screensaver veranderde van beeld. Dirk had het meegebracht na zijn eerste reis naar Afrika. In de schemering leek het masker meewarig te grijnzen. Het stond op het punt in lachen uit te barsten om de naïeve blanke man die geloofde dat zijn broer simpelweg was verdronken.

In d'Oude Have

'Je moet er niet te zacht mee zijn jongen, je hoeft haar huid niet te aaien, je moet erop schuren, schuren moet je doen, tot je er bijna doorheen ziet. Alleen zo haal je er de vuile lagen vanaf. Als je er te teer mee bent heeft het geen zin dat je er je tijd aan verspilt, hard moet je zijn voor haar, het is het vel van je lief niet.'

Serge richtte zich op en keek in het lachende gezicht van de havenmeester. Hij lachte even mee.

'Hoe gaat het met je, man? Lang geleden dat we je hier gezien hebben. Aan de boot is het ook te zien, ze voelt zich verwaarloosd, ze moest al lang in het water liggen!'

'Weet ik Gert, weet ik. Te veel werk. Te veel zorgen om anderen op reis te laten gaan, zodat ikzelf niet veel verder meer kom dan de Scheldekaai. En nu mijn broer er niet meer, is zal de boot nog minder de haven uitkomen.'

Het was even stil. Alleen het gerinkel van de tuigage was te horen, het gekletter van de touwen tegen de masten van de aangemeerde zeilboten.

'Ja, ik heb ervan gehoord, ja. Iedereen sprak erover.' Het gerimpelde gezicht van de oude havenmeester stond nu zorgelijk. Hij schoof zijn pet naar achter en staarde over het Veerse Meer, alsof hij hoopte dat Dirk Verbeek opnieuw aan zou komen zeilen. 'Mijn oprechte deelneming, man, dat had nooit mogen gebeuren.' Ze zwegen en staarden nu over het meer. 'Maar niemand begrijpt het Serge, hoe is het toch mogelijk? Goed, ik ken misschien alleen het Veerse Meer, maar ik kende ook je broer. Een verdomd goed zeiler, een eersteklas stuurman, kon hier aanleggen bij windkracht vijf, zonder hulp van de motor, en je kon een ei tussen schip en kade leggen, hij ging er zich zachtjes tegenaan vleien. Man, die kon met de zeilen en het roer overweg als geen ander. Het water moet verschrikkelijk tekeer gegaan zijn, dat kan niet anders, anders kan je 't toch niet verstaan? Hoe is het toch mogelijk dat hij overboord is geslagen, zomaar het sop in en gelijk verdronken, een mens zou er zijn verstand bij verliezen.'

'Ja, Gert, ik begrijp het ook niet, maar het is niet anders. We zullen nooit weten wat er precies is gebeurd. Maar we hebben hem wel vorige week begraven.' Serge nam de vlakschuurder en knipte de schakelaar om. Het zeurderige geronk maakte elk verder gesprek onmogelijk. De havenmeester had de wenk begrepen en vervolgde zijn weg, langs de houten steigers met de keurig afgemeerde boten, een bos van wiegende masten, waarin krijsende meeuwen woonden.

Serge was hier vanmorgen in een opwelling naartoe gereden. In Oostwateringen, een jachthaven bij het Veerse Meer, lag de zeilboot van Dirk. Maar hoewel het al april was, lag de boot niet op zijn aanlegplaats, tussen alle andere jachten die wachtten tot ze zouden worden uitgelaten. Zijn boot lag nog op het droge. De romp was half afgeschuurd, als voorbereiding op een nieuwe laag verf. De aanblik van de boot, in het ochtendlicht in de verlaten haven, wachtend om opnieuw zeewaardig gemaakt te worden, had Serge opnieuw geconfronteerd met het gemis. Hij had zijn tranen moeten verbijten. Zonder veel nadenken was hij in de kajuit op zoek gegaan naar materiaal om het werk van zijn broer af te maken. Niet omdat hij van plan was opnieuw te gaan zeilen, of omdat hij de boot van de hand wou doen. Hij dacht er niet bij na, hij moest dit doen. Als om de afwezigheid van Dirk goed te maken. Hoe anders was het vroeger, toen hij telkens weer Dirks luidruchtige aanwezigheid moest temperen. Als Dirk opnieuw een of ander fantastisch spel had gespeeld waarmee hij de buurt op stelten had gezet. Dirk had zich altijd verzet tegen de status van hun vader, die diamantair was en een herenhuis had gekocht in de chique buurt rond het stadspark. Eerst door voor een carrière te kiezen als straatvlegel, later door zich te interesseren voor alles waar hun ouders een afkeer van hadden: regenwormen en reuzenkwallen, galwespen en exotische ecosystemen. Hij was bioloog geworden en dit had hem naar Afrika gebracht. Om tussen de planten in het regenwoud op zoek te gaan naar de samenhang die hij miste bij de mensen. Dat zei hij althans. En om de grondstof te zien waaruit de diamanten waren ontstaan waarmee zijn vader zijn fortuin had vergaard:

het regenwoud, de opstapeling van koolstofatomen die na honderdduizenden jaren ergens diep onder de aardkorst werden samengedrukt tot de kleurloze stenen die in Antwerpen werden verhandeld. Daarvoor had Dirk nooit enige interesse betoond, tot ergernis van zijn vader. Het was kleur en luchtigheid die hij opzocht in Afrika, niet de strakke geometrie van diamant.

Serge knipte de schakelaar om en verwijderde het schuurpapier dat op sommige plaatsen volledig was afgesleten. Geen wonder dat hij nauwelijks opschoot. Het kon hem weinig schelen. Het eentonige schuren bracht hem tot rust. Hier werden hem geen gedachten opgedrongen. Hij klom op de boot en ging in de kajuit op zoek naar een nieuw vel schuurpapier.

Boven een bank tegen de wand had Dirk enkele foto's opgehangen. Op één ervan herkende Serge zichzelf. Na een lichte aarzeling haalde hij de foto van de wand. Hij besefte dat Dirk nooit meer in deze kajuit zou zitten, en de foto niet zou missen. Dat maakte hem stil, maar hij voelde niet meer de haast fysieke pijn die hij enkele dagen geleden nog zou hebben gevoeld. Hij keek in zijn eigen lachende gezicht. De foto was genomen tijdens een zeiltocht op de Noordzee, enkele jaren geleden. Hij en Dirk, schouder aan schouder terwijl ze het grootzeil hesen. Beiden hadden getaande gezichten. Hijzelf stond op de foto met een keurig verzorgd kapsel, gladgeschoren, blinkend als de glanzende wetsuit die hij aanhad. Dirk met wapperende manen, een onverzorgde baard, jeans en een slobbertrui. Serge glimlachte. Hij kon zich niet meer herinneren wie de foto had genomen, maar het was ongetwijfeld een charmante jongedame geweest. Aan vrouwelijk gezelschap had het hen nooit ontbroken. Maar geen van beiden had een vaste metgezel. Serge stak de foto in zijn borstzak en klom het trapje op naar de kuip. Ondanks de vele verschillen was er meer dat hen verbond dan dat hen scheidde. Althans tot vorige week.

Voor het eerst sinds Dirks dood kon Serge in alle rust aan hem denken. Serge werkte aan de boot van zijn broer, in de ruimte waar Dirk zijn gelukkigste momenten in België had gekend.

Maar Serge kon niet eeuwig deze kiel afschuren. Of mijmerend in de kajuit zitten. Hij zou naar het continent reizen waar Dirk zijn levensvervulling had gevonden. Als een laatste eerbetoon. Hij zou er hetzelfde soort rust vinden als hier in de jachthaven. Ver weg van de beslommeringen van zijn zaak en dicht bij de plekken die zijn broer had bezocht. En de plek waar hij de dood had gevonden, op een manier die niemand begreep.

Het zou niet moeilijk te regelen zijn, dacht hij. Hij was zaakvoerder, hij kon het beschouwen als terreinwerk: hij moest af en toe ter plaatse gaan om het product te bekijken dat hij in Antwerpen verkocht. Hij kon zelf als reisleider optreden voor de eerstvolgende Afrikareis. Dan hoefde hij geen vervanger voor Dirk te zoeken. Een kopzorg minder, en voor Serge een manier om verder gepieker te vermijden.

Hij nam de vlakschuurder, bevestigde het nieuwe vel schuurpapier en knipte de schakelaar om. Nog een vierkante meter en de kiel was klaar. Kon hij vandaag nog makkelijk doen. En morgen nam hij contact op met de ambassades van Congo en Uganda om een visum te regelen. Geen gepieker meer. Handelen.

The ambassador

'Ik begrijp het niet.'

'Er valt niets te begrijpen mijnheer.'

Het Engels van de loketbediende in de Ugandese ambassade klonk alsof het te lang in een betonmolen had gedraaid: veel keien en nauwelijks cement. Serge keek hem aan en probeerde zijn geduld te bewaren.

'U beweert dat u me geen toeristenvisum kunt verlenen maar u kunt me daar geen geldige reden voor geven. En u verlangt van mij dat ik dit aanvaard en naar huis rijd, hoewel ik vrijaf heb genomen om anderhalf uur in de rij te staan, net zoals vorige week. Enkel en alleen om te horen dat uw consul het visum niet heeft ondertekend. Terwijl ik alle paperassen netjes heb afgeleverd.' Serge had geprobeerd zijn stem niet te verheffen, maar terwijl hij sprak nam zijn irritatie toe. God nog aan toe, dat ze dan tenminste zeiden wat er nu nog aan scheelde. Hij hoorde aan het geforceerde kuchen in de rij achter hem dat ook daar een eind aan het geduld begon te komen.

'That's right.' De r van de man knetterde als een kapotte uitlaat, maar verder gebeurde er niets. De Ugandees keek hem onverschillig aan door twee bokaalglazen in een montuur dat ongetwijfeld was vervaardigd van neushoorn. Het leek hem absoluut niet te interesseren of Serge nu met zijn vuisten op het loket zou trommelen dan wel hem een sigaret zou aanbieden. Hij frunnikte aan de knoop van zijn das, en liet de rest van het attribuut tussen zijn duim en wijsvinger glijden. Hij verzamelde de papieren van het dossier, de netjes ingevulde formulieren en kopieën die Serge hem had bezorgd, en borg ze op in een felgroene map. Vervolgens vouwde hij zijn handen en zuchtte. Blanken waren een moeilijk ras. De consul had

de visumaanvraag niet goedgekeurd. Als een consul alle visum-
aanvragen zou goedkeuren, waarom was er dan nog een consul nodig? Of een visum? Wat was daar zo moeilijk aan? Tenzij
je blank was, natuurlijk en voortdurend moest lopen roepen
waarom, waarom, waarom?

'Het spijt me mijnheer, meer kan ik niet voor u doen. Probeert u het over drie maanden nog eens, dat is de wettelijke
termijn die u moet laten verstrijken voor u een nieuwe aan-
vraag kunt indienen.' De bediende dreunde de zinnen op alsof
hij voor een klas hardleerse schooljongens stond. Dat die klas
in dit geval bestond uit een bonte rij wachtenden, maakte niets
uit. Zwarten waren het vooral, moeders in kleurrijke rokken
met baby's op hun arm of rug, keurige heren in maatpak met
aktetassen en hier en daar een onrustige blanke, toerist in spe,
die wanhopig probeerde het geduld op te brengen dat hem
werd voorgeschreven in de reisgids. *Pole pole*, rustig aan, maak
je geen zorgen, morgen komt er nog een dag. Dat was mooi
om lezen ter voorbereiding van een avontuurlijke reis door het
land van immer lachende negertjes en bloedstollende zons-
ondergangen. Maar *pole pole* begon pas bij de grens en die lag
vijfduizend kilometer naar het zuiden. Daar moest je wel eerst
overheen. En daar was een minimum aan efficiëntie voor nodig, dat moesten de loketbedienden toch even proberen te begrijpen.

Het gekuch nam opnieuw toe, vooral uit blanke kelen. Serge
waagde nog een laatste poging.

'Mijnheer, ik begrijp dat u uw werk moet doen, maar ik ben
reisleider en moet onverwacht inspringen voor een collega.
Over drie weken moet ik een groep landgenoten door uw
prachtige land leiden, u wilt toch niet dat ik die reis afgelast?
Dat uw land de kans mist om zijn schoonheid te tonen en dat
mijn klanten de mogelijkheid niet krijgen om hun dollars te

spenderen in uw hotels en campings? Als u me aan een visum helpt, helpt u meteen uw land vooruit, u stimuleert het toerisme en u krijgt gegarandeerd nog meer Belgen op bezoek.' Serge speurde hoopvol naar een teken van verandering in de trekken van de Ugandees. Die frunnikte aan de knoop van zijn das en liet hem opnieuw tussen wijs- en middenvinger glijden. Hij keek zelfs niet meer naar Serge. In plaats daarvan tuurde hij naar een punt in de verte. Naar de foto van Museveni die de hal van het Brusselse herenhuis sierde waar de ambassade in was ondergebracht. De president keek in de lens zoals de loketbediende door zijn raampje, Serge kon net zo goed tegen het portret argumenteren.

Serge haalde diep adem en maakte plaats voor de volgende in de rij. Toen hij de zware ambassadedeur achter zich dicht trok, staarde hij ongelovig naar het drukke verkeer op de Brusselse boulevard. Geen visum. En hij wist niet waarom. Serge Verbeek, ongewenst persoon. De enige Verbeek die ooit in Uganda was geweest, was Dirk.

Serge liep tussen de voetgangers naar het metrostation en voelde de irritatie die het incident had veroorzaakt wegebben bij elke stap. Goed. Dan zonder visum. Een ramp was dat niet. De reis begon in Congo, daar hoefde hij geen visum voor te hebben. Hij zou wel zien hoe hij dat ter plaatse geregeld kon krijgen. Maar het bleef eigenaardig. Hij wilde wel eens weten hoe het de andere reizigers was vergaan. Tenslotte moesten ze zich allemaal onderwerpen aan de grillen van de consul, onder het alziende oog van de president. En het bijziende oog van de enthousiaste loketbediende.

Hôtel Afrique

'De hitte valt als een natte deken over je heen als je in Congo uit het vliegtuig stapt' stond in de reisgids. Dat was een understatement. Het leek of ze een slecht verluchte serre binnenstapten, een vochtige, broeierige plantenkas gevuld met de zware geur van humus en verbrande kerosine, een substantie die condenseerde tot parelend zweet op hun armen terwijl ze te voet naar de ontvangsthal gingen.

Het groepje blanken wachtte tot hun bagage voorbij schommelde op de transportband. Om onduidelijke redenen stopte de band nu en dan, en trok zich na enkele minuten weer piepend op gang. Het ding had zijn beste tijd gehad, twintig jaar geleden.

Robert lachte vrolijk.

'Welkom in Afrika, jongens.' Hij had absoluut geen last van de warmte, of hij deed alsof, conform zijn status van ouwe rot in het vak. Een status die hij zich had aangemeten bij zijn vijfde bezoek aan Congo. Dat moest ook blijken uit zijn kaki shorts en hemd, zijn breedgerande hoed en de versleten leren reistas die hij met een handige zwaai van de band tilde. Hij voegde zich bij het groepje dat zijn bagage al had bemachtigd en stak ostentatief een sigaret op. 'Welkom in Congo, het land waar alles mag en niets kan, waar het roken van een sigaret nog niet wordt beschouwd als een criminele daad en een slof sigaretten de garantie is voor een veilige doortocht bij de douane.' Hij lachte terwijl hij het groepje rondkeek. Iedereen lachte mee, een beetje zenuwachtig, de lach van de onzekerheid en het niet willen onderdoen voor de ander. Voor de drie mannen en twee vrouwen waren het wel hun eerste stappen op Afrikaanse bodem. Bovendien kenden ze elkaar pas sinds ze samen aan boord van de Boeing waren gestapt die hen naar Kisangani had gebracht. De afgeleefde luchthaven en de wetenschap dat ze de komende drie weken met elkaar zouden doorbrengen, maakten dat ze op hun hoede waren.

Alleen de vrouw die naast Robert stond keek hem ontspannen aan. 'En maakt dit land de gevolgen van roken ook minder erg voor de passieve roker?' vroeg ze.

Robert keek haar verrast aan, hij zag helblauwe ogen in een regelmatig gezicht dat een beetje rood aangelopen was en halflange krullen in een paardenstaart samengebonden onder een honkbalpet.

'Van passief roken heeft men hier nog nooit gehoord, alleen van passief leven.' De vrouw trok even haar wenkbrauwen op, trok haar plakkerige T-shirt beter rond haar schouders zodat de aanzet van haar borsten opnieuw aan het oog van de kruiers werd onttrokken en wendde zich tot haar buurman.

'Hebben we alles, Serge?'

'Ik denk het wel.'

Serge hield zich afzijdig. Hij kende de groepsleden wel, tenslotte had hij aan elk van hen deze reis verkocht, maar nu zag hij hen in een totaal andere context dan in zijn stijlvolle bureau aan de Schelde. De groezelige ontvangsthal met een bonte menigte reizigers, vergezeld van familie en kennissen maakte het groepje blanken tot figuranten die voor het verkeerde toneelstuk waren gecast. Hij liet het initiatief graag aan Robert, de man die mettertijd de rechterhand van Dirk was geworden. Serge had met Robert enkele namiddagen samen doorgebracht in het kantoor. Hij hield niet van zijn zelfingenomen stijl, maar hij was blij dat Robert er was en de praktische zaken op zich nam. Alleen zou hij het niet gered hebben. Hij moest er wel over waken dat Robert met zijn ik-weet-er-alles-van-houding niet te veel irritatie opwekte bij de anderen.

Het groepje zette zich in beweging. Mireille-met-de-pet, Serge, de reisleider, Robert de Afrikakenner, Kurt, een kleine en pezige veertiger die zich had aangesloten bij Karel en Rosa, een ouder koppel dat elk jaar een ander continent aandeed en na deze reis alleen nog Antarctica op het lijstje had. Ze liepen een eindje achter Robert aan en hielden het digitale cameraatje in aanslag.

De douane maakte inderdaad geen problemen, de slof sigaretten bovenop Roberts bagage werd aan een nauwkeurig onderzoek onderworpen en stilzwijgend aangeslagen. Na een vettige knipoog kon heel de groep passeren. Dat was meteen het teken voor de kruiers om zich als aasgieren op de bagage te storten. En voor Robert het teken dat hij de groep moest behoeden voor een vroegtijdige dood. Breed zwaaiend en molenwiekend baande hij zich een weg tussen de haag van kruiers, die, toen ze de uitgang hadden bereikt, werden versterkt door een horde taxichauffeurs. Of althans, daar leken de mannen op met hun bonte verzameling kepieën en stofjassen en hier en daar zelfs een verschoten uniform. Robert schold en stompte tot hij bij een minibusje raakte dat hem voldoende vertrouwen inboezemde. Hij werd onmiddellijk aangeklampt door een lange Afrikaan in jeans en een T-shirt met het opschrift 'AIDS doodt, gebruik een condoom.'

'Hebt u al een hotel geboekt mijnheer, ik breng er u zonder omwegen heen.'

'En hoeveel mag dat kosten?' antwoordde Robert, 'liefst met omwegen, we willen eerst een stukje van de stad zien.' En terwijl hij af en toe voldaan de kring rondkeek, begon Robert langdurig te onderhandelen over de prijs. De anderen stonden erbij, depten het zweet van hun gezicht en hielden angstvallig hun rugzakken in het oog. Serge keek naar Mireille, en zag wat hij had gevreesd: geen mateloze bewondering voor het koopmanstalent van Robert maar wrevel. Wat maakte het nu uit of ze voor tien of voor vijftien euro werden rondgevoerd? Wilde Robert wachten tot elk van hen was weggesmolten op het asfalt zodat er nog alleen voor hemzelf diende betaald te worden? Mireille beantwoordde Serges blik en trok een ongeduldig gezicht. In het gewone leven was ze huisarts. Ze had duidelijk haar geduld thuisgelaten, op reis wou ze dat de dingen vooruitgingen.

'Robert, maak er een eind aan. Geef die man de prijs die hij vraagt, hij kan er zich een slof condomen mee aanschaffen, we willen naar ons hotel.' Robert zat verwikkeld in een omstandige uitleg over het begrijpelijke misverstand dat alle blanken rijk waren maar dat zij nauwelijks geld hadden om hun vliegticket te betalen en dat ze nu niks meer over hadden voor de taxi of toch niet de prijs die... hij stopte abrupt en keek Serge verwonderd aan.

'Serge, je weet toch wel...'

'Ja, Robert, dat weet ik.' Serge wendde zich tot de chauffeur. 'Twintig euro, breng ons naar Hôtel Afrique.' En hij gooide zijn bagage in de laadbak. Mireille deed hetzelfde, de rest volgde. Alleen Kurt treuzelde nog, maar toen Robert uiteindelijk zijn tas op de hoop gooide, deed hij dat ook. Robert stapte in op de passagiersplaats naast de chauffeur. Hij gooide zijn hoed op het dashboard en draaide zich naar Serge.

'Twintig euro is te veel, Serge, ik ken de tarieven. Als je geld te veel hebt, voor mij niet gelaten, maar Dirk liet deze dingen aan mij over.' Hij draaide zich opnieuw naar voren en morrelde ongevraagd aan de radioknop. Wie voor de vijfde keer in Afrika kwam, mocht aan alle knoppen morrelen.

Citytrip

De rit naar het hotel was zonder meer indrukwekkend. Zeker voor Karel en Rosa, voor wie het de eerste Afrika-ervaring was. Er werd weinig gesproken, veel gekeken, door de raampjes van het minibusje waarin het toch onmogelijk was een gesprek te voeren. De chauffeur had een cassette opgezet en er schalde onophoudelijk *kwasha-kwasha*-muziek door de luidsprekers die in alle hoeken van de broeierige ruimte waren ingebouwd. De chauffeur trommelde de gitaarritmes vrolijk mee op het dashboard terwijl zijn polsen nonchalant op het stuur rustten. Niet dat er weinig te sturen viel. De taxi laveerde tussen fietsers, ossenkarren en gaten in het asfalt waarin makkelijk een kruiwagen kon verdwijnen. De polsen van de chauffeur leken vergroeid met het stuurwiel. Op de voetpaden krioelde het van mensen die in een bonte beweging tussen kleurrijke kramen liepen. Schoenen, horloges, kranten, doperwten en stereo-installaties, halve warenhuizen lagen er te koop, op de stoepstenen of op gammele handkarren. Elke vierkante meter openbare weg werd gebruikt, en bij elke vierkante meter zat een winkelier, trotse eigenaar van zeven broeksriemen en drie pakjes sigaretten, per stuk te koop. Met de zelfverzekerdheid van iemand die verantwoordelijk was voor een filiaal van een supermarkt.

Karel keek ongelovig naar het tafereel. Rosa zat naast hem, maar met haar kon hij zijn verwondering niet delen. Ze zat zelf met grote ogen naar buiten te staren. Ze hadden samen Australië en Noord-Amerika gedaan, Thailand en Peru. Ze dachten dat ze de wereld hadden gezien en hadden hem opgeslagen in hun diareeksen. Maar dit was anders. Sinds ze met pensioen waren en een leven van wroeten in de teelaarde van hun tuinbouwbedrijf hadden ingeruild voor een renteniersbestaan, was de wereld voor hen opengegaan. Karel draaide zich om, naar Serge die achter hem zat. 'Wat zitten die mensen toch allemaal op de stoep te doen', schreeuwde hij boven de muziek uit, 'wat wordt er nog in de winkels verkocht? Alles ligt gewoon buiten.'

Serge schokschouderde. Ook hij keek zijn ogen uit, maar hij liet het niet te veel blijken, tenslotte was hij de reisleider, hij hoorde dit te kennen. Zijn broer had hier gelopen en geleefd, tussen dit volk en in dit land dat hij als zijn tweede thuis beschouwde. 'Dat is de informele sector', schreeuwde hij terug, 'handelaartjes en sjacheraars, of ze ervan kunnen leven weet ik niet, maar bedelaars lijken het niet.' Karel schudde zijn hoofd, het tafereel was niet te vatten met zijn middenstandersverstand, dat gekneed was door een halve eeuw azalea's verkopen.

Serge liet het maar zo, zijn gedachten keerden terug naar Dirk. Hij had hier misschien zijn proviand ingeslagen voor een excursie naar het hooggebergte. Misschien had hij hier verbleven, moe na het uitputtende veldwerk in de wouden van het binnenland, op zoek naar een of andere zeldzame antilope of een verdwaalde apensoort. Jezus, wat wist hij toch weinig over het leven dat zijn broer hier had geleid. Hij had er ook zo weinig over verteld. In de eerste jaren kwam hij nog wel eens terug naar België met een diareeks. Daarop stonden dan vaker felgekleurde vogels en exotische vlinders dan Dirk zelf of de plaatsen waar hij verbleef. Wat hij deed, konden buitenstaanders alleen afleiden uit zijn carrière, de doctoraatsthesis die hij verdedigde in Leuven, de artikelen die verschenen of de tijdschriften waarin hij werd vernoemd. Hij ging zijn gangetje, net zoals vroeger, toen hij ook af en toe verdween en pas na uren werd teruggevonden, plat op zijn buik aan de rand van de stadsvijver of verstopt in een holle knotwilg op zoek naar pissebedden.

Ze hielden halt voor een zeldzaam verkeerslicht dat werkte en werden ogenblikkelijk getrakteerd op een mobiele etalage: kinderen liepen langs de wagens met kartonnen dozen vol met fruit en gekookte eieren, enkele korrels zout apart verpakt in een stukje krantenpapier tussen gepofte maïskolven of nagelknippers. Karel wou zijn raampje openschuiven om een zoveelste foto te maken maar Robert maande hem aan alles dicht te houden, voor je 't wist was je je portefeuille kwijt. Serge zei niets, hij zag niet in hoe dat dan moest gebeuren maar hij liet Robert maar betijen. Afrika was gevaarlijk, en dat zouden ze geweten hebben.

Serge glimlachte in stilte bij de herinnering aan Dirk en zijn obsessie voor insecten en donkere plekjes. Ze waren ooit verzeild geraakt op de zolder van het hoge herenhuis waar ze waren opgegroeid. Dirk maakte jacht op spinnen om ze in een sigarenkistje te stoppen en daarna urenlang onder een loep te bekijken. Serge zat tussen kisten gevuld met vergeelde papieren en snuisterijen, kisten waarin hun vader de tijd probeerde vast te houden. Daar had Serge hun schat gevonden: een vilten buideltje met muntstukken uit lang vervlogen tijden. Muntstukken met een gaatje in het midden, met de beeltenis van koningen die al lang vergaan waren. Ze hadden het buideltje meegenomen en het had lange tijd verstopt gelegen achter de boeken van Serges kamertje. Ze hadden er elk één munt uitgenomen en altijd bij zich gehouden, als hun geheime verbond, het teken van hun broederschap. Serge glimlachte. De munt zat nu, dertig jaar later, nog steeds in zijn portefeuille. Het was nooit in hem opgekomen om hem weg te gooien.

Terwijl de taxi zich toeterend een weg zocht naar het hotel, vroeg Serge zich af of Dirk zijn munt bij zich had gehad, die noodlottige dag toen hij verdronk in het Kivumeer in het hart van Afrika.

The Dutch cape style (1)

Met een behaaglijke zucht leunde Van Heerde achterover en keek zijn medewerker glimlachend aan. Hij blies een blauwe wolk sigarenrook in de richting van de prachtige houten balken van de zoldering.

'Puik werk Collin, puik werk. Een concessie voor vijftig jaar. Daar had ik niet op durven hopen. Voor een mijn die nauwelijks ontgonnen is. Door de Belgen, ja, maar die zijn er al vijftig jaar weg, ze waren pas begonnen. Een beetje aan de oppervlakte hebben ze geschraapt, anders niks. Er wacht ons daar hopen werk. Een Zimbabwaan moeten ze niet leren hoe het laatste restje goud uit een steen te wringen.'

Collin lachte. Hij zat een paar meter van Van Heerde verwijderd, aan de andere kant van het massieve mahoniehouten bureau. Hij borg een aantal paperassen op in een leren map en knoopte zijn jasje dicht. Hij zat onberispelijk in het pak, hoewel hij net terug was van een trip naar Lubumbashi. Een tochtje dat hij had gemaakt in de leren fauteuils van het privévliegtuig van Van Heerde. Hij was een half uur vroeger geland in Harare. Daar was hij geruisloos voorbij de migratie geloodst en vervolgens opgehaald in een airconditioned Volvo FWD, die hem afleverde aan het hoofdkwartier van Vaheco, een gebouw met afmetingen als een Hollandse schuur, in het midden van Borrowdale, een van de chicste buitenwijken van de Zimbabwaanse hoofdstad. Hij had in bewondering gestaan voor de spierwitte voorgevel met de glooiende daklijn. Het geheel deed hem denken aan de schilderijen van de Vlaamse meesters die hij niet zo lang geleden had gezien in de Antwerpse musea.

Hij stopte de map weg en keek Van Heerde aan door de blauwe rook. 'Niet alleen goud, John, niet alleen goud. Onze ingenieurs zijn positief: de kansen op diamant zijn reëel, de samenstelling van de monsters die tot nu toe zijn geanalyseerd, is veelbelovend. Mijn ervaring in Antwerpen kan nog van pas komen.'

'Dacht je dat ik dat niet wist?' Van Heerdes ogen veranderden plots en werden kil als glas. 'Dat is precies waarom ik je ingehuurd heb. Ik weet best wat daar nog onder de grond verborgen ligt. Nauwelijks onder de grond. Als je weet waar je moet zoeken tenminste. En dat kunnen soldaten als de besten, zij komen overal en weten alles. Of komen alles te weten. Zeker met de hulpmiddelen die wij ze geleverd hebben. Hoe waren de Congolezen?'

Als Collin al verrast was door Van Heerdes plotse stemmingswissel, liet hij daar niets van merken. Zijn ervaring in de diamantwereld had hem geleerd zijn gevoelens nooit te tonen. Het had hem een reputatie opgeleverd van keihard zakenman, harder dan de diamanten die hij verhandelde. Dit, samen met zijn fenomenale kennis van de diamantontginning, had hem gebracht waar hij nu zat: tegenover een van de rijkste mannen van zuidelijk Afrika, John Van Heerde, het hoofd van een handelsconsortium dat actief was in alles wat geld opbracht, van golfsticks tot vliegtuigonderdelen. Maar als de markt erom vroeg, behoorden ook antitankgranaten en luchtafweergeschut tot de handelswaar. Wat dan weer nieuwe markten opende. Waarvoor nieuwe experts in dienst werden genomen. Desnoods werden die van het andere eind van de wereld geplukt, Antwerpen bijvoorbeeld, waar Collin tot voor kort de zakenbelangen van De Beers vertegenwoordigde. Van Heerde had hem daar weggekocht.

'De Congolezen? Honderd procent coöperatief. Op alle niveaus. Ook de neef van Kabila, ik heb hem gisteren ontmoet. Hadden ze trouwens een andere keuze?'

Van Heerde zoog aan zijn Montecristo, een cadeautje van president Mugabe, meegebracht na diens laatste bezoek aan Castro. Hij hulde zich in een rookwolk en grijnsde. Toen de damp wegtrok, dook achter hem opnieuw een foto op van hemzelf, minzaam lachend in de camera terwijl hij een lint doorknipte bij de opening van een schoolgebouw ergens in Harare. 'Nee, Collin, een andere keuze hadden ze niet. Die hadden ze absoluut niet, na alles wat ik voor hen heb gedaan.' Hij boog zich voorover en schonk twee bodempjes in van de fles Laphroaig, die op het glanzende bureaublad wachtte, exclusieve whisky, een cadeautje van Tony Blair. De diamanten aan zijn vingers flonkerden toen hij het glas aan Collin reikte. 'Dan kunnen we nu aan de slag. Laat de advocaten de details van de concessie uitwerken, ik wil dat jij ervoor zorgt dat de eerste tot de laatste diamant die in die streek gevonden wordt binnen de kortste keren bij onze mensen terechtkomt. Inclusief alles wat nog gevonden moet worden.' Collin nam zijn glas aan en knikte Van Heerde afgemeten toe.

'Prosit, op Kabankagola enterprises.'

Le marché libre

Elk stapeltje bevatte welgeteld negen tomaten. Vijf voor de basis, drie voor de tussenverdieping, één daarbovenop. Drie rijen van vijf piramiden. Als hij vandaag alles kwijt raakte, kon hij daar vijf broden voor kopen. Of vier broden en wat geld, dat hij bij de rest kon stoppen in het plastic zakje dat hij had verstopt onder een van de dwarsbalken in de slaaphut van de kinderen. Tendai ging verzitten op de omgekeerde emmer die dienst deed als stoel. De rand sneed in het blote vel van zijn dijen, al meer dan een uur, sinds hij hier zat en hij de zon geleidelijk aan kracht had zien winnen. Het marktje was inmiddels volgelopen met marktkramers zoals hij: bewoners van de township die wat groenten kweekten op een veldje achter hun hut en de oogst 's morgens aan de man trachtten te brengen bij de busstopplaats. Het zwarte plastic zeil dat als een luifel boven zijn steekkar was gespannen, bood net voldoende schaduw voor zijn dubbelgeplooide lichaam. Alleen zijn in sandalen gestoken voeten vielen erbuiten. Dunlop sandalen, gemaakt van repen rubber, gesneden uit de klapband die hij had gevonden langs de zandweg die naar de vallei leidde, verder naar het noorden. Ook de zolen waren van klapband. Met het profiel naar beneden en de gladde zijde naar boven. *Aan het wegdek gekleefd*, volgens de reclame, die hij eens had gezien in de hoofdstad. Vier banden waren aan een reusachtig bord gekleefd en daarboven stond in koeien van letters: Dunlop. Zonde van de banden, daar had hij tientallen sandalen van kunnen maken. Aan asfalt kleefden ze misschien, maar niet aan het stof van de wegen van het binnenland. Gelukkig veroorzaakten die af en toe een klapband, wat moest hij anders aan zijn voeten?

De man hoestte. Een droge hoest, die van diep binnenin zijn borst kwam en die hij niet kon tegenhouden, nu al meer dan een week.

De strook schaduw onder het zeil zou steeds smaller worden, tot de hitte niet meer te harden zou zijn. Dan zou hij moeten opstaan om de koelte op te zoeken van de wilde vijgenboom aan de rand van het marktplein, in het gezelschap van de ossenwagens die daar geparkeerd stonden. Groene, een-assige wagens waren het, met een lange houten dissel, getrokken door een koppel rossige ossen met witte hoornen. Hoornen als spiesen, breder dan hun schoften en scherper dan het wapen van de neushoorn. Ze wachtten op de voermannen die in de bierhuizen het geld opdronken dat ze hadden verdiend met het vervoeren van enkele balen katoen.

Hij hoopte dat hij zijn tomaten verkocht zou hebben voor het zo ver was. Misschien kon hij ze verkopen aan de inzitten-den van de Landcruiser die het marktplein kwam opgestoven. Tendai verschoof zijn emmer om beter zicht te krijgen op de wagen. Hij hoestte opnieuw terwijl hij zich over de tomaten boog en zijn ogen tot spleetjes kneep om beter te kunnen zien. Dunlop banden met een diepgegroefd profiel. Voorlopig nog geen kans op materiaal voor een nieuw paar sandalen.

Er stapte een blanke vrouw uit. Ze liet zich van de passa-gierszetel glijden als een kind van een te hoge stoel. Een beetje houterig, alsof er zand in haar gewrichten zat. Ze wachtte tot de bestuurder de wagen had afgesloten en klopte het stof van haar jeans. Haar ogen vielen op Tendai en de stapeltjes toma-ten. Hij zag haar even overleggen met de chauffeur, een blanke man in shorts met een honkbalpet, vooraleer ze zijn richting uitkwamen.

'Hoeveel kosten je tomaten, vriend?' Tendai keek even naar de chauffeur wiens gezicht half schuil ging achter een inkt-zwarte zonnebril en schatte zijn kansen in. Hij noemde een prijs, dubbel zo veel als wat hij normaal vroeg. Deze blanken kwamen van de stad, misschien wel van de hoofdstad, waar alles vijf keer, misschien wel tien keer duurder was dan hier. En trouwens, wie niet waagde, won nooit iets. De vrouw haalde een portefeuille boven. 'Geef me deze hier,' en ze wees heel de voorste rij aan. Tendais hart maakte een sprong. Hij nam een plastic zak en begon de tomaten in te laden.

Twee maanden later hield Tendais hart op met slaan. Toen was de hartspier omringd door een strogele vloeistof die de ruimte tussen het orgaan en het hartzakje tot barstens toe vulde. Het was moeilijk slaan tegen een dergelijke druk in. Bovendien waren Tendais longen ingenomen door tuberculosebacillen.

Longen waarin tbc-bacillen zich nestelen en vermenigvuldigen, rotten weg. Ook bij Tendai. Enkele dagen na zijn succesvolle tomatenverkoop op de markt langs de aardeweg werd zijn hoest erger. Het was een rauwe hoest die diep van in zijn ingewanden leek te komen en niet meer te stoppen was. Ook niet 's nachts. Dan werd hij badend in het zweet wakker op zijn slaapmat en hielden zijn hoestbuien de anderen wakker. Hij kon niets anders dan opstaan en onder de schitterende sterrenhemel van de inktzwarte Afrikaanse nacht naar zijn groentetuin strompelen om daar hijgend en hoestend te wachten tot zijn borstkas min of meer tot rust wilde komen. Of tot er een gulp stinkende, geelgroene etter opwelde uit zijn keel. Hij stootte die in een niet controleerbare samentrekking van zijn middenrif naar buiten, als voedsel voor de kromme tomatenplanten die hij daar enkele maanden eerder had geplant, mooi in rijen van tien, met veertig centimeter tussen elke rij. Hij kon alleen maar hijgend toezien hoe veertig centimeter mooi aangeharkte aarde gulzig de brij absorbeerde voordat die de sterrenhemel kon weerspiegelen. Hij moest met zijn handen op zijn knokige knieën steunen om niet voorover te vallen, zo uitgeput was hij van het slopingswerk dat onverminderd verder ging, dag na dag. En hij vermagerde, hoewel hij at als een paard. De verpleegster van het missiehospitaal had hem pillen gegeven waarvan hij er elke dag zestien moest nemen, 's morgens bij zijn maïspap. Pillen, rood als het bloed dat hij op het eind ophoestte. Helderrood bloed, waarin witte slierten slijm dreven, schuimig slijm dat aan de wanden van de zinken teil kleefde waarin hij hoestte. Toen had hij allang niet meer de kracht om zich naar de moestuin te slepen, om de planten te voeden met stukken en brokken van zijn lichaam. Uiteindelijk gaf hij zijn lichaam volledig terug aan de aarde, minder dan twee maanden nadat de eerste hoestbui zijn borstkas binnenstebuiten had gekeerd.

Maar dat was lang nadat Mireille en Kurt langs de kraampjes van het marktje kuierden, de plastic zak met de tomaten tussen hen in. Ze wandelden in de richting van het restaurant waar ze de rest van het gezelschap hadden achtergelaten voor ze op zoek gingen naar wat groenten en fruit. Mireille genoot met volle teugen. Drie dagen waren verlopen sinds ze geland waren op Kisangani en in die drie dagen was de groepsdynamica op gang gekomen, gedreven door de meest essentiële zaken: zorgen dat ze aan proviand geraakten en op tijd bij de plaats van bestemming aankomen voordat de lange tropennacht inviel. Mireille hield van het kleurrijke spektakel van het marktje. Het deerde haar niet dat ze langs alle kanten werden aangegaapt en Kurts verschijning nauwelijks onderdrukt gegiechel veroorzaakte. Ook Kurt stoorde er zich niet aan. Hij dacht er niet aan zijn opzichtige pet en donkere bril af te zetten. Het waren de attributen waarmee hij op elke diareeks prijkte en die hij, na de thuiskomst, een jaar lang zou wegbergen, terwijl hij zich voor zijn computer zou hijsen, dromend van zijn volgende reis.

Mireille genoot vooral van de onbekommerde anonimiteit die zij miste in het dorp waar ze elke dag rondhotste, op weg naar een verkoudheid of een gepensioneerde die hunkerde naar een babbel. Dat deed ze al vijftien jaar, elke dag opnieuw, samen met twee collega's die het werk draaglijk maakten. Eén keer per jaar hield ze op het sympathieke klankbord te zijn voor het leed van het halve dorp en stapte ze op het vliegtuig, zo ver mogelijk weg, het liefst met mensen die ze totaal niet kende. *Reizen.Natuurlijk!* was al jaren haar vaste reispartner. Ze kon zich goed vinden in hun mengeling van exotisch en toch vaag bekend, avontuurlijk maar toch berekend en goed georganiseerd. Ze betrapte zich zelfs op een vleugje jaloezie telkens als ze het prachtige kantoor aan de Schelde opzocht om een reis te bespreken. Serge leek altijd aan te voelen wat voor reis ze nodig had. Alles werd netjes gepland en geregeld. Daphne, de secretaresse, leek de dingen perfect onder controle te hebben. De sfeer was heel anders in haar praktijk met zijn onverwachte telefoontjes, zeurderige patiënten en o zo dringende raadplegingen. Hier was het cliënteel opgewekt en opgeruimd, in blijde verwachting van een boeiende ervaring. Het gaf haar soms het gevoel dat het tijd werd om haar leven een andere wending te geven, voordat ze volledig vastroestte in het dorp waar ze wist wat er zich achter elke voordeur afspeelde.

Ze kwamen opnieuw bij de Landcruiser en haar aandacht werd getrokken door de onverstoorbare blik van een meisje met een mand wilde druiven op haar hoofd. Hoe lang stond ze daar zo al, nu eens steunend op het linker-, dan op het rechterbeen? Ze was een jaar of tien en droeg het verschoten uniformpje van de plaatselijke lagere school. Rond haar hals had ze een tiental kransen met houten kralen en rond haar polsen koperen armbandjes. Haar huiswerk bestond uit het slijten van de druiven die ze 's morgens had geplukt in de brousse een tiental kilometer verderop, lang voor de schoolbel klonk en ze zich naar het gebouwtje repte, met de mand balancerend op haar korte krullen.

Ze zei niets maar keek hen aan, nieuwsgierig en hoopvol tegelijkertijd. Kurt wou haar negeren maar Mireille wees naar de kransen. Het meisje zette onmiddellijk de mand op de grond, en gaf haar alle kransen die ze omhad. Mireille koos er een, deed hem om en gaf het meisje wat geld. Plots lachte ze dan toch, verlegen nu. Ze plaatste de mand op haar hoofd en huppelde weg, zonder dat er één druif bewoog.

Comme chez soi

Ze vonden de rest van het gezelschap in een van de vele restaurantjes die de markt afbakenden. De gevel was paars geschilderd en had oranje ramen, de eigenaar hield van enig contrast. Binnen was het schemerig, alle kleuren leken buiten opgebruikt. Op de grauwe betonvloer stonden ongeverfde houten tafeltjes en grijze plastic stoeltjes en ergens in een hoek stond een cementen toonbank met daarop een glazen kast met wat vlees- en deegwaren.

Robert doopte een stuk maniokdeeg, *ugali*, in de vleessaus die de bodem van zijn helgroene plastic bord bedekte, voegde er enkele donkergroene slierten groenten aan toe en bracht alles beschaafd naar zijn mond, zonder dat er een stukje voedsel wegglipte uit de drie vingers die hij nodig had om de bal maniokdeeg te controleren. Zijn mond stond geen ogenblik stil. Serge probeerde hetzelfde te doen, onhandig en met een verveeld gezicht. Hij hield niet van maniok en met zijn handen eten vond hij vies.

Het was stil in het zaaltje, er werd gegeten, snel en geconcentreerd, en dat was als activiteit voldoende. Alle tafeltjes waren overigens bezet, maar nooit voor lang. Het was een komen en gaan van mannen en vrouwen, bepakt en bezakt, op weg naar het binnenland, of wachtend op de bus naar de stad. Iedereen at dezelfde schotel, er stond slechts één gerecht op het menu, *ugali* met stoofvlees en groente. Na een korte knik in de richting van de dienster achter de cementen toonbank, kreeg je het opgediend in helgekleurde plastic borden, het enige kleurige element in de halfdonkere ruimte. Behalve de coca-cola-automaat, die had dezelfde kleur als overal elders in de wereld, rood, met witte, ronde letters, de C uitwaaierend onder de rest van de merknaam. De automaat werd met gas aangedreven en trilde even, elke keer als de motor aansloeg om de frisdrank koel te houden.

Naast de automaat zaten twee mannen van hun flesje te slurpen. Ze aten niet, maar sloegen de klanten gade terwijl ze af en toe een woord wisselden. Ze droegen allebei een maatpak en een das, alles wat verfomfaaid. Dit waren geen marktkramers, en ook geen reizigers, dit was onmiskenbaar het uniform van de zakenman. Af en toe klonk een kort bevel in de richting van de dienster, als die niet snel genoeg had gezien dat een nieuw gezelschap een van de tafeltjes had ingenomen of als een ander gezelschap hun bord had leeggegeten en wou afrekenen. Snelle turn-over, daar leefde dit zaakje van. Kletsers hoorden hier niet thuis, die bezetten alleen maar tafeltjes en stoeltjes, waar consumenten hoorden te zitten.

De twee hielden het tafeltje van de blanken in het oog. Ze vormden een opvallende witte vlek tegenover de zwarte huidskleur van de andere klanten.

'Ken jij die blanken?' De man die sprak, veegde met de rug van zijn hand zijn mond droog en keek over de rand van een zware bril met hoornen montuur naar de blanken. Zijn gezicht lag voor de helft verscholen achter het kijkapparaat dat als een zadel over de rug van zijn indrukwekkende neus geplooid lag.

De strakke lijnen van zijn mond en onderkaak lieten vermoeden dat er in het restaurant weinig ruimte was voor grapjes.

Zijn kompaan schudde zijn hoofd. Hij zag er een stuk jonger uit en had een veel minder streng uiterlijk met twee gitzwarte ogen in een langwerpig gezicht en een constante glimlach, die niet week toen zijn blik die van Robert kruiste.

'Nog nooit gezien. Sisi lijkt ze nochtans te kennen. Waarom ga je 't niet gewoon vragen?'

De oude keek hem even aan en wenkte de dienster.

'Toeristen uit België,' antwoordde het meisje. Ze veegde nerveus haar handen aan haar witte schort. Ze hield er niet van dat haar oom, die haar in dienst had genomen, af en toe op haar vingers kwam kijken. Zeker niet als hij haar begon uit te horen over de klanten. Het leek alsof ze op het matje werd geroepen. Ze deed toch verschrikkelijk hard haar best om er voor te zorgen dat iedereen snel een eenvoudige maaltijd werd opgediend zodat er weer plaats was voor de volgenden. En ze zorgde er vooral voor dat iedereen betaalde. Ze veegde zorgvuldig het tafeltje van haar oom schoon en ging op halve fluistertoon verder: 'Steeds een ander gezelschap maar die kleine met zijn snorretje is er altijd bij, hij komt hier een paar keer per jaar.'

'Waar komen ze vandaan?'

'Dat weet ik niet precies, uit Isiro geloof ik, of misschien wel Kisangani. Ze komen altijd met dezelfde wagen.'

De man met de hoornen bril richtte zich tot zijn metgezel. Het meisje begreep dat het onderhoud was afgelopen en haastte zich opgelucht naar een volgend tafeltje, waar een gezette dame gebaarde dat ze nauwelijks nog langer kon wachten om een bord maniokdeeg tot zich te nemen.

Ze keken weer in de richting van Robert die nu zorgvuldig zijn bord schoonveegde met het laatste restje *ugali*. Ook hij keek in hun richting. Lang genoeg om duidelijk te maken dat hij wist dat ze het over hem hadden gehad. Hij wenkte op zijn beurt de dienster en gaf een teken dat hij wou betalen.

'Ok, laten we het hem vragen.'

De man stond op en nam zonder veel omhaal plaats aan het tafeltje bij de Belgen. Robert zette met een doffe klap zijn colaflesje op het formica tafeltje en keek vragend naar de man. 'Hoe maakt u het?'

'Goed, dank u, en u?'

Robert had onmiddellijk een vermoeden. Dit heerschap was meer dan de uitbater van deze zaak. Hij was dan ook niet verwonderd toen hij vroeg waar ze vandaan kwamen en wat ze hier kwamen doen. Niet bepaald een vraag die uitnodigde tot verder consumeren. Hij keek even naar Serge.

'Hij wil weten waarom we hier zijn.' Hij sprak in het Nederlands, alsof Serge de conversatie niet had kunnen volgen.

'Waarom wil hij dat weten?'

Jezus, wat kon Serge toch naïef zijn. Daarom natuurlijk. Omdat ze hier niet thuishoorden. Omdat ze overduidelijk reizigers waren, geen plaatselijke klanten. Omdat hun huid even schril afstak tegen de omgeving als een impala tegen een kudde leeuwen. Omdat dit de uitbater was, een zakenman, dus een plaatselijke notabele, dus een plaatselijke politicus, dus had hij het recht te vragen wat hij wou aan wie hij wou en waar het hem beliefde. Daarom.

'Hoe maakt u het?' Serge richtte zich nu zelf tot de man. Die keek hem even aan maar negeerde hem verder. Hij beantwoordde de groet niet, maar wendde zich opnieuw tot Robert.

'Zeg tegen je vrienden dat we hun aanwezigheid hier niet op prijs stellen. We hoeven geen volk uit de stad. Zeker geen blanken, *musungu's*. Zeg tegen je vrienden dat er in de stad mensen genoeg zijn met dezelfde huidskleur als zijzelf. Hier hebben jullie niks te zoeken, wij hebben niet om jullie gevraagd.'

De man stond op en wierp een korte blik op Serge. Hij haastte zich niet, hij nam de tijd om zich op te richten, ook nog even de gelagzaal rond te kijken waar het opvallend stil was geworden en uiteindelijk de enkele stappen te zetten naar het tafeltje waar hij vandaan kwam. De aandacht van de aanwezigen verplaatste zich van de gebrilde man naar het groepje blanken. Niemand sprak. Robert keek strak voor zich uit naar een punt op het tafelblad waar enkele mieren bezig waren met het transporteren van een korrel maniokdeeg. Serge stond langzaam op. Robert maakte zijn blik los van het tafelblad en keek hem schichtig aan. Jezus, hij ging hier toch geen scène maken? Uiteraard had hij alles verstaan, hopelijk had hij het ook begrepen.

Serge ging met dezelfde langzame stappen naar het tafeltje waar de twee hem onbewogen gadesloegen, maar hij passeerde hen zonder hen een blik waardig te keuren. Hij hield halt bij de cementen toog.

'Hoeveel moet ik u,' vroeg hij in onberispelijk Frans.

Het meisje haalde opgelucht adem en fluisterde het bedrag. Toen ook nog de drankautomaat met een haast menselijk gekreun aansloeg en na een eerste rilling overging in een sonoor, bijna tevreden geronk was dat voor de aanwezigen het sein om het incident als afgesloten te beschouwen.

De mannen aan het tafeltje naast de automaat keken onbeweeglijk toe hoe Serge betaalde en samen met de anderen de gelagkamer verliet.

'Ik hoop dat hij het begrepen heeft,' zei de man met de bril, zonder zijn ogen af te wenden van de deur die achter hen was dichtgevallen.

'Uiteraard,' antwoordde zijn metgezel. 'Of hij is nog stommer dan hij eruitziet.'

'Dat zou me niks verbazen. Ga na waar hij vandaan komt en wat hij hier te zoeken heeft. Je weet hoe ze zijn dezer dagen. Ze willen alles. Breng me morgen verslag uit. En nu wil ik *ugali*.' Hij nam zijn bril van zijn neus en veegde in gedachten verzonken de glazen schoon met het uiteinde van zijn das.

Wireless (1)

'Waar heb je ze gezien?'

'In een wegrestaurant, tussen Bafwaboli en Batama.'

'Ben je zeker dat zij het waren?'

'Natuurlijk. Robert was erbij, geen twijfel mogelijk. Robert en een zekere Serge, hij was de leider van de bende, of zo leek het toch. Dan nog twee oudere mannen en twee vrouwen. Eentje van de twee mocht er best zijn. Een blondine, met een gek brilletje, dat wel, maar de juiste rondingen op de juiste plaats, ik vraag me af...'

'Goed, goed. Heb je met hen gesproken?'

'Niet echt.'

'Wat heb je dan gedaan?'

'Niet veel. Gezegd dat ze maar beter konden ophoepelen.'

'En wat deed Robert?'

'Hij speelde het spel mee. De zogenaamde leider trok een beetje bleekjes weg. Denk ik toch. Hij werd in alle geval nog witter dan hij al was. Hoe wit kan een blanke eigenlijk worden? Of hoe bruin? Als ze te lang in de zon liggen worden ze bruin. En als je op hun tenen trapt worden ze rood. En ons noemen ze kleurlingen, ik kan niet half zoveel kleuren produceren...'

'Ja ja, dat zal wel. En toch reden ze verder naar Adusa?'

'Dat denk ik wel. Ik ben ze niet gevolgd. Maar dat kun je vlug weten. Heb je geen contactplaats afgesproken met Robert?'

'Nee. Ik wou zelf naar Adusa gaan, maar dat kan ik in de huidige omstandigheden beter niet doen.'

'Waarom niet?'

'Waarom niet? Heb je het dan niet gehoord?'

'Wat dan?'

'Kayemba wordt vermist.'

'Wie is Kayemba?'

'Onze plaatselijke man in Adusa. Nu, ik vrees dat je hem nooit meer zult leren kennen.'

'Bedoel je...'

'Ja. Er werden Ugandezen gesignaleerd rond Adusa. Kort daarna is Kayemba verdwenen. Ook de Ugandezen werden niet meer gezien. Ben je er nog?'

'Ja. En wat betekent dat voor Robert en de blanken?'

'Niets. Hoop ik. De Ugandezen wilden ons treffen. Ze kennen de rol van Robert niet. Denk ik.'

'Bedankt dat je me inlicht.'

'Ik dacht dat je het al wist.'

'Hij kan nog gevonden worden.'

'Ja, hij kan nog gevonden worden. Om hem een fatsoenlijke begrafenis te geven.'

World view

'Enkele dagen geleden was deze vlakte gevuld met een kudde van wel driehonderd buffels.' De tanden van de verteller blikkerden even bij het licht van het flakkerende houtvuur toen hij zijn flesje Primus aan zijn mond zette. Hij veegde zijn mond af met de rug van zijn hand en ging verder. 'Enkele onder die kolossen hadden een ernstig meningsverschil, waarop een vechtpartij ontstond. Een vechtpartij zoals ik er nog niet veel heb gezien in de dertien jaar dat ik in dit wildpark werk. Het stof vloog in het rond en bij elke aanval leek de razernij toe te nemen. Door mijn verrekijker was het alsof ik er met mijn neus opzat. Een machtig zicht. Uiteindelijk moest een van de buffels het onderspit delven met een opengereten flank waar de roze darmslierten uitpuilden.'

Bienvenu zweeg en keek even de kring toehoorders rond. De oranje vlekken van hun gezicht lichtten af en toe op tegen de inktzwarte achtergrond van de tropennacht. Zestig meter lager dan het natuurlijke terrasje waarop ze zaten, lag de brousse, van hen gescheiden door een loodrechte rotswand. Achter hen begon een plateau. Daarop waren de vage contouren van twee lodges te zien, in het licht van het kampvuur. Overdag bood het terras een adembenemend uitzicht over de savanne. Nu, na het avondeten en bij een Primus, bood de kring licht rond het houtvuur een gevoel van veiligheid terwijl uit de wildernis af en toe het gehuil van hyena's opsteeg.

Bienvenu Nembunzu, de gids die hen had vergezeld zodra ze het park waren binnengereden, genoot van de ernstige gezichten en de aandacht die hij kreeg. Hij ging verder. 'Het dier kon zich nog onder een boom slepen terwijl de rest van de kudde de leider volgde en verder trok. De stervende buffel werd vervolgens bezocht door drie hyena's die werden aangetrokken door de geur van bloed en ingewanden. Deze aanval kon het dier nog afslaan, door zoveel mogelijk de buikwonde af te schermen met zijn machtige hoorns, zij het ten koste van nog enkele meters darm. De hyena's dropen af toen ze op hun beurt lucht kregen van twee leeuwinnen, ook al aangetrokken door de geur van een makkelijke maaltijd. De buffel slaagde erin zich met zijn laatste krachten in het nabijgelegen meertje te slepen, waar de buikholte zich gorgelend met water vulde en het dier vreedzaam verdronk. De leeuwinnen bleven nog een tijdje rondhangen, verbaasd dat de buffel plots niet meer bewoog, maar lieten het kadaver uiteindelijk voor wat het was, leeuwen houden niet van water. Of ze houden niet van buffelvlees dat... hoe zeggen jullie dat... seignant wordt opgediend.'

Hij lachte kort. 'Ik heb toen de plaatselijke bevolking gewaarschuwd. Ze hebben de dode buffel uit het water gesleurd en de buit verdeeld volgens de ondemocratische aanwijzingen van het kraalhoofd: de sterksten het meest. Ik kreeg uiteraard ook mijn deel, en daar hebben we vanavond goed van gegeten. Of dat hebben jullie me toch verzekerd. Nu weten jullie in welke supermarkt wij dat lekkere vlees voor die stoofpot hebben gehaald.'

Bienvenu keek opnieuw de kring rond, gooide zijn hoofd in zijn nek en ontstak in een bulderende lach. De toehoorders keken elkaar even aan en lachten flauwtjes mee. Alleen Robert trachtte te wedijveren met de Congolees. 'Het vuile werk door anderen laten opknappen, daar zijn jullie wel goed in. Scheelt jullie meteen een aantal kogels.'

Robert stamde uit een boswachterfamilie. Hij wist hoe je met vuurwapens moest omgaan. Dat plaatste hem in zijn ogen op voet van gelijkheid met de Congolees. Hij ging zelf nooit op reis zonder zijn revolver, een punt 45. Hij had hem nog nooit gebruikt en nog nooit aan iemand laten zien maar hij zette geen stap buiten België zonder zijn wapen. Het was een erfenis van zijn vader, samen met zijn dubbelloops jachtgeweer. Dat was het enige van waarde wat zijn vader had achtergelaten na een leven van zwerven door de bossen van het Waasland en het likken van de hielen van de heren jagers. Daarom wou

Robert niet in zijn voetsporen treden, ondanks zijn fascinatie voor vuurwapens en het buitenleven. Hij vulde zijn dagen in België als privéchauffeur van een diamantexpert.

'Waar zijn die buffels nu?'

De gids keek verbaasd naar de vrouw die de vraag had gesteld. Rosa staarde met grote ogen terug. Ze zat dicht tegen haar man aan die een arm om haar schouders had gelegd. Ze voelde zich duidelijk niet op haar gemak. Dit was een heel ander soort natuur dan die van hun serre in het Waasland.

'In de vlakte, verder getrokken, steeds verder. Dit park is even groot als dat land van jullie, er is wel wat plaats om rond te trekken.' Als om de woorden van de man te illustreren schoof een zware wolk weg zodat de vlakte overgoten werd met het melkwitte licht van de maan. Ze keken en zwegen, in gedachten zagen ze het tafereel van de stervende buffel weer voor zich, een tafereel dat ze alleen kenden van *National Geographic*, maar dat zich op dit eigenste moment misschien opnieuw afspeelde, diep beneden hen.

'Prachtig.'

Het was Mireille die sprak. 'Een prachtig gezicht. Savanne en regenwoud, niets dan natuur zo ver je kunt kijken. Jungle, zonder een teken van menselijke aanwezigheid. Geen kabels, geen elektriciteit, geen wegen, geen huizen, geen boeken, geen wetten, niets. Alleen natuur. En wij, in een schamel kringetje licht. Een paar vierkante meter beschaving in een zee van wildernis.' Ze sprak zacht, alsof ze het tegen zichzelf had. Ze zat op de grond, met haar rug tegen de boomstronk waar Serge op zat, een beetje buiten de kring. Zoals gewoonlijk zei ze weinig. Ze had de avondmaaltijd bereid, alleen, met de ingrediënten die de gids haar had gegeven, terwijl de anderen de lodge inrichtten voor de nacht en een biertje hadden gedronken. Ook nu mengde ze zich weinig in het gesprek. Haar opmerking werd gevolgd door stilte alsof niemand precies wist wat hij ermee aan moest.

'Geen wetten? Of andere wetten?'

In de vlakte beneden hen klonk een ritmisch gegrom, gedempt door de afstand. Het werd gevolgd door eenzelfde gegrom, dichterbij.

'Nijlpaarden. Er zitten er een paar in het meertje waar die buffel is verdronken. 's Nachts worden ze actief. Dan krijgen ze honger en gaan ze aan land. Overdag doen ze niks anders dan luieriken in het water.'

'Zie je Mireille? Er zijn daar beneden heus wel wetten, alleen zijn ze niet zo direct te herkennen voor een westerse geest.' Robert pookte met een stok in het vuur zodat de gensters eruit spatten. Een kortstondig vuurwerk dat doofde, enkele meters boven hun hoofden. 'En jij, Kurt, wat denk jij ervan, jij die al een en ander hebt gezien van de wereld, Borneo, Vietnam, Brazilië, wat weet ik nog allemaal... vond je daar ook wildernissen zonder wetten?'

Kurt grinnikte. 'Nee, ik denk dat je gelijk hebt. Wat wij hier een kring van beschaving noemen, wijzelf en die enkele vierkante meters rond de lodge, gaat natuurlijk voorbij aan alle georganiseerde levensvormen daar beneden. Je hebt de chief en zijn dorpelingen om te beginnen. Democratie is een westerse uitvinding die hier weinig te zoeken heeft. Vraag dat maar aan die buffel. En toch moest hij dood. Er kan maar één iemand de leider zijn. Een wet zo helder als glas. En dat principe heeft maar één dier het leven gekost, geen heel leger. Democratie...' Hij sprak het woord uit alsof het een slechte smaak had. 'Wat een idee te veronderstellen dat wat men is begonnen op een onooglijk schiereiland in de Middellandse Zee nu dé methode zou zijn om alle menselijk samenleven te ordenen. Dat op zich is al een uiting van het superieure westerse denken. Veel last van bescheidenheid hebben de blanken trouwens nooit gehad.'

Serge had nog niet veel gezegd, maar mengde zich nu in het gesprek: 'En waarom zouden ze? Het feit dat we hier vanavond zitten, onze buik goed gevuld, een fles bier bij de hand en straks een dak boven ons hoofd, is toch het resultaat van dat superieure westerse denken? Of dwaal jij liever rond in de jungle, als lid van een fantastisch natuurvolk, wachtend tot er nog eens een buffel verdrinkt eer je aan een stuk vlees geraakt... als de chief tenminste niet alles voor zichzelf houdt. Ik weet het niet, het geeft me toch een veilig gevoel te weten dat er een Landcruiser achter die lodge staat zodat we hier weg kunnen als we genoeg hebben van het uitzicht.'

Kurt lachte. 'Maar je verdient wel je brood met mensen te overtuigen dat ze vijfduizend kilometer ver moeten vliegen om dat te komen bekijken, de ware natuur, het echte leven, de zuiverheid van de ongerepte brousse... weg van de stress en het jachtige leven... Ik zie de glanzende brochures nog zo voor me.'

Serge aarzelde. Hij had zich te ver bloot gegeven, besefte hij. 'Oké, oké, je hebt gelijk. Ik verkoop reizen, maar dat wil nog niet zeggen dat ik voortdurend zelf die reizen moet maken. Het is niet omdat je brood verkoopt dat je zelf van 's morgens tot 's avonds brood moet eten.'

'Of dat je je huis vol azalea's moet zetten, als je azaleakweker bent. Ik kon geen pot azalea's meer zien aan het einde van een lang seizoen.' De laatste opmerking kwam van Karel. Ze lachten nu allemaal.

Behalve Rosa. Ze staarde met grote ogen naar een punt naast de gids.

'Karel, zie je dat?'

Karel keek zijn vrouw aan en volgde haar blik. Hij zag niets. 'Wat dan?'

'Ik zag twee ogen glinsteren, daar ergens in het struikge-was.' De gids draaide zich om en greep zijn jachtgeweer, dat de hele avond binnen handbereik had gestaan. Met zijn andere hand richtte hij een krachtige stralenbundel in het struikgewas achter hem. Het licht van de zaklamp kwam tot stilstand bij een donkere schaduw waaruit twee ogen oplichtten.

'Een hyena,' zei hij zacht. 'Waarschijnlijk zijn er meer.'

Hij legde zijn geweer op zijn knieën en tuurde ingespannen in de duisternis. Het was nu muisstil. Er klonk geritsel, de schaduw bewoog, ze zagen duidelijk de hoge rug en de kop, laag bij de grond.

'Ze hebben het vlees geroken,' fluisterde Bienvenu. 'Ze zullen in de buurt blijven maar komen niet dichter zo lang wij hier bij het vuur zitten.'

'Een hele geruststelling,' zei Robert, maar het klonk minder zelfverzekerd dan dat hij bedoelde. Ze zwegen opnieuw. In het struikgewas weerklonk nu voortdurend geritsel. Alle ogen waren op Bienvenu gericht. Die nam een stok uit het vuur en ging ermee in de richting van de hyena. Rosa kroop tegen Karel aan terwijl de gids zich met de stok zwaaiend uit de lichtkring verwijderde. Plots zagen ze drie schaduwen wegvluchten. Ze hoorden het geluid van krakende takken, steeds verder weg, tot het opnieuw stil was. Bienvenu draaide zich om en zijn trekken ontspanden zich. 'Jullie wilden toch een *touch of the wild*? Wel dan, heb ik dat niet goed georganiseerd?' En hij lachte opnieuw zijn bulderende lach.

Serge dronk opgelucht van zijn flesje. Hij merkte dat zijn handen trilden. Niet echt een kenmerk van een onverschrokken reisleider, stelde hij bij zichzelf vast.

Memoires (1)

Serge kon de slaap niet vatten. Hij staarde in het schemerdonker, naar het topje van het muskietennet waaronder hij lag. Het was opgehangen aan een van de dwarsbalken van de houten lodge. Af en toe weerklonk er geritsel in de rieten dakbedekking, die bijna tot op de grond kwam. Het dak rustte op een muurtje van een meter hoog, waartegen hun bedden stonden, vier in elke lodge. Tussen de bedden stond telkens een houten tafeltje met een olielamp erop. Er zitten muizen in het dak, had Bienvenu verzekerd, niets om jullie zorgen over te maken, onder het muskietennet zijn jullie veilig.

Een rare redenering, vond Serge, een muskietennet moest hen tegen alle gevaren van de wildernis beschermen. Hij vroeg zich af wat een muskietennet vermocht tegen een hongerige hyena. Maar hij wachtte zich wel aan zijn verbazing uiting te geven.

Hij draaide zich op zijn zijde. Hier had Dirk zich dus in zijn element gevoeld. Dit was de biotoop waar hij zes jaar van zijn leven had doorgebracht. Waarschijnlijk was deze lodge een luxueus verblijf in vergelijking met de plaatsen die Dirk bezocht, wanneer hij achter de antilopen aanzat of dolgelukkig was bij de vondst van enkele uitwerpselen van mensapen. Hij verbleef liefst diep in de brousse, omringd door woudbewoners die hij tot zijn vrienden rekende.

En toch waren ze ooit onafscheidelijk geweest. Hun vader, René Verbeek, was een van de laatste Belgische diamantairs. Zijn cliëntèle strekte zich uit tot ver buiten de landsgrenzen. In de juwelierszaak van zijn vader had Serge de eerste maal Afrikanen gezien. Nette heren waren het, geen zwarten zoals die donkere mannen met bivakmutsen die met hun handen in hun jeans stonden te wachten tot de tram kwam, en hem dan lieten rijden zonder op te stappen. Nee, in de diamantzaak kwamen chique mannen in maatpak, met gouden manchetknopen en dasspelden. Ze glimlachten minzaam wanneer ze hen even over de bol aaiden, de zeldzame keren dat ze als kind in de winkelruimte werden toegelaten. Sommigen werden meegetroond naar de privésalon. Daar kregen ze een borrel en werden de gesprekken op dezelfde onderhoudende toon verdergezet. Ook dan werden de twee zonen van de diamantair er soms bijgehaald, ook al begrepen ze niets van het gesprek.

De Afrikanen waren verrukt als ze de jongetjes zagen met de zijden haren, waar ze zo graag over aaiden met hun van ringen fonkelende handen. Serge was een kop groter dan zijn broer, die er altijd verveeld bijstond, nukkig dat hij was weggehaald van zijn beesten. Als papa de bezoeker meetroonde naar een tafeltje waar de *diamondlite** en weegschaaltjes stonden te wachten, werden de buideltjes bovengehaald en stonden de gezichten die voordien nog in een welwillende lach lagen geplooid, plots ernstig. Verder ging Serges herinnering niet: dit was het punt waarop ze werden aangemaand de salon te verlaten en zich bij mama te vervoegen, in de woonkamer of in de keuken, haar terrein.

De broers hadden het spel meegespeeld zo lang ze jong genoeg waren om te gehoorzamen. Later waren ze hun eigen weg gegaan, en die had nog weinig te maken met diamanten. René Verbeek had niet aangedrongen, hij was wijs genoeg om zijn zaak aan geen van hen op te dringen. Maar toen Serge zijn voornemen bekendmaakte dat hij business administration wou gaan studeren, flakkerde zijn hoop op een opvolger toch even

* lamp met daglicht tl-lampen om diamant te onderzoeken

op. Serge vlinderde doorheen zijn opleiding en slaagde met brio. Zijn neus voor zakendoen had hij geërfd van zijn vader, en dat de diamantsector niet meer aan Belgen was besteed, had hij al lang begrepen. Hij gooide zich op de reismarkt en stampte een bedrijfje uit de grond. Zijn vader sloeg het goedkeurend gade. Geld was overal te verdienen, met de juiste kennis en de nodige flair. De oudste zoon zat goed. Anders verging het de jongste. Zijn passie voor al wat leefde en niet menselijk was, dreef hem naar een academische carrière. Dirk werd bioloog, zeer tot ontevredenheid van René Verbeek, die zijn leven had gewijd aan de meest levenloze der materies, diamant. Misschien was dat wel de onderliggende drijfveer van Dirks keuze geweest: radicaal het tegenovergestelde van zijn papa. Niet het leven van een zelfstandige handelaar leiden, maar het leven van de afhankelijke ambtenaar, geen rijkdom verwerven, maar kennis.

Serge zuchtte en wreef in zijn ogen. Hij wist het niet. Ze hadden te weinig gepraat. Of toch de laatste jaren. Ze hadden nooit behoefte gehad aan diepzinnige gesprekken, vanaf een bepaald punt waren ze elk hun eigen gang gegaan. Maar nu voelde hij een groot gemis. Nu wou hij weten waar ze uit elkaar gegroeid waren. En waarom. Pas nu voelde hij daar behoefte toe. Hier, in het midden van de jungle, op een bed van bamboe onder een dak van palen en stro. Hier wou hij Dirk vragen wat hem had gedreven, waarom hij deze wildernis had verkozen boven het bruisende leven van een havenstad, hoe het kwam dat hij hier gelukkig was geweest, maar vooral, waarom hij er nu niet meer was.

En route (1)

Was er iemand die hem kon vertellen waarom Dirk zoveel van dit land had gehouden? Van deze miezerige stofwegen die als een colonne mieren over de rode aarde slingerden, schijnbaar zonder doel, komend vanuit het niets en leidend naar nergens? Waarom had hij gehouden van de grillig gevormde horizon van dorre heuvels en schrale boompartijen, trillend als een eucalyptusblad aan de immer wijkende einder van de savanne? Waarom had hij sympathie gevoeld voor de schriele boertjes die krom als een sikkel over de kniehoge katoenstruiken bogen en met hun knokige handen de wollige zaden plukten, hun ruggen strekten, het zweet van hun voorhoofd veegden, met vermoeide ogen de voorbijrazende wagen volgden en zich naar de volgende struik bukten?

Nee, niemand kon hem dat vertellen, en zeker niet Robert naast hem, die vol overgave op een grashalm kauwde en vakkundig zijn aandacht verdeelde over de radio-ontvangst en de putten in de zandweg. Hij leek te genieten, hoewel het stof door alle mogelijke gaten en kieren in de terreinwagen binnendrong. Het drong zelfs door de bodem heen en zette zich vast op de zetels, het dashboard, het opengeschokte deksel van het handschoenenkastje, de haren van zijn ontblote voorarmen en zijn neusgaten. Robert stoorde zich nergens aan. Hij was een goede chauffeur en leek het terrein te kennen als zijn broekzak. Tijdens het regenseizoen bleef je maar beter weg uit dit district, maar vandaag waren de wegen droog. Ze reden op hardgebakken klei, een vuilrood lint, afgeboord met ondiepe plassen waar af en toe halfnaakte kinderen joelend in rondspatten.

Moesten ze niet naar school? Nee, dat moesten ze niet. De

school lag vijftien kilometer verderop, op drie uur gaans op kronkelende paadjes tussen de doornstruiken, met niets anders in hun maag dan een bord maïspap. Eén trimester naar school kostte de kromgewerkte boer een halve baal katoen van de zes waarmee hij het jaar moest rondkomen. Dus speelden de kinderen halfnaakt in de plassen langs de vuilrode aardeweg, bleven dom en gingen later katoenplukken. Die katoen werd dan gekocht door gladde opkopers die meedogenloos afpingelden op de prijs omdat ze waren geboren op minder dan vijf kilometer van een school. Omdat ze hadden leren rekenen, in het tot op de draad versleten bruin-en-zwarte uniform dat door drie broers was afgedragen, maar nog altijd werd vereist door schoolhoofden die beweerden niets vandoen te hebben met hun koloniale verleden. Balen werden doorverkocht aan fabrieken die er lint van draaiden dat werd geëxporteerd naar landen met te veel scholen om op te noemen, waar die pluizige zaden werden verwerkt tot dure producten die de kromgewerkte boer nooit in zijn veel te korte leven te zien zou krijgen.

Serge ging verzitten. De doffe pijn laag in zijn rug ebde even weg. Hier en daar was er een tussenwervelschijf die protesteerde tegen het tempo van Robert. Maar trager rijden hielp niet, het aantal schokken bleef hetzelfde, alleen duurden ze langer, zei Robert. Volgens Serge was een terreinwagen niets anders dan een snelle tractor. Om je te vergewissen van vering en schokdempers moest je eronder gaan liggen, niet ermee rijden, je zou denken dat de wielen aan de carrosserie waren vastgelast. Er waren mensen die dergelijke dingen kochten om ermee rondom een kerktoren in Vlaanderen te rijden. Met fluwelen zetels, airconditioning, elektrische ruiten en stereo-installatie. Het gaf hen het gevoel dat ze een avontuurlijk leven leidden.

Robert maakte een slipper in het mulle zand van een flauwe bocht. Even maar, hij had het voertuig onmiddellijk weer onder controle. Hij keek opzij.

'Landcruiser,' zei Robert. Dat verklaarde alles.

'Landcruiser, inderdaad,' antwoordde Serge. Hij had geen zin in de pro's en contra's van de Landrover, de Toyota, de Nissan en de Mitsubishi. Dat hadden ze al eens gehad. Hij had zin in de boterzachte vering van zijn Citroën op de biljartgladde asfaltwegen van Vlaanderen.

Ze reden nu over een bijzonder slecht stuk weg, eerder een langgerekte opeenhoping van rotsblokken waar de Landcruiser overheen danste als een klipspringer over de Kalahari, maar met een snelheid van 20 kilometer per uur. Rechts van hen was een bijna loodrechte rotswand, links van hen een afgrond van 150 meter. Hier daalden ze af van het centrale plateau, naar de vallei van de machtige rivier, de Ituri. In de diepte lag savanne, zo ver het oog reikte. Hier en daar, maar veel te weinig, lagen katoen- en maïsvelden, af en toe zagen ze het vale bruin van een hut, of het blikkerende grijs van een golfplaten dak. En daarboven het staalblauw van het Afrikaanse firmament, met witte wolkenmassa's die altijd veel verder weg leken, veel meer ruimte lieten, veel minder zwaar drukten dan om het even waar buiten dit continent. Serge was onder de indruk en begon iets te begrijpen van Dirks fascinatie.

Hij greep met beide handen het dashboard en gebruikte zijn armen als schokdempers. In deze houding had hij het minst kans om met zijn gezicht tegen de voorruit te smakken of zijn hoofd tegen de zoldering te stoten. Een microfilm van zweet legde parallelle lijnen van zwarte haartjes op zijn voorarmen. Hij glimlachte.

Robert draaide aan het stuurwiel alsof hij in een botsauto

zat. Zijn ogen weken geen ogenblik af van de vijf meter weg voor de neus van de wagen, zijn hersenen registreerden en zochten de beste route uit, zijn armen en handen dirigeerden de wagen van links naar rechts, van de afgrond naar de bergwand, van de bergwand naar de afgrond. Het leverde hen een route op met een minimum aan bokkensprongen. De Landcruiser protesteerde niet, het ding was in zijn element. Meter na meter schoof de vlakte naderbij. Daar wachtte hen de missiepost waar ze de nacht zouden doorbrengen. En hopelijk een douche.

La mission

Zoals alle katholieke missies in dit deel van het land bevond Bafwasende zich oorspronkelijk in niemandsland. Het gebied dat de witte paters meer dan zestig jaar geleden hadden uitgekozen om hun geloofsijver bot te vieren, bestond uit eindeloos oerwoud en hier en daar wat savanne, bewoond door olifanten, zebra's, antilopen, tseetseevliegen en malariamuggen. Wat er onder de grond zat, wisten de blanke kolonisten nog niet, boven de grond kregen de koeien slaapziekte en de mensen malaria, dus lieten ze het gebied voor wat het was: een stuk Afrika dat af en toe werd bezocht door een verdwaalde jager, op zoek naar groot wild of ivoor.

Alleen de paters bleven. Ze stichtten oorden van gebed en bezinning, opvoeding en gezondheidszorg. Het land was onvruchtbaar, maar de zielen ontvankelijk. De kolonisten lieten betijen. Het volk schikte zich in zijn lot, althans gedurende enkele generaties. Ze bouwden hutten, stierven aan malaria, hadden lief, baarden kinderen, verloren baby's, zwoegden op het land, begroeven de doden, dronken palmwijn en verbouwden katoen. Na de onafhankelijkheid konden ze gaan en staan waar ze wilden, maar ze bleven waar ze waren, hier en daar werd een school gebouwd en een schaarse kliniek. Ook de missies bleven waar ze stonden en de paters stierven geleidelijk uit. Ze werden vervangen door inheemse exemplaren, producten van hun geloofsijver, een ongeslachtelijke vorm van voortplanting.

Zuster Chemhuru zat knikkebollend in haar fauteuil, onder het reusachtige kruisbeeld uit houtsnijwerk dat de leefkamer van de gemeenschap domineerde. Tegen de wand stonden wat boekenkasten, hier en daar een beeld van een heilige, een foto van de paus, enkele fauteuils rond een tafeltje, plastic bloemen erbovenop. Een poging tot huiselijkheid die werd gesmoord in de rokken van de nonnen.

Zuster Chemhuru stond al twaalf jaar aan het hoofd van deze missie en dat was vier keer langer dan het actieve leven van haar God. Ze had recht op een dutje en van dat recht maakte ze elke avond gebruik, ook nu ze bezoekers had uit België die ze beschouwde als een groepje avonturiers zoals er hier om de paar maanden een langs kwam. Ze waren een welkome afleiding, maar geen reden om haar dagelijkse routine te doorbreken.

Ze had hen een maaltijd en een dak boven hun hoofd verschaft. Haar handen, die overdag voortdurend bezig waren met injecties, medicijnen, sutuurmateriaal en alle ingrediënten die nodig waren om het hospitaaltje van de missie in goede banen te leiden, lagen nu werkloos gevouwen in haar schoot. Het houten kruis dat om haar hals hing, deinde bij elke ademhaling vredig mee op de golving van haar boezem.

Buiten haar was alleen Serge nog op. De anderen hadden

al lang hun kamer opgezocht, zoveel verveling was aan hen niet besteed, slapen was een actievere bezigheid dan in de leefruimte vertoeven.

Serge kuchte. Hij had lekker gegeten. Net hetzelfde als in de wegrestaurantjes maar met bestek en een gebakje toe. Hij voelde de slaap opkomen ook al was het nog vrij vroeg. Het moest de omgeving zijn. Serge kuchte opnieuw. Chemhuru schrok wakker en keek hem vragend aan. Hij glimlachte.

'Sorry zuster, ik denk dat ik ook mijn kamer maar eens ga opzoeken.'

Ook Chemhuru glimlachte. Haar gezicht kreeg iets van een overvolle fruitmand.

Missies ademen rust uit, dacht Serge, terwijl hij door de gang liep waar de gastenvertrekken op uitkwamen. Eilanden zijn het. Oorden van onveranderlijkheid, onverzettelijk in hun goeddoen. Ze zweren bij hun Bijbel en hun tien geboden, al de rest kan hun gestolen worden, en dat was al dikwijls genoeg gebeurd. Vergeef hun Heer, ze weten niet wat ze doen – allicht was dat hun enige commentaar. Daarna sloegen ze een kruis en begonnen opnieuw. Met als aangename gevolg dat hij en zijn groep vannacht in een zacht bed sliepen, tussen versgestreken lakens.

Het leven kan eenvoudig zijn, dacht Serge terwijl hij zich behaaglijk nestelde. Je zou er haast katholiek om worden.

Touch the wild (1)

Het gerinkel van brekend glas scheurde de stilte van de savanne aan flarden als een sabelhauw doorheen een gitzwart laken, honderdmaal scherper door het holst van de nacht en geaccentueerd door de diepe stilte die erop volgde. Serge schoot onmiddellijk wakker. Hij besefte niet onmiddellijk waar hij was tot de vage contouren van de kamer hem herinnerden aan de missie.

Brekend glas, en dichtbij. Ongetwijfeld in het gebouw zelf. Hij wachtte af, hoorde alleen het wilde bonzen van zijn hart. Enkele ogenblikken bleef het doodstil, toen hoorde hij een deur opengaan, verderop in de gang. Het bleef nog stil, geen hollende voetstappen, geen geschreeuw. Hij zag onder de kier van zijn deur dat het licht in de gang werd ontstoken. Als dit inbrekers waren, en dat leek Serge het meest waarschijnlijk, dan zouden ze het hier bij laten. Misschien was de klus al geklaard. Serge besloot het erop te wagen en gleed uit zijn bed. Hij opende voorzichtig de deur. Robert stond in de gang, hij was degene die blijkbaar licht had gemaakt. De anderen sliepen aan de andere kant van de missie en hadden waarschijnlijk niets gehoord. De nonnen lagen allicht verstijfd onder de dekens.

'Wat is er gebeurd?' Robert keek hem vragend aan, zijn ogen dik van het slapen. 'Inbrekers?'

'Weet ik niet, jij bent hier de specialist, jij zou dit moeten weten. Je had toch gezegd dat missies de veiligste plaatsen waren om te overnachten?'

Robert haalde zijn schouders op, hij had duidelijk geen zin in een rondje bekvechten in het holst van de nacht.

'Laten we kijken wat er gebroken is, waarschijnlijk een venster op het terras.'

De zuidkant van het convent was een soort oranjerie, een met glas afgesloten terras waarin een van de paters in lang vervlogen tijden een plantentuin had aangelegd met yucca's, vijfvingerplanten, olifantsoor en alles wat hij kon vinden in de brousse en dat bereid was in zijn serre te gedijen.

Eén van de schuinaflopende glasplaten lag inderdaad aan

diggelen. Het glas lag verspreid tussen de planten, sommige stukken op de rode bakstenen tegels die een pad langs de minibrousse vormden. Robert en Serge keken er enkele ogenblikken naar, zonder goed te weten wat ze ervan moesten denken.

'Wilden ze langs hier binnendringen?' Robert was de eerste die sprak. Hij keek zenuwachtig rond, alsof hij elk moment verwachtte dat er een zwarte hand vanonder de planten zou verschijnen. Ze keken beiden naar het gat dat in de glaswand was geslagen, een opening van een halve meter in het vierkant, groter waren de vensters niet, hier en daar staken pieken als ijspegels in het zwarte gat van de nacht. Nu de spanning geleidelijk wegebde stonden ze er wat onnozel bij, beiden in hun onderbroek, niet goed wetend wat ze verder moesten doen. Robert keek zoekend rond. Van de nonnen nog altijd geen spoor. Lagen waarschijnlijk te bidden onder de lakens, dacht hij.

'Denk je dat het zin heeft naar buiten...?' Serge kon zijn zin niet afmaken. Achter hem klonk een scherp gesis. Robert zag onmiddellijk het gevaar, greep de arm van Serge en trok hem vliegensvlug naar zich toe. 'Een cobra,' fluisterde hij, terwijl hij Serge verder de gang introk.

'Wat?! Hoe komt die hier?'

'Geen idee, maar hij leek klaar om aan te vallen.'

'Waarschijnlijk is hij overdag binnengeglipt en heeft hij zich verscholen tussen de planten.'

'Waarom was hij dan zo opgewonden? Cobra's slapen 's nachts in plaats van rechtop te staan met een opgeblazen kop. Was je nog een stap dichter gegaan, had je een lading gif in je ogen gekregen.'

Serge wreef even over zijn ogen als om zich ervan te vergewissen dat dat nog niet het geval was. Zijn hart klopte in zijn keel. Hij was gered door het snelle optreden van Robert, nog een heldendaad die de man aan zijn erelijst kon toevoegen.

'Goed,' zei Robert, 'we hebben dus een cobra in huis. Hoe hij binnen gekomen is, weten we niet maar ik kruip niet meer in bed zolang dat beest hier rondhangt.' Hij schuifelde opnieuw voorzichtig in de richting van de oranjerie. Serge volgde hem behoedzaam tot ze opnieuw zicht kregen op het grootste deel van de plantentuin. De cobra was niet meer te zien, maar hun oog viel nu bijna onmiddellijk op een rieten mand van een dertigtal centimeter doorsnede die dicht bij de plaats lag waar Robert de cobra had gezien. Een langwerpige mand met een schuintoelopend boveneind dat uitmondde in een opening waar net een hand doorheen kon. Beide mannen keken elkaar aan.

'Wat doet die mand hier?'

'Ik zou het niet weten, maar als ik een cobra zou willen vervoeren zou ik het in een dergelijke mand doen.'

Robert staarde opnieuw naar de mand en dan naar het gebroken glas. Hij keek bedenkelijk en streek door zijn verwarde haar.

'Er is hier iets grondig mis', zei hij uiteindelijk, 'die cobra is hier niet op eigen kracht binnengekomen. En die mand ook niet. Ze is zwaar genoeg om het glas van dat venster te breken, zeker als er een cobra inzit.'

Serge keek zijn metgezel aan.

'Hoe bedoel je? Waarom zou iemand een cobra binnengooien in een missiepost? Wat hebben die zusters misdaan?' Robert keek hem aan alsof hij een hardleerse schooljongen was voor wie alles drie keer uitgelegd moest worden.

'De nonnen? Niks. Maar iedereen in het dorp weet dat hier een lading blanken overnacht. En de enige plaats waar die cobra heen kon, was naar jouw kamer, de gastenkamer, waar nooit een non slaapt, of althans bij mijn weten niet.' Serge onderdrukte zijn wrevel. Zonder Robert lag hij nu met zijn handen voor zijn ogen in een hoekje te kermen.

'We moeten de zuster waarschuwen,' zei hij. 'Als ze nog niet wakker is, moeten we haar wekken en op de hoogte brengen. Dit is niet normaal.'

'Je hebt gelijk', zei Robert, 'iemand heeft het op jou gemunt.'

Serge keerde zich abrupt om. 'Hoor eens Robert, bedankt dat je me daarnet hebt gered maar hou op met die verhaaltjes. Er zijn duizend en een redenen waarom dit kan gebeurd zijn. Wat weten wij van de situatie hier. Misschien zijn de zusters niet zo geliefd als ze laten uitschijnen. Misschien loopt hier een of andere gek rond die met hen een eitje heeft te pellen. Of misschien is het gewoon een kwajongensstreek. Het is niet omdat je hier om het half jaar eens je hoofd binnensteekt dat je er alles vanaf weet. Laat ons iets aantrekken. En zoek jij de nachtwacht, jij kent hier de weg toch zo goed. Wie of wat de slang ook heeft binnengegooid, zit al lang ver hiervandaan. Zijn werk zat erop, de rest moest de cobra doen. Dus moeten we die eerst onschadelijk zien te maken.'

Robert haalde onwillig zijn schouders op maar verdween toch in zijn kamer om wat kleren aan te trekken. Hij vond de nachtwacht, een oude man met een bivakmuts op zijn hoofd en gehuld in een lange regenjas die bijna tot op zijn enkels kwam. Hij lag op een hoopje te slapen op een bank aan het andere eind van de missie, maar was meteen klaarwakker toen hij het verhaal hoorde van Robert. Hij ging onmiddellijk op zoek naar 'wat gereedschap', zoals hij zelf zei, om op slangenjacht te gaan.

Ze vonden de cobra tussen de planten van de oranjerie. Toen hij aanstalten maakte zich op te richten, gooide de nachtwacht er een zware katoenbaal overheen en daar gingen ze met hun drieën als gekken op slaan met het gereedschap dat de oude had meegebracht: een hak, een schoffel en een spade. Na enkele doffe klappen bleef de baal stil. Nog enkele klappen en ze waagden het de baal aan een hoek op te lichten. De cobra zou het licht nooit meer zien. De oude lachte zijn gezicht tot rimpels en toonde zijn gelige gebit. Het incident was gesloten, iedereen ging weer slapen.

Serge staarde in het donker en luisterde naar de geluiden van de brousse. Hij vroeg zich af wie de mand in de oranjerie had gegooid. En waarom de nachtwacht niets had gehoord en of Robert misschien toch geen gelijk had. Wie de dader ook was, voor de reis zag het er in elk geval niet goed uit: Robert zou zijn heldendaad in geuren en kleuren vertellen aan de rest van de groep, zoveel stond vast. Hij liet geen gelegenheid voorbij gaan om te bewijzen wie de eigenlijke leider was van deze reis. Serge zou weer mooi voor schut staan. Al wat hij kon doen was zeggen dat hij er niets van begreep. En dat hij hoopte dat de slang voor de zusters was bestemd en niet voor een van hen.

Hij draaide zich om en staarde naar de mazen van het muskietennet, de beste bescherming tegen vijand nummer een, de malariamug, zo hield hij zijn klanten altijd voor. Hij vroeg zich af tegen welke vijanden hij hen op deze reis moest beschermen.

Paix, justice et travail

Hoewel de nonnen er het nut niet van inzagen en Robert het hem uit zijn hoofd probeerde te praten, had Serge voet bij stuk gehouden: de politie moest op de hoogte gebracht worden van het vreemde voorval. Het was niet normaal dat cobra's door een venster gekeild werden om iemand te bedreigen, ook al gebeurde dat in een stadje in het midden van de Congolese brousse. Dat er kwaad opzet in het spel was, besefte iedereen. Of de politie de aangewezen instantie was om dit kwaad opzet te onderkennen en te onderzoeken, daarover waren de meningen verdeeld.

Het politiekantoor bevond zich in het centrum, in wat eens een prachtige laan moest geweest zijn met statige villa's en manshoge bougainvillea's. Nu restte er alleen nog stof en vuil, afgebladderde muren en overwoekerde tuinen. Sommige bougainvillea's torenden huizenhoog uit boven de villa's. Afrika nam terug wat het tijdelijk had moeten afstaan.

Het kantoor was gevestigd in een van de vroegere koloniale villa's. Het terras diende als wachtzaal, er stonden enkele wankele banken tegen de voorgevel, de eens geschilderde muur was vergaan tot een aquarel van alle mogelijke bruintinten, schouders van wachtende burgers hadden een vlekkerige wolk gecreëerd evenwijdig aan de bank.

Hoewel het vroeg in de morgen was, plakte Serges T-shirt aan zijn lichaam. De korte wandeling van de missie naar het kantoor was voldoende om al zijn poriën te openen en het gebrek aan slaap deed de rest. Hij nam plaats naast een jonge vrouw die hem even vreemd aankeek, maar daarna weer verzonk in het bestuderen van haar teenslippers. Hij vroeg zich af wat ze hier op dit vroege uur al deed. Was er ook een slang in haar huis gegooid, of was ze simpelweg verkracht? Plots stond ze op, wikkelde haar lendendoek strakker rond haar middel en wandelde weg. Traag en gracieus, ze gunde Serge alleen het nakijken van haar ranke figuur.

Goed, daarmee was hij als eerste aan de beurt. Uit de openstaande deur klonk het geratel van een typemachine, of liever, de sporadische tikken wezen toch in die richting. Hij stond op en ging naar binnen. Achter een houten bureau zat een gezette Afrikaan die de toetsen van een oude Remington een voor een leek uit te proberen. Naast de schijfmachine stond een mandje met daarin twee stencils. Verder was er nog vier vierkante meter tafelblad in een kaal vertrek, en voor het bureau stond een versleten stoel. Serge nam aan dat hij plaats mocht nemen. De man keek op toen hij zich van Serges aanwezigheid bewust werd, maar leek absoluut niet verrast door zijn verschijning. Waarschijnlijk kreeg hij elke dag blanken op bezoek.

'Goedemorgen meneer, neemt u plaats. Waarmee kan ik u van dienst zijn?' Het leek alsof hij een menigte toesprak, zijn stem galmde doorheen de bijna lege ruimte.

'Met heel wat. Ik ben deze nacht ternauwernood aan de dood ontsnapt. Iemand gooide een slang in de missiepost van de zusters waar we gisteren zijn aangekomen. Ik denk dat het de bedoeling was mij te verwonden, of tenminste te bedreigen. Ik dacht dat het beter was u hiervan op de hoogte te brengen.'

'Waarom?'

'Waarom? Daar heb ik geen flauw idee van, ik ben pas een week in het land, ik ken hier niemand, ik zou niet weten waarom men mij kwaad zou willen doen...'

'Ik bedoel, waarom doet u hiervan aangifte?'

Serge keek hem verwonderd aan. De man keek vriendelijk terug. Zijn glimmende gezicht was een en al belangstelling. In zijn kortgeschoren krullen parelden hier en daar minuscule zweetdruppeltjes.

'U zei dat u vorige week pas bent aangekomen, mag ik uw paspoort even zien?'

Serge haalde het boven en overhandigde het aan de agent.

'U bent Belg?'

'Helemaal correct.'

De agent glimlachte breed. Hij leunde behaaglijk achterover en begon aan een onsamenhangend verhaal over zijn vader en grootvader die onder de Belgen hadden gediend, uiteraard niet als agent want dat was toen onmogelijk. Nee, ze werkten op de koffieplantages als plukker en voorman en het was dankzij hun harde werken... De glimlach verdween van zijn gezicht toen Serge hem bruusk onderbrak.

'Meneer, ik kom aangifte doen van een inbraak die vannacht...'

'Inbraak?'

'Wel, niet precies een inbraak, of liever, eigenlijk wel: er werd een mand met een cobra door een raam van de missie gegooid. Gebeurt dat hier dikwijls?'

De agent zuchtte.

'En daarvan wilt u aangifte doen? Werd er iets gestolen of werd er iemand verwond?'

Nee dus. Niemand werd verwond en er werd niets gestolen. Serge begon te begrijpen dat dit niet veel zin had. Hij kon nu zeggen dat door het koelbloedige optreden van een andere blanke, ook een Belg notabene, zijn ogen werden gespaard van een gifbad, en dat de cobra geen tijd had gehad om iets te stelen, omdat ze hem met zijn allen tot moes hadden geslagen. Maar daar had hij niet veel zin in. Misschien was het inderdaad beter om alles maar zo te laten.

'Bent u hier alleen? En wat is precies de bedoeling van uw bezoek?'

'Ik begeleid een groep toeristen, we zijn met zes. We zijn op reis, op weg naar het Virungapark en het Kivumeer, en van daar zijn we van plan de grens over te steken naar Rwanda.'

De agent bladerde in zijn paspoort. Hij keek plotseling bedenkelijk. 'Helemaal tot het Kivumeer? En u wou dit traject ondernemen zonder de plaatselijke autoriteiten op de hoogte te brengen?' Hij leunde voorover en vervolgde op vertrouwelijke toon: 'Het zou best zijn indien al je vrienden ook langskwamen. Het is beter dat ik op de hoogte ben van jullie aanwezigheid hier in de streek. Blanken lopen nogal in de kijker. Dit is een vreedzaam land, maar je weet maar nooit. Er loopt veel gespuis rond, vluchtelingen uit Rwanda, vluchtelingen uit Burundi, hier en daar een ex-rebel uit Uganda, of een echte rebel, hier en daar een soldaat van het geregelde leger, of een ex-soldaat en daartussen nog wat UNO blauwhelmen. Er valt hier van alles te rapen, dat hoef ik jou niet te vertellen, dat weten de Belgen beter dan wie ook.' Hij gooide zijn hoofd in zijn nek en ontstak in een bulderlach. 'Een slang in een missiepost is echt niet iets waar ik me druk over kan maken. Er gebeuren hier wel andere dingen, we kunnen het allemaal niet zo goed meer bijhouden. Ik weet overigens niet of het verstandig is om helemaal naar het Kivumeer te reizen.'

Serge keek hem aan, maar lachte niet mee. Hier kon hij niet veel meer uitrichten. Als hij wilde weten wat de gebeurtenis van vannacht betekende, was hij aan het verkeerde adres, zo veel was duidelijk.

'Bedankt voor het advies. Ik zal mijn reisgenoten zeggen langs te komen. Nog een goedemorgen.'

De agent knikte. De uitdrukking op zijn gezicht wees erop dat hij geen geloof hechtte aan Serges belofte. Maar het leek hem ook weinig te interesseren. Hij keek weer naar zijn Remington en vervolgde het werkje waar hij mee bezig was: een contract opstellen voor de huurders aan wie hij een deel van zijn ambtswoning ging onderverhuren.

Le petit déjeuner

Toen Serge aankwam in de missie, had iedereen net ontbeten. Mireille was nog in de eetkamer, ze hielp het dienstmeisje met afruimen, ook al werd dit op ongelovig gelach onthaald door de Congolese bediende. De anderen waren blijkbaar al op hun kamer.

Ze keek Serge vragend aan.

'Robert had gelijk. Veel hoeven we niet te verwachten van de plaatselijke ordehandhavers. De agent had nauwelijks aandacht voor mijn verhaal.' Serge schonk zich een kop koffie in uit de grote drukkan die nog op tafel stond. Het toestel gaf pruttelend te kennen dat het bij één kop zou blijven. Hij vertelde zijn wedervaren en terwijl hij peinzend in zijn koffie roerde, gaf hij uiting aan zijn gevoel dat er iets niet pluis was met deze reis. Hij keek Mireille aan. Om te polsen of zij datzelfde gevoel deelde. Ze keek enkele ogenblikken lang terug vooraleer ze antwoordde.

'Ik weet het niet, Serge. Robert was er ook al niet gerust in en voor hem is het toch niet de eerste maal dat hij hier langskomt. Jullie hadden gezegd dat er geen gevaar met deze reis gemoeid was? Zolang we ons maar aan het voorgeschreven traject hielden, zou iedereen ons ongemoeid laten, dat klopt toch nog?'

'Dat is ook zo, hoewel we het ook niet hebben voorgesteld als een schooluitstap. Maar ik denk niet dat dit voorval iets te maken heeft met rebellen of contrarebellen of hoe ze ook mogen heten.' Hij aarzelde even vooraleer hij verder ging. Mireille streek haar warrige krullen weg van haar voorhoofd, en keek hem afwachtend aan, haar blauwe ogen ernstig en bezorgd.

'Ik begrijp niet waarom Robert er zo'n drukte om maakt',

ging Serge verder, 'terwijl die agent er nauwelijks notie van nam. Is het Robert die de zaak overdrijft, of is het die agent die de zaak minimaliseert? Of wil Robert me gewoon in diskrediet brengen? Me schrik aanjagen zodat zijn eigen rol als ervaren Afrikakenner beter uit de verf komt?' Hij dronk het laatste restje koffie op en wachtte op Mireilles reactie. Het was de eerste keer dat hij waagde openlijk uiting te geven aan zijn wrevel tegenover Robert. Hij had al lang de indruk dat Mireille die wrevel deelde, maar als reisleider had hij er niets over willen zeggen. Hij wist niet of hij er goed aan deed haar in vertrouwen te nemen, maar hij had er nood aan. Hij wou weten wat zij ervan dacht, of ze vond dat hij spoken zag.

'Waarom denk je dat Robert zoiets zou willen doen?' Serge haalde zijn schouders op. Hij was al blij dat ze zijn bezorgdheid niet weglachte.

'Goed, hij heeft daarnet in geuren en kleuren verteld hoe hij vannacht je leven heeft gered, maar wat had je anders verwacht? Robert houdt ervan zichzelf in de schijnwerpers te plaatsen als de koene ontdekkingsreiziger, dat wisten we al. Maar je kunt toch niet ontkennen dat het een eigenaardige samenloop van omstandigheden is, ook al maakt die agent er niks van.'

Serge zuchtte. 'Dus je denkt dat hij gelijk heeft. Dat iets of iemand het op mij gemunt heeft, of op de groep.' Het bleef even stil. 'Maar dan weet ik niet hoe we dit moeten oplossen. Gewoon negeren? Doen alsof er niks gebeurd is en zo snel mogelijk verder reizen?'

Ze keken elkaar enkele ogenblikken aan, Mireille wat onwennig nu ze zich realiseerde dat de reisleider haar in vertrouwen had genomen, en eigenlijk om raad vroeg.

Serge stond op. 'Kom', zei hij resoluut, 'laat ons nog even door het stadje wandelen en het voorval vergeten. Straks zitten we weer in de Landcruiser om een paar uur door elkaar geschud te worden. Dit is best een leuk plaatsje, vooral als je je probeert voor te stellen hoe het vijftig jaar geleden geweest moet zijn, toen de straten nog geasfalteerd waren, de villa's geschilderd en de koffieplanters in kaki-shorts door de lommerrijke lanen flaneerden terwijl ze in plat West-Vlaams bespraken hoe ze hun werkvolk nog efficiënter konden uitbuiten.'

Mireille lachte. 'Ik denk dat dat inderdaad het beste is wat we kunnen doen.' Ze ging niet in op zijn toespeling op de West-Vlamingen. De vraag waarom er geen Antwerpse koffieboeren zouden hebben rondgelopen, lag te zeer voor de hand.

Bar tropical

Het duurde even vooraleer Roberts ogen aangepast waren aan het schemerdonker van de kroeg. Bijna heel de lengte van de gelagzaal werd ingenomen door een reusachtige toog, waarvan het tafelblad uit één massieve houten plank bleek te bestaan. Daarrond zaten enkele Congolezen. Ze waren in een levendige discussie gewikkeld en leken elk argument te onderstrepen met een vervaarlijke zwaai van hun bierflesje.

Robert keek zoekend rond tot hij vond wie hij zocht. De corpulente Afrikaan, onberispelijk in maatpak, zat in een schemerige hoek van de ruimte en nipte voorzichtig aan een overvol glas bier. Robert schudde hem de hand. Twee zware ringen wedijverden met de manchetknop die net vanonder zijn mouw stak. De man keek hem aan en gebaarde dat hij kon gaan zitten.

'En?'

'Ik weet het niet. Hij is niet gewond, maar de schrik zit er goed in.'

Zijn toehoorder knikte tevreden. Bij elke beweging schudden zijn kinnen over zijn hemdsboord, de knoop van zijn das was nauwelijks zichtbaar. Hij knipte met zijn vingers en gebaarde naar de kelner dat ze twee biertjes wilden.

'Gaan ze verder?'

'Dat denk ik wel. Eén voorval is niet voldoende, dat had ik ook niet verwacht.' Robert nam een lange teug en liet het resterende bier ronddraaien in zijn glas. 'Cobra's laten zich moeilijk bevelen, meneer Chenge. Hoewel ik Serge met veel gedoe wegtrok bleef die slang stokstijf staan. Het leek wel of er een veer instak. Hij vertikte het om aan te vallen.'

'Geeft niet, we hebben nog tijd.' Chenge's ogen vernauwden zich. 'Neem je contact met me op in Adusa? Er valt nog een en ander te bespreken.'

Robert keek hem vragend aan. De man vertrok geen spier van zijn glimmende gezicht. 'Jullie volgende stopplaats is toch Adusa?'

'We hopen er morgen te zijn.'

'Dat moet mogelijk zijn. Het heeft niet meer geregend sinds april, de weg is in redelijke staat. Ik zal er ook zijn, bel me als je er bent.'

Hij dronk zijn glas leeg en stak zijn hand uit, ten teken van afscheid.

Robert stelde geen verdere vragen meer, schudde de uitgestoken hand en ging naar de uitgang. Toen hij buitenstapte werd de gelagkamer verlicht door een helle flits tropenlicht.

Chenge keek op van zijn gsm, waarop hij driftig was beginnen tokkelen van zodra Robert was opgestaan, maar ging onverstoorbaar verder toen de deur achter hem dichtviel.

La brousse

Het monotone landschap werd slechts af en toe onderbroken door een open plaats van aangeveegde grond, aarde waaruit lemen hutten rezen met slordig afhangende rieten daken. Sommige plaatsen leken verlaten, andere waren bevolkt met kinderen van alle grootten en maten, die joelend zwaaiden als ze de witte Landcruiser zagen voorbijstuiven.

Robert zat aan het stuur en loodste de wagen behendig tussen de vele kuilen en bulten in de aardeweg. Wanneer er een strook beter berijdbaar was, ging het in derde versnelling, zodat er een rode stofwolk opstoof achter de wagen, stof dat zich neerzette op de acacia's en doornstruiken van de savanne en daar achterbleef, tot het zou worden weggespoeld door een regenbui, over een vijftal maanden.

Serge keek naar het voorbijschuivende landschap. Hij was nauwelijks een week weg uit Antwerpen en miste al het bruisende stadsleven, de drukte, de uitdagingen van het bedrijfje, de netheid van zijn kantoor. Daphne, zijn secretaresse en toeverlaat, runde nu de zaak alleen omdat de manager er de voorkeur aan gaf zich in een terreinwagen door elkaar te laten schudden als een zak aardappelen op een boerenkar.

Hij stootte bijna zijn hoofd tegen het dak toen de wagen voor de zoveelste keer door een gat in de weg bonkte. Hoe was Dirk erin geslaagd hier al die jaren te overleven? Waarom keek hij bij elk bezoek aan België ongeduldig uit naar de dag van zijn terugreis? Alleen de eenzame zeiltochten op het Veerse meer maakten dat hij nog naar België kwam, had hij ooit gezegd, de rest beschouwde hij als sociale verplichtingen.

Natuurlijk was er altijd de belangstelling geweest voor alles wat leefde en krioelde, van de duizendpoten onder de stenen in het stadspark tot de olifanten in de zoo. Hij kende al op kleuterleeftijd de beesten bij naam en volgde hun geschiedenis tot hij naar Afrika was vertrokken. Maar bioloog zijn was één ding, je leven doorbrengen in deze cultuurloze woestenij was een ander. Of was er iets anders geweest? Wist Serge eigenlijk wel wat zijn broer hier had uitgespookt? Was hij alleen een gedreven bioloog, geobsedeerd door de natuurlijke rijkdommen van het donkere continent? Dirk had ooit gezegd dat Congo's probleem niet zijn armoede was, maar zijn onmetelijke rijkdom, het ondergrondse geologische schandaal waardoor Congo aan stukken werd gereten. Wat had hij met die opmerkingen bedoeld, waar kwamen ze vandaan? Serge zag doornstruiken en acacia's en een staalblauwe hemel, niets dat op onmetelijke rijkdom wees.

Een reeks krachtige vloeken van Robert haalden hem uit zijn overpeinzingen. Hij wist al wat het betekende.

'Ik wist dat die Continentals niet deugden. Drie lekke banden op nog geen driehonderd kilometer. Nu zitten we pas goed in de shit.'

Robert vertraagde en bracht de wagen tot stilstand onder een reusachtige vijgenboom. Iedereen zweeg. De twee vorige lekke banden hadden nauwelijks voor oponthoud gezorgd. Integendeel, de mannen hadden met veel bravoure de wielen gewisseld, de tweede keer in minder dan tien minuten. Karel nam daarbij spontaan de leiding. Wat hij aan intellectuele kennis tekort kwam in de gesprekken, compenseerde hij nu ruimschoots door zijn praktische aard. Wie eigenhandig een azaleabedrijf uit de Vlaamse klei had gestampt, draaide zijn hand niet om voor een lekke band in de Afrikaanse zandgrond.

Mireille had er geamuseerd naar staan kijken, als naar mannen die met autootjes speelden en zich even in de pitsstop op Francorchamps waanden, of ergens tussen Parijs en Dakar.

Maar met twee reservewielen in gebruik waren ze door de voorraad heen. Adusa, het stadje waar ze volgens de reisplanning gingen overnachten, lag nog enkele uren rijden verderop. De zon scheen genadeloos en nu het geronk van de Landcruiser was weggevallen, viel het op hoe ontmoedigend stil het om hen heen was.

Serge opende de achterdeur. De hitte stroomde als een niet te stuiten lavastroom de wagen binnen. De luchtbel met airconditioning, waarin ze door de savanne hadden gescheurd, was opengebarsten.

'Als je wist dat die Continentals niet deugden, waarom heb je ze er dan laten opleggen?' vroeg Serge.

Ook Robert was uitgestapt. Ze keken beiden naar de lekke achterband, toen naar elkaar. 'Jezus, Serge, zoveel keus was er niet. Je hebt toch zelf de garage gezien in Kisangani. De banden waren aan vervanging toe, en deze waren de enige die ze in voorraad hadden.'

'Nieuwe banden, en de ene lekke band na de andere, dat begrijp ik niet.'

Roberts stem klonk ongeduldig toen hij antwoordde: 'Tenzij het geen nieuwe banden waren natuurlijk. In Afrika zijn er duizend-en-een mogelijkheden om van oude banden nieuwe te maken en ze opnieuw te verkopen. Je kunt de profielen uitfrezen, je kunt er een nieuwe laag rubber opplakken, weet ik veel wat ze ermee uitgespookt hebben.'

Het was even stil. Ook de anderen waren uitgestapt en drentelden besluiteloos rond de wagen. Serge voelde dat men wachtte tot hij een initiatief nam. Hij wist alleen niet welk.

'Goed. Wat doen we? Ik kan me niet herinneren dat we vandaag al andere wagens zijn tegengekomen. Wachten op hulp van vriendelijke chauffeurs, zal ons niet veel verder brengen. Hoeveel water hebben we nog?' Robert haalde zijn schouders op. 'Weet ik niet. Serge, ik heb vannacht jouw leven gered, het is nu aan jou om het onze te redden.'

Er werd wat zenuwachtig gelachen. Rosa en Karel ploften zich neer langs de kant van de aardeweg en wachtten af. Karel was telkens bijna blij geweest met een lekke band maar nu de wielen op waren en hij niet simpelweg zijn adressenboekje kon raadplegen om vervangstukken te bestellen, wist hij niets beter te bedenken dan naast zijn vrouw te gaan zitten.

Mireille liet een fles water rondgaan. 'Laten we een eindje te voet terugkeren, we zijn enkele hutten gepasseerd net voor we lek reden.'

'Om te telefoneren naar Touring Wegenhulp?' vroeg Robert. 'Nee Mireille, ik denk dat het beter is dat we ons voorbereiden op een nachtje kamperen in de brousse.' Serge probeerde zijn gsm. Geen ontvangst. Robert grinnikte. 'Wat had je verwacht Serge, we zijn nog minstens honderd kilometer verwijderd van Adusa.' Ze waren nu met zijn allen op de grond gaan zitten onder het bladerdak van de vijgenboom. Ze zwegen, en nu hun oren gewoon waren aan de stilte viel het op hoeveel geluiden weerklonken. Het voortdurende roekoeën van duiven, en boven hun hoofden het geritsel van het bladerdak. Aan de onderste takken hingen bolvormige nesten, kunstig gebouwd door een kolonie wevers. De mannetjes vlogen af en aan in een luidruchtige wedstrijd om het mooiste nest en een voortdurende strijd om het knapste vrouwtje. In de verte klonk de scherpe kreet van een roofvogel.

'Zwarte wouwen,' zei Robert onverstoorbaar.

'Hoe weet jij dat?' vroeg Serge.

Robert antwoordde niet maar reikte hem zijn zakverrekijker. Serge negeerde hem. Hij deed zijn best zijn ergernis te verbergen. De superieure houding van Robert irriteerde hem mateloos. Hij was niet gewoon de loef afgestoken te worden door iemand die met een tweeloop door de Waaslandse bossen doolde terwijl hijzelf op de hogeschool business management studeerde. Maar wat hem vooral frustreerde, was dat hij zich letterlijk op onbekend terrein bevond. Robert was zijn meerdere, hij wist simpelweg meer van Afrika en hoe zich daar uit de slag te trekken. En hij liet geen gelegenheid voorbijgaan om hem daarop te wijzen.

'Goedemiddag.' Ze draaiden allen hun hoofd in de richting van de begroeting. Naast de Landcruiser stond een Afrikaan. Een jongeman, een tiener nog, gekleed in jeans en een verschoten T-shirt. Hij keek hen glimlachend aan. Alsof hij er al uren stond. Mireille was de eerste die van haar verbazing bekomen was.

'Hallo.'

'Goedendag. Zijn jullie onderweg naar Adusa?' Hij sprak onberispelijk Frans.

'Eh, ja, we waren onderweg, tot we een lekke band hadden.' Serge wees naar de platte achterband.

'Mag ik vragen, waar kom jij zo plots vandaan?'

'Van ginds.' De jongen wees met zijn arm naar de richting waaruit ze waren gekomen. Hij leek het de normaalste zaak te vinden dat hij hier toevallig was langsgekomen, ergens in het midden van de brousse, honderd kilometer verwijderd van het dichtstbijzijnde stadje.

'Hebben jullie geen reservewiel?'

'Nee', zei Robert, 'allemaal al kapot. Weet jij soms of er hier ergens een garage in de buurt is?' Het was ironisch bedoeld, maar de jongen lachte niet.

'Nee, geen garage, maar ik denk dat ik jullie wel kan helpen.'

Ze keken hem allen ongelovig aan. Allen, behalve Robert.

'Dat kennen we', Robert wendde zich tot de anderen, 'ik

denk niet dat we hier veel van kunnen verwachten. Ik ken dat soort gasten. Waarschijnlijk wil hij ons geld uit de zakken halen. Laat ons maar rustig afwachten tot er een wagen langskomt, desnoods tot morgen vroeg.'

'Hoe weet jij dat? Hoe weet jij dat die jongen ons niet echt kan helpen?'

Robert schudde meewarig zijn hoofd. 'Serge, denk je nu werkelijk dat hij een reservewiel uit zijn achterzak gaat toveren? Of ga je hem geld geven om naar de dichtstbijzijnde winkel toe te stappen?' Serge voelde woede in zich opkomen. Hij deed zijn best zijn stem te beheersen.

'Robert, ik heb er geen flauw benul van hoe hij ons zou kunnen helpen, al wat ik weet is dat jouw hulp erop neerkomt dat we hier voor vannacht onze tenten kunnen opslaan. Dank zij die fantastische Continental banden die jij hebt gekocht. Het minste dat we kunnen doen is naar die jongen luisteren. Ook al is hij een Congolees.'

'Verdomme Serge, je gaat toch niet beweren dat het mijn schuld is dat we drie keer lek zijn gereden?'

'Nee, maar met die oude banden hebben we niet één keer problemen gehad. Maar jij vond dat ze versleten waren. Jij vond dat ze zonodig dienden vervangen te worden.'

Robert keek de kring rond. Niemand zei iets. Kurt drentelde verveeld rond. Hij was moeilijk van zijn stuk te brengen, zeker niet door iets banaals als een lekke band, dat had hij al tientallen malen meegemaakt op andere reizen, maar hij hield niet van de woordenwisselingen tussen Robert en Serge.

De jongen wachtte af, ook al had hij niets begrepen van de discussie. Robert plukte een grashalm en ging er omstandig op zitten kauwen.

'Trek je plan maat, van mij hoef je niks meer te verwachten. Ik heb mijn deel gedaan. Zie zelf maar hoe je hieruit raakt.'

Serge keek even naar Mireille. Ze trok haar wenkbrauwen op en streek het haar uit haar gezicht.

'Serge heeft gelijk Robert, het kan geen kwaad naar de jongen te luisteren, daar verliezen we niets mee.'

'Klopt.' Kurt nam zijn honkbalpet van zijn hoofd en veegde met de rug van zijn voorarm het zweet van zijn voorhoofd. 'Ruziemaken lost zeker niks op, en die jongen is momenteel onze enige mogelijkheid om hier uit te raken.'

'Ik hoop het voor jullie.' Robert stond op en verwijderde zich uit de kring. Dit leek het teken voor de Congolees om opnieuw het woord te nemen. Hij richtte zich tot Mireille, die hem bemoedigend toelachte.

'Als jullie willen kunnen jullie meegaan naar mijn huis. Een half uurtje lopen. We kunnen het kapotte wiel eraf halen en meenemen. Ik haal er die band af en kan hem herstellen. Als jullie dat willen.' Hij lachte. Hij was absoluut niet verlegen. Hij leek het leuk te vinden dat hij iets kon dat dit groepje miserabele blanken uit de problemen kon helpen.

'Goed. Laten we beginnen met de band, dan zien we wel verder.'

Het leek of Karel hier had op gewacht. Met de hulp van Kurt was het wiel in een mum van tijd gedemonteerd. Robert bleef afzijdig, maar Serge negeerde hem en nam onverstoorbaar de leiding. Hij kondigde aan met de jongen mee te gaan, samen met Mireille. De anderen konden het zich makkelijk maken onder de vijgenboom, het had geen zin met zijn allen de tocht naar het huis te maken. Ze namen een fles water mee en wilden vertrekken. De jongen bleef lachend staan.

'Wel, ga je niet voor?'

'Eerst betalen.'

Serge keek snel in de richting van Robert. Die lag languit in de schaduw, en had niets gehoord, of deed toch alsof.

'Kunnen we niet betalen als de klus achter de rug is? Hoe kunnen we weten dat je deze band echt kunt maken?' De jongen bleef lachen en haalde zijn schouders op. 'Ik zeg je toch dat ik hem zal maken. Maar eerst betalen.' Serge wierp opnieuw een blik op Robert, haalde een briefje van vijf euro boven en gaf het aan de jongen. Die stak het in zijn broekzak, gebaarde met een hoofdknik in de te volgen richting en toog op weg. Mireille keek berustend naar Serge, gooide haar rugzakje over haar schouders en volgde de jongen.

'Hebben we enige keus?' vroeg ze toen ze naast elkaar op het paadje liepen dat doorheen de bush kronkelde.

'Nee', zei Serge, 'wat we hebben, is het gevoel dat we iets doen.'

Ze hadden ook geen keus toen ze na anderhalf uur in zoiets als een dorp aankwamen, en de jongen hen naar een erf leidde dat bezaaid was met autowrakken. Hij vroeg opnieuw vijf euro. En ze hadden ook geen keus toen de man die de trotse eigenaar van de wrakken bleek te zijn de band wilde herstellen, voor twintig euro. Toen ze terug wilden keren, kon dat alleen onder geleide van de jongen: de schemering kon elk ogenblik invallen, ze wisten absoluut niet in welke richting ze de groep moesten zoeken, ze waren tientallen paadjes gekruist. Opnieuw vijf euro.

Vier uur nadat ze vertrokken waren, stonden ze opnieuw aan de Landcruiser. Met een geplakte band, maar nog altijd plat, de pomp in het dorp bleek jammer genoeg niet te werken. De sfeer in de groep was niet bepaald vrolijk: ze hadden erop gerekend voor het donker in Adusa te zijn, alle proviand was op, de laatste fles water was net rond gegaan. Toen Serge een vrijwilliger vroeg om met de voetpomp de band op te pompen, gingen slechts weinig vingers in de hoogte. En toen er na een kwartier pompen nog geen noemenswaardig leven in de band te bespeuren viel, werd het voor iedereen duidelijk dat de vijgenboom hun dak voor de nacht zou worden. Robert had zich heel de tijd afzijdig gehouden, zonder commentaar te geven. Ook toen bleek dat de band helemaal niet hersteld was, zei hij niets. In plaats daarvan haalde hij de bagage uit de Landcruiser en raadde de anderen aan hetzelfde te doen. Als ze dan toch de nacht in de brousse moesten doorbrengen, konden ze maar beter proberen er het beste van te maken.

Serge staarde naar de sterrenhemel door het bladerdak van de vijgenboom. Hij voelde zich ellendig en vroeg zich af wat hij hier deed, in het holst van de nacht, op een plek die niet eens op een kaart terug te vinden was. Met een groep toeristen die hun vertrouwen in hem aan het verliezen waren en wier lot hij beter toevertrouwde aan Robert. Hoe zou Dirk dit hebben opgelost? Wat had zijn broer gekund dat hij niet kon? Waarom klikte het niet tussen hem en Robert, zoals het had geklikt tussen Robert en Dirk? Hij zuchtte, draaide zich op zijn andere zij en trok zijn slaapzak steviger om zich heen. Hij wist niet hoe hij ooit deze ellendige nacht moest doorkomen, net zo min als hij wist wat de nachtelijke geluiden waren die hem omgaven. Hij hoorde vreemde kreten van nachtvogels en heel in de verte het jankende geluid van een roofdier. Nu hij erop lette, leek het geen moment stil te zijn.

Hij rilde en dacht aan Dirk, op zijn zeilboot op een Afrikaans meer. Vreemd genoeg maakte de gedachte aan Dirk hem rustiger, verbetener. Hoe dikwijls had hij niet onder deze zelfde sterrenhemel gelegen, met allicht nog andere zorgen aan zijn hoofd dan een lekke band. Maar zijn reizen waren altijd een succes geweest. De diareeksen van de deelnemers waren de beste reclame voor het aantrekken van nieuwe klanten. Serge had er steeds handig op ingespeeld. Hij leverde de ideeën,

Daphne organiseerde. Maar hier, onder het sterrentapijt van de tropennacht, twijfelde hij eraan of er een enthousiast reisverslag zou volgen. En dan was er nog het vraagstuk dat hem naar hier had gebracht, en dat hij wou oplossen, wat het hem ook zou kosten.

Kurt hoestte. Kurt hoestte steeds vaker realiseerde Serge zich.

Ook dat nog.

Memoires (2)

Er was weinig nodig om de groep te wekken. Een half uur voor de zon opkwam, kwam de bush tot leven. Het eerste schuchtere gekwetter van de wevervogels werd snel gevolgd door het zenuwachtige heen en weer vliegen van drongo's en neushoornvogels. Nog voor iedereen verdwaasd rechtop zat in zijn slaapzak, was de kruin van de vijgenboom al het toneel van een bedrijvigheid die schril afstak tegen de traagheid van het schamele groepje mensen rond zijn stam.

Serge had geen oog dicht gedaan. De harde ondergrond had hem pijnlijk bewust gemaakt van elk bot dat zijn middel bij elkaar hield. Er was het droge hoesten van Kurt en de vraag hoe het nu verder moest. En hij had het koud. Hoewel iedereen wakker was, werd er niets gezegd. Iedereen leek te wachten tot de zon genoeg kracht zou hebben om de stramheid uit zijn leden te verdrijven.

Misschien was er nooit beweging gekomen in het groepje, en waren ze zo blijven zitten tot de zon weer onderging. Misschien zouden ze een voor een zijn uitgedroogd zoals de karkassen die de roofkatten hadden achtergelaten na hun nachtelijke braspartij, als er niet het geluid was geweest van een naderende Landcruiser.

Robert sprong uit zijn slaapzak en rende naar de weg, alsof de bestuurder hen niet zou hebben opgemerkt, een armzalig hoopje kampeerders onder een vijgenboom naast een terreinwagen die scheef hing aan één kant.

De Landcruiser behoorde toe aan een hulporganisatie en was nagenoeg leeg. Hij was op weg naar Adusa, waar een voorraad medicijnen moest worden opgehaald.

Het reservewiel werd gemonteerd, de chauffeur werd bedankt, en de reis werd verder gezet, zonder veel dralen. Het vooruitzicht van een hartig ontbijt werkte als een drinkpoel voor een kudde dorstige antilopen. De stemming was volledig omgeslagen, het nachtelijke avontuur was goed op weg om het hoogtepunt te worden van de reis.

Robert voerde zoals gewoonlijk het hoogste woord, maar hij was opvallend mild ten opzichte van Serge. Hij repte met geen woord van de mislukte reparatiepoging. Hij had het alleen over Adusa en de oude villa waar ze enkele nachten zouden verblijven, en dat het zo een mooi oud-koloniaal stadje was waar de sfeer van vroeger zo van de straten kon worden geschept. Ze moesten een bezoek aan de *chief* van Ituri organiseren, vond hij, de man diende ervan op de hoogte te zijn dat ze over zijn grondgebied reisden.

Serge zei niets. Het kon hem allemaal niet zoveel schelen. Hij wist niet wat hij moest denken van deze onverwachte meevaller. De stemming leek hem wat te uitgelaten, te kunstmatig, als de alcoholroes na een nachtje stappen. Hij vertrouwde de zaak niet, de kater volgde onvermijdelijk, eerder vroeg dan laat.

Hij hield zich afzijdig terwijl het landschap voorbijschokte. De woudreuzen en de dichte begroeiing daartussen: doorheen het zijraampje van de Landcruiser vervloeide alles tot een zee van groen. Om een of andere reden dacht Serge plots aan de populieren langs het Galgenweel, het meer bij Antwerpen waar ze hadden leren zeilen met hun eerste zeilboot. Een 490, niet het kajuitjacht dat Dirk later had aangeschaft en waarmee hij het Veerse Meer en de Noordzee onveilig had gemaakt. Een 490 moest met twee gevaren worden, alleen hield je hem niet in bedwang als hij over de golven scheerde als een surfplank. Als er wat wind stond op het Galgenweel, gleden de populieren langs de Schelde voorbij zoals de woudreuzen nu langs de Toyota. Serge zat aan het roer en Dirk aan de fok, bij ruw weer hing hij in de trapeze, alleen zijn voeten op de rand van de boot, zijn lichaam evenwijdig aan het wateroppervlak. Het boegwater spatte op rondom zijn krullen die wild om zijn lachende gezicht warrelden. En hijzelf half buitenboord, de helmstok in zijn ene hand, de grootschoot in de andere, elke vezel van zijn lichaam gespannen om de boot in balans te houden. Ze begrepen elkaar zonder te hoeven roepen zoals de andere teams. Ze droegen de oude munt aan een touwtje rond hun hals, dat deden ze voor elke wedstrijd als een ritueel om, hij bij Dirk, Dirk bij hem. Tijdens een wedstrijd voelde Dirk automatisch aan wanneer Serge een manoeuvre wilde uitvoeren, wanneer hij overstag wou gaan of gijpen of wanneer het moment was gekomen om een boei te ronden. Elke handeling gebeurde vloeiend en zonder haperen, ze verloren geen centimeter terrein. Een knikje van Serge was voldoende om Dirk prompt de fok te doen lossen, zich binnenboord te gooien, met zijn vrije hand de trapeze los te klikken, en zich in één vloeiende beweging aan de andere kant te hijsen, in het volste vertrouwen dat Serge het roer op het gepaste moment omgooide en bliksemsnel de grootschoot aanhaalde. Een seconde te vroeg binnenboord of een seconde te laat aan de andere kant en de boot lag hulpeloos op zijn zij.

Ze kapseisden nooit. Met hun vuurrode *Enjoy* wonnen ze alles wat er te winnen viel op het Galgenweel. Als de gebroeders Verbeek aan de start verschenen, wisten de deelnemers dat ze voor de tweede plaats streden.

Wanneer waren ze ermee opgehouden? Wanneer hadden ze hun laatste wedstrijd gewonnen? Wanneer waren ze opgehouden met het ritueel van de munten, Dirk had gezworen de munt nooit te zullen afgeven, tenzij hij een lief vond dat hem liever was dan zijn broer. Was het toen Serge naar de hogeschool ging, of pas toen Dirk biologie ging studeren? Serge schudde zijn hoofd, hij wist het niet meer. Alles was vervaagd, pas nu kwamen de herinneringen weer terug, als een foto die in het ontwikkelingsbad werd ondergedompeld en geleidelijk de beelden teruggaf die er lang geleden op waren vastgelegd.

Hij voelde een hand op zijn arm en keek opzij, in het lachende gezicht van Mireille.

'Waar was je? Waarom schudde je met je hoofd? Je leek heel ver met je gedachten.'

Serge glimlachte. Beroepsmisvorming, dacht hij, de huisarts die opnieuw de kop opsteekt, ook na tien dagen Afrika. Of was ze oprecht geïnteresseerd in wat hem bezighield? Hij betrapte zich erop dat hij dat hoopte.

'Op het Galgenweel. Zesduizend kilometer hiervandaan. En dan ook nog eens vijftien jaar geleden. De menselijke geest is tot alles in staat, dat weet jij allicht beter dan ik. Gelukkig maar, hier in deze Landcruiser valt er weinig te beleven.' Karel en Rosa sliepen, haalden de uurtjes in die ze hadden gemist onder de vijgenboom. Ook Kurt dommelde, af en toe opgewekt door een hoestbui. Hij kon de hoest niet onderdrukken die van diep in zijn borstkas leek te komen. Serge keek naar Mireille. Voordat hij iets kon vragen, antwoordde ze: 'Ik weet het niet. Ik heb hem ernaar gevraagd. Het is begonnen tijdens de reis maar buiten die hoest heeft hij geen last. Alleen 's nachts heeft hij het warm en zweet hij meer dan gewoonlijk. Maar dat doen we allemaal, denk ik.' Kurt was de oudste van het gezelschap. Serge herinnerde zich zijn medisch verslag in het dossier: er werd medicatie vermeld voor een of andere vorm van reuma, maar voor de onderzoekende arts was het 'geen beletsel voor een avontuurlijke reis'.

'Kan het iets te maken hebben met zijn reuma? Ik weet dat hij medicijnen neemt, ik las het in zijn dossier.'

'Nee, denk ik niet. Nee, het is allicht iets onschuldigs, misschien een allergie, we vreten kilo's stof onderweg hé. Maak je geen zorgen, ik hou wel een oogje in het zeil.' Serge knikte peinzend. Hij was niet helemaal gerustgesteld. Kurt was van geen kleintje vervaard, dit was niet zijn eerste reis met *Reizen. Natuurlijk!*, maar dat kon wel betekenen dat hij de dingen minimaliseerde. Hij zou niet snel klagen om de groep niet tot last te zijn.

'Ik weet dat je met verlof bent, dokter, maar zit er niks in de reisapotheek dat je hem kunt geven?'

Mireille lachte. 'Ik zal straks eens kijken. Keer jij nu maar terug naar je Galgenweel.' Ze streek haar krullen uit haar gezicht, gooide haar voeten op de rugzakken tussen de zitbanken en deed alsof ze indommelde.

Le village typique (1)

Het stadje was een open ruimte van enkele vierkante kilometers uitgehouwen uit de massieve klomp tropisch hardhout die het langs alle kanten omgaf. Na urenlang doorheen een tunnel van groen te hebben gereden, leek het voor de reizigers in de Landcruiser een oase in een woestijn van regenwoud. Het stratenplan van Adusa was te herkennen aan de eucalyptus- bomen die in evenwijdige rijen doorheen het stoffige stadje waren aangeplant. Ze rezen op uit de rode aarde in mooie pa- rallelle lijnen, maar de hutten die er kriskras omheen waren gebouwd, leken er alles aan te willen doen om de oorspronke- lijk bedoelde orde te verstoren. Van straten was nauwelijks nog sprake, laat staan van een plan. Alleen enkele vervallen stenen villa's probeerden nog de schijn op te houden van een Vlaamse lintbebouwing. Zo moest het ooit bedoeld geweest zijn. Alle ingrediënten van het klassieke koloniale stadje waren nog aan- wezig: een missie, een hospitaal, een lagere en een middel- bare school. De rijen eucalyptusbomen leidden straalsgewijs naar een enorme kerk, het enige stenen gebouw dat behoor- lijk was onderhouden. De klokkentoren leek in grootte te wed- ijveren met de woudreuzen die hun alleenheerschappij had- den moeten prijsgeven. Tijdelijk. De granaatinslagen die hier en daar gaten in het metselwerk hadden geslagen, wezen op het vergankelijke karakter van de geïmporteerde godsdienst.

Joelende kinderen en tientallen nieuwsgierige ogen bege- leidden de Landcruiser bij zijn voorzichtige tocht door het stadje. Het was blijkbaar alweer een tijd geleden dat er nog een gemotoriseerd voertuig was langsgekomen. Van alle kan- ten kwamen mensen toegelopen, vrouwen met vrolijke vlecht- jes en kleurrijke panjes, jongemannen op gymschoenen en in mouwloze T-shirts. Karels cameraatje kon nauwelijks volgen. De volle geheugenkaartjes stapelden zich op en Karel bewaarde ze even zorgvuldig als zijn dollars. Kurt sloeg hem geamuseerd gade terwijl ze langs de hutten laveerden in de richting van de kathedraal.

'Wat zou er gebeuren als je kaartjes niet schokbestendig blijken te zijn? Of niet bestand tegen deze tropentemperaturen? Is je reis dan mislukt?'

Karel stopte even met op zijn schermpje te staren en keek Kurt verbaasd aan.

'Waarom vraag je dat? Natuurlijk is mijn reis dan niet mislukt. Maar leuk zou ik het niet vinden. Ik geniet drie keer van elke reis: eerst van de voorbereiding, dan van de reis zelf en dan van het maken van mijn fotoreportage. Winter, zomer, herfst. Zonder foto's is dat één keer minder genieten en een saaie herfst.'

Kurt lachte maar zijn lachen ging algauw over in een hoestbui die deze keer wel erg lang duurde. Zijn gezicht liep rood aan en het einde van de bui smoorde hij in een zakdoek die hij met enige moeite opviste uit zijn safari-jasje. Toen hij hijgend tot bedaren kwam, was er een moment van stilte, alleen nog begeleid door het grommen van de dieselmotor. Mireille keek even naar Serge, die zoals alle anderen bezorgd naar Kurt staarde. Zelfs Robert had even omgekeken in plaats van zich te concentreren op het ontwijken van de kinderen die rond de Landcruiser dansten.

'Heb je de antibiotica genomen die ik je heb gegeven Kurt?' vroeg Mireille.

'Ja.' Het antwoord kwam met enige moeite.

'Misschien moesten we toch maar eens een bezoekje brengen aan het hospitaal, voor alle zekerheid. Die hoest sleept nu toch wel wat lang aan. Ik heb er geen idee van wat we in dit hospitaal kunnen verwachten, maar het kan geen kwaad om een en ander uit te zoeken. Wat denk jij, Serge?'

'Je hebt gelijk. We blijven twee nachten in Adusa, volgens de planning blijven we hier morgen gewoon in de buurt, dus dat kan geregeld worden.'

'Ik zou me maar niet te veel voorstellen van dat hospitaal', zei Robert, 'als er al elektriciteit is, is er geen personeel en als er personeel is, werkt er niks bij gebrek aan elektriciteit. Ik ken die broussehospitaaltjes. Er zijn hooguit een paar verplegers die hun kost winnen met inspuitingen geven in zwarte achterwerken. Degelijke geneeskunde vind je hier in geen straal van driehonderd kilometer.'

'Een stethoscoop functioneert zonder elektriciteit Robert, en ik kan hem hanteren zonder de hulp van een verpleger. Twee weken in de Congolese brousse maken nog niet dat ik mijn stiel heb verleerd.' Het rustige antwoord van Mireille stuitte verder op geen verzet.

Robert reed zwijgend verder naar de leegstaande villa waar ze de komende twee dagen zouden logeren. Het vervallen gebouw had kapotte ramen, die waren geblindeerd met stukken karton en een roestbruin golfplaten dak dat ooit een lik groene verf moest hebben gehad. De hele voorzijde werd ingenomen door een terras, gestut door cementen pilaren die waren opgesmukt met enkele kogelinslagen. De aanblik was niet van aard om de stemming van de groep na het voorval met Kurt op te beuren.

De villa was ruim voorzien van kamers. Maar ze bood een troosteloze aanblik. Hier en daar gaven gaten in de muren aan waar de stopcontacten en lichtschakelaars moesten hebben gezeten. De villa had ooit onderdak gegeven aan Belgische dokters die de zegeningen van de westerse geneeskunde naar dit godvergeten gat hadden gebracht.

Tijdens het uitladen werd er weinig gesproken, iedereen deed zijn ding, het inrichten van de overnachtingplaats was routine geworden. Af en toe keken ze sluiks naar Kurt. Hij trachtte zijn deel te doen bij het uitladen van de bagage maar het was voor iedereen duidelijk dat elke inspanning hem moeite kostte. Hij hijgde en het zweet parelde op zijn voorhoofd hoewel de grootste hitte van de dag allang voorbij was. Serge had hem aangemaand zich afzijdig te houden of zich te vervoegen bij Rosa, die aan het avondmaal was begonnen in een ruimte die ze had ingericht tot keuken. Kurt deed alsof hij het niet hoorde. Het was niet zijn beurt om te koken. De eerste vereiste voor een geslaagde groepsreis was dat iedereen zich aan de afspraken hield. Dat moest Serge toch weten. Maar het uitpakken kostte hem zo veel moeite dat hij niet anders kon dan zich in een van de rieten zetels laten vallen om een nieuwe hoestbui over zich heen te laten gaan.

Rosa had aardappelen gevonden op de lokale markt. Ze waren peperduur, maar na meer dan een week gebakken bananen en maniok, was er geen overleg nodig: de aardappelen werden gekocht, de prijs was een vorm van rechtstreekse ontwikkelingshulp. Nog voor ze goed en wel geïnstalleerd waren in de villa, stonden er enkele Congolezen aan de deur met een kanjer van een kapiteinsvis. Twee kilogram onversneden oerkracht, een product van de Ituri, de rivier die haar naam gegeven had aan dit gebied en op wier wateren nog nooit een gemotoriseerd tuig had gevaren. Met behulp van het gasvuur dat tot hun kampeeruitrusting behoorde en wat tomaten en ajuin had Rosa er een hartige maaltijd van bereid.

Het lege vertrek veranderde bij het licht van kaarsen en een gaslamp in een themarestaurant: een kist deed dienst als tafel, de rug- en slaapzakken als zitting, de muren waren nauwelijks zichtbaar in de schemering en doorheen de ramen klonk niets dan het gesjirp van de cicaden.

'Dat was heerlijk, Rosa.' Rosa glunderde. Evenals Karel, die het tafereel maar meteen vereeuwigde met de helle flitslamp van zijn cameraatje. De eetmomenten waren de meest intense momenten van hun reis, de uren ervoor dikwijls de spannendste. Een hongerige maag maakte hen kregelig, een geslaagd avondmaal bracht de gemoederen tot rust en gaf een voldaan gevoel in de groep.

'Wel Kurt, wat doen we?' Serge spoelde het laatste restje vis weg met een lange teug uit zijn halveliterfles Primus. 'Zullen we morgen toch maar eens naar dat fameuze ziekenhuis rijden?'

Kurt schoof zijn bord aan de kant en ging even verzitten. Hij wreef met zijn handen over zijn gezicht vooraleer hij antwoordde. 'Misschien toch maar best,' zei hij eindelijk. 'We zullen wel zien wat ze kunnen doen. Allicht niet veel, maar ik heb inderdaad nog nooit een hoest gehad, die zo lang aansleepte. En ik ben nu toch al enkele jaren van het roken af.'

'Beter zo Kurt, als het nodig is vragen we een longfoto. De reis is nog lang, overmorgen zijn we hier weer weg. We kunnen beter van de gelegenheid gebruik maken.'

Robert grinnikte alleen maar.

L'Hôpital

Serge parkeerde de wagen bij de ingang van het ziekenhuis, onder een boom die als een reusachtige ruiker dieprode bloemen stond te pronken. Veel volk was er niet om de ruiker te bewonderen, het plein voor het bakstenen gebouw was verlaten. Ook Kurt en Mireille stapten uit. Ze keken even naar het roestige bord naast de hoofdingang. 'Hôpital de référence. Heures de visite...', de rest was onleesbaar. Nergens zagen ze de ellenlange rijen patiënten die ze om een of andere reden hadden verwacht bij de ingang van een Afrikaans ziekenhuis. Waarschijnlijk waren er vandaag weinig zieken doorverwezen. Het gebouw zelf voldeed wel aan de verwachtingen: het had een brede bakstenen gevel, met smalle vensters, beschermd door roestige tralies. Er was alleen een gelijkvloers, verdiepingen waren niet nodig in een land waar ruimte vanzelfsprekend was.

Ze gingen binnen, in de hoop iets als een receptie te herkennen. Ze werden zelf eerst herkend. Hun verblijf in het stadje was niet onopgemerkt voorbijgegaan.

'Aha, de blanken zijn gearriveerd! Hoe maakt u het?' Een al wat oudere man met grijzend kroeshaar in een smetteloos witte laboratoriumjas kwam hen tegemoet. Serge keek automatisch naar zijn schoenen. De man droeg onberispelijk opgeblonken stadsschoenen. Teken van een regulier inkomen.

Hij troonde hen mee naar een consultatiebureau waar het geruststellend rook naar ontsmettingsmiddelen en medicijnen. Hij nam plaats aan een versleten bureau en lachte hen toe. 'Mijn naam is Makombe, Dieudonné Makombe.' De man stak van wal met een stem die bedoeld was om de meest hardhorige patiënt ter wille te zijn. 'Ik ben hoofdverpleger van dit hospitaal. Momenteel hebben we geen hoofdarts, en eigenlijk ook geen andere artsen, vandaar dat ikzelf al die functies vervul. Uiteraard binnen de grenzen van mijn beperkte mogelijkheden.' Hij lachte smakelijk en ze lachten alle drie spontaan mee, hoewel deze informatie hen wel beschouwd weinig reden tot vrolijkheid gaf.

Serge stelde het gezelschap voor en Mireille legde uit waarvoor ze waren gekomen. Toen Dieudonné hoorde dat zij arts was werd hij een en al ernst en luisterde, zijn vingertoppen tegen elkaar en een peinzende blik in de ogen, naar het verhaal van de aanslepende hoest, de koorts 's avonds, en de antibiotica die niet bleken te helpen.

'Tuberculose,' zei hij nadat Mireille was uitgesproken.

Serge keek onthutst naar de verpleger. Daarna naar Mireille. Hij zag dat ook zij schrok. Kurt fronste even zijn wenkbrauwen maar bleef verder onbewogen. Hij zat met gekruiste armen op zijn stoel en wachtte af. Mireille schraapte haar keel en nam opnieuw het woord. 'U denkt dat dit tuberculose zou kunnen zijn?'

'Dat lijkt me heel waarschijnlijk.'

Mireille keek peinzend naar een werkloze ventilator die op de hoek van het bureau stond. Ze vroeg zich plots af waarom hij niet werkte bij deze hitte. Ze schudde langzaam haar hoofd. 'Ik moet zeggen dat ik me de symptomen alleen herinner van in mijn studententijd, die ziekte komt nog nauwelijks voor bij ons in België. Ik dacht toch dat je tuberculose niet zomaar kreeg. Je dient besmet te worden op kinderleeftijd, en dan breekt de ziekte uit als je weerstand vermindert, of als je jezelf verwaarloost, of als je alcoholicus wordt, of... of toch niet zomaar ineens.' Het leek alsof ze al pratend zichzelf en de anderen trachtte te overtuigen dat de verpleger zich moest vergissen. 'Kurt is een gezonde kerel, hij... hij lijkt me niet te behoren tot een van die categorieën patiënten.' Ze zweeg en keek opnieuw naar de ventilator. Waarom stond dat verroeste ding eigenlijk op dat bureau als hij toch niet werkte?

Serge hoopte dat ze gelijk had. Hij wist niet goed wat hij zich bij tbc moest voorstellen. Hoesten en uitgeteerde patiënten, concentratiekampen en loopgraven, er was van alles dat door zijn hoofd ging. Maar hij dacht er vooral aan dat ze zich in het hart van de jungle bevonden en dat er iemand van zijn groep ernstiger ziek was dan ze hadden gedacht.

Ook Dieudonné leek geschrokken van de uitwerking van zijn woorden. 'Ik weet niet hoe dat zit in België dokter, maar dit is toch de eerste mogelijkheid die bij me opkomt bij een dergelijk verhaal. Ik ben maar een brousseverpleger, misschien bent u wel naar hier gekomen om de patiënt beter te kunnen onderzoeken?' Hij voegde meteen de daad bij het woord. Hij stond op, diepte een sleutel uit zijn jaszak, opende een glazen kast waarin een aantal blinkende instrumenten lag uitgestald en reikte een stethoscoop aan Mireille.

'Dank u wel.' Mireille hing het toestel om haar hals. 'Dank u wel meneer Makombe. Ik denk dat we toch iets meer nodig hebben dan een stethoscoop om de diagnose van tuberculose te stellen, maar goed, laat ons daarmee beginnen.' Het haar vertrouwde instrument had haar geholpen om haar zelfzekerheid terug te vinden.

'Kurt, doe je T-shirt even uit.'

Terwijl Mireille Kurt onderzocht, dacht Serge aan de moeilijkheden die hen te wachten stonden. Ze waren nog altijd onderweg naar het Kivumeer en het Virungapark, waar een excursie naar de berggorilla's op het programma stond, het hoogtepunt van de reis. Hij vroeg zich af of dit mogelijk zou zijn met iemand die zwaar ziek was. Hij was zelf verrast geweest hoe vermoeiend het voortdurende rondtrekken met een Landcruiser was. De slechte wegen en het constante door elkaar schudden, maakten dat ze zich 's avonds voelden alsof ze een hele dag fysieke arbeid hadden verricht. En dan was er nog de voettocht op zoek naar de gorilla's. Hij wist niet wat hij er zich bij moest voorstellen. Hij vermoedde dat een excursie in het regenwoud van de Virunga iets meer inspanning zou vergen dan een tocht in de Vlaamse Ardennen.

Mireille legde de stethoscoop weer in de glazen kast. Kurt keek haar vragend aan. Ze haalde haar schouders op.

'Het klinkt allemaal wat rauw vanbinnen, maar daar kan ik nog niet onmiddellijk tuberculose van maken, dat hoor je bij elke bronchitis. Wat we nodig hebben is een longfoto.' Ze richtte zich tot Dieudonné.

'Is het mogelijk een longfoto te maken meneer Makombe?'

'Nee dokter. Het spijt me, er is vandaag geen elektriciteit, de diesel is op.'

'Diesel?'

'Ja, we hebben alleen elektriciteit met behulp van een generator, en die werkt op diesel.'

'Dan halen we toch diesel? We staan met minstens zestig liter extra diesel in de Landcruiser.'

'Ik vrees dat het dan nog niet zal gaan dokter, er zijn ook geen negatieffilms meer. Eigenlijk kunnen we al een zestal maand helemaal geen foto's meer maken, de bevoorrading zit hopeloos achter.'

Het was even stil.

'Geen longfoto.'

Serge voelde paniek bij zich opkomen. Opnieuw had hij het gevoel totaal afgesloten te zijn van de bekende wereld. Dat gevoel had hij voor het eerst ervaren bij zijn bezoek aan het politiekantoor in Bafwasende. Problemen die door anderen dienden opgelost te worden, werden op een onverschillige manier teruggekaatst naar hemzelf. De verontwaardiging die hij daarbij voelde opkomen, was hier totaal nutteloos. De verpleger keek hen aan zonder enige schuld of verlegenheid. Het had geen zin hem verwijten te maken. Hij zou niet begrijpen waarom ze zich druk maakten. Het was zijn schuld niet, ook al was hij verantwoordelijk voor dit hospitaal. Er was geen diesel en er waren geen films. De zon scheen, de ventilator werkte niet en af en toe was het oorlog. Er waren nu eenmaal dingen die gebeurden.

Serge haalde diep adem, maar Mireille was hem voor. Ook zij leek moeite te hebben om zich te beheersen, haar stem trilde.

'Meneer Makombe, als u gelijk heeft, is deze man ernstig ziek en moet hij voor lange tijd medicatie nemen. Het is belangrijk dat we zeker zijn dat we ons niet vergissen. Als u geen longfoto kunt maken, hoe stelt u dan de diagnose? Toch niet alleen met een stethoscoop?'

'Nee dokter, we kunnen wat opgehoest slijm onderzoeken. De microscoop werkt altijd, daarvoor hebben we geen diesel of elektriciteit nodig.' Dieudonné keek haar glimlachend aan, blij dat hij haar ter wille kon zijn.

Mireille was even van haar stuk gebracht. Ze knikte langzaam en haar gezicht leek wat op te klaren.

'Juist ja, dat was ik vergeten. Microscopie. Is er een laborant in het hospitaal?'

'Die zit voor u.'

'Juist. Natuurlijk. Hoe ik daar niet heb aan gedacht. U bent ook laborant.' Mireille keek Serge aan en trok hulpeloos haar schouders op. Ze leek er zich bij neer te leggen dat hun lot in handen van Makombe lag. Ze ging verder in het Nederlands.

'Geneeskunde zit hier een beetje anders in elkaar dan in België, geloof ik, maar we zullen maar doen wat hij zegt. We hebben er niets bij te verliezen. Denk ik toch niet, we hebben het nog niet over geld gehad. Hopelijk wordt dit niet eenzelfde verhaal als de lekke band.'

Dieudonné ging hen voor naar het labo. Het ziekenhuis was als een vierkante herenhoeve gebouwd rond een binnenplaats. In het midden van het plein stond een soort staketsel met op een platform een waterreservoir, van waaruit pijpleidingen naar beneden liepen. Hier werd waarschijnlijk water opgepompt om dan weer te verdelen over het ziekenhuis. Als er diesel was.

Hier en daar zaten er mensen in het gras. Ze keken nieuwsgierig naar het groepje blanken dat samen met de hoofdverpleger langs het overdekte wandelpad liep dat de zalen scheidde van de binnenplaats. Sommigen droegen een verband aan hoofd of ledematen, anderen waren niet te herkennen als patiënten. Misschien waren het alleen maar bezoekers. Ook enkele vrouwen met een pasgeboren baby aan hun borsten. Alles leek een gelaten soort rust uit te stralen. Iedereen zat er alsof hij al jaren deel uitmaakte van het plaatje. Het passerende groepje mensen leek de belangrijkste gebeurtenis van de dag te worden.

Het labo was een schemerige ruimte, gevuld met flesjes en dingen die Serge beschouwde als labomateriaal, alles keurig uitgestald op rekken langs de wand. Het rook er naar chemie, een geur die hem herinnerde aan de praktijkklas wetenschappen op het Antwerpse college waar hij en Dirk hun humaniora hadden doorlopen. Op een lange houten tafel tegen een van de wanden stonden twee microscopen.

Dieudonné schoof enkele lakens weg die dienst deden als gordijnen en toog aan het werk. Ze sloegen hem zwijgend gade terwijl hij wat van de slijmen die Kurt had opgehoest uitspreidde op een glaasje. Hij goot er allerlei kleurstoffen overheen, hield het even boven een vlam van een bunsenbrander en klemde het ten slotte op het draagvlak van de microscoop, ontspannen tuurde hij in het oculair. Na enkele minuten keek hij op en draaide zich om. Zijn ogen zochten Mireille.

'Tuberculosebacillen,' galmde zijn stem, alsof het een godsgeschenk was. 'Stampvol. Wilt u ook eens kijken dokter?'

'En jullie geloven die man?'

'Welk belang had hij erbij ons iets op de mouw te spelden?'

'Financieel belang. Jullie hebben onmiddellijk een partij medicijnen van hem gekocht. Medicijnen die hij aan de Congolezen gratis voor niks dient te geven. Of hij krijgt de adviseur van de Damiaanactie achter zich aan. Nu vult hij een Congolese naam in zijn tuberculoseregister en steekt het geld in zijn zakken.'

'Het gaat niet om het geld Robert, dat mag hij voor mijn part hebben, het gaat om de diagnose. Mireille heeft die bevestigd.'

'Mireille zegt zelf dat ze nog nooit een tbc-bacil onder een microscoop heeft gezien. Mooie bevestiging.'

'Klopt. Maar ik geloof hem. Of we doen er best aan hem te geloven, tot het tegendeel bewezen is. En dat kan niet in dit land.'

Sinds ze teruggekomen waren uit het hospitaal, bleven ze voortdurend rond deze vraag draaien, als een hond rond een hete brij. Moesten ze terugkeren om Kurt de verzorging te geven die hij nodig had, of konden ze gewoon verder reizen en hopen dat de pillen van Makombe hem voldoende zouden genezen? Kurt wou natuurlijk niet dat er verandering in het schema kwam. Hij zag geen reden om de reis af te breken om een verkoudheid veroorzaakt door de airco van de Landcruiser, zoals hij het zelf noemde. Ze waren pas halfweg, hij wou de reis voor de anderen niet bederven. Hij had in Robert een halve bondgenoot gevonden. Die geloofde principieel niks van wat de Congolezen zeiden, maar hij stelde voor een kortere reisroute te nemen. Hij stelde voor doorheen het Virungapark te reizen en dan meteen de grens over te steken naar Uganda. Ze zouden dan niet naar het Kivumeer gaan, om tijd te winnen.

Ook alle anderen wilden weg. Voor Rosa en Karel had het woord tuberculose in ieder geval hun reis vergald. Ze dachten niet dat het gezond kon zijn langer dan nodig in een Landcruiser te zitten samen met iemand die aan die ziekte leed. Maar ze hadden vooral te doen met Kurt. Rosa was de eerste geweest die zich zorgen maakte om de hoestbuien van Kurt. Hij had haar bezorgdheid altijd afgewimpeld, maar het relaas van het bezoek aan het ziekenhuis had haar gesterkt in haar overtuiging dat Kurt verzorging nodig had.

Ook Mireille was formeel: Kurt moest zo snel mogelijk naar België.

Serge zuchtte. Opnieuw voelde hij het gewicht van de reisleiding op zijn schouders rusten. Om de reis af te breken moesten ze zo snel mogelijk naar de Ugandese grens rijden en doorsteken naar Kampala, de hoofdstad. Dan lieten ze het Kivumeer voor wat het was en zou Serge het uiteindelijke doel van zijn reis niet bereiken. Hij had zich voorgesteld dat hij aan de oevers van het Kivumeer een antwoord zou vinden op de vraag waarom Dirk was verongelukt. Als ze nu de reis afbraken, zou hij terugkeren met dezelfde vragen waarmee hij was gekomen. Of met nog meer vragen.

'Robert, is er geen andere mogelijkheid? Kunnen we niet trachten een repatriëring te regelen via de verzekering?'

Robert keek hem aan met een eigenaardige blik. Het leek of hij al die tijd aan die mogelijkheid had gedacht en hij het jammer vond dat Serge op het idee was gekomen. 'Misschien,' zei hij kort. 'Met je broer hebben we er nooit gebruik van moeten maken, jij wordt verondersteld de verzekeringspolis beter te kennen dan ik.' Roberts antwoord irriteerde Serge. Waarom koos hij voor een ingekort reisprogramma zodat ze het Kivumeer niet aandeden?

Het werd stil in de ruimte. Serge richtte zich op en liep zonder nog een woord te zeggen in de richting van de deur. Hij was vastbesloten te handelen zoals hij zou handelen in zijn kantoor. Het probleem was gesteld. De oplossing was duidelijk. Er moest een en ander geregeld worden. Wie niet akkoord ging, kon zijn bezwaren uiten, maar de dingen zouden worden uitgevoerd zoals hij het wilde, met of zonder Robert, met of zonder diesel.

De volgende dag landde er een helikopter op het voetbalveld achter de middelbare school. Kurt werd uitgewuifd door de voltallige groep, inclusief Mireille en Dieudonné. Er zat een Zuid-Afrikaanse arts in de helikopter die Kurt zou begeleiden naar Kampala. Daar zou hij de verdere verzorging op zich nemen en indien nodig meevliegen met de eerste vlucht naar België. Alles was geregeld door Daphne, de secretaresse. Het had heel wat voeten in de aarde gehad om haar te bereiken vanuit de missie. Maar toen het eenmaal duidelijk was waar ze zich precies bevonden en wat er diende te gebeuren, had Daphne zich voorbeeldig van haar taak gekweten. Het gaf Serge het gevoel dat hij weer aan zijn bureau zat met uitzicht op de Schelde, de controle over de dingen slechts een muisklik verwijderd. Mireille had gezorgd voor de medische verantwoording en de verzekeringspapieren en de rest werd geregeld door de dichtstbijzijnde afdeling van de repatriëringorganisatie. Die lag in Kenia, maar dat land leek stukken efficiënter te functioneren dan Congo. Wat overigens niet moeilijk was.

Toen de helikopter achter de toppen van de palmbomen verdween, maakte een voldaan gevoel zich meester van Serge. Zelfs in dit land was het af en toe mogelijk de dingen gedaan te krijgen zoals hij dat wilde. En tegen de wil in van de man die verondersteld was hem te assisteren. De reis was gered, en hij zou het Kivumeer zien. Met of zonder Robert.

The Dutch cape style (2)

'Maak het je gemakkelijk, Emmerson. Wat mag ik je aanbieden? Ik heb nog een partij Glenfiddich, maar als ik een tip mag geven, deze Laphroaig smaakt subliem. Het lijkt wel alsof er alle kruidengeuren van de Highlands in geconcentreerd zijn, en dat alles doordrenkt met een ondertoon van turf, je waant je zo in *the moors*. Als je ooit nog eens in Schotland komt, raad ik je ten stelligste aan enkele flessen aan te schaffen.' Emmerson Makura, een forsgebouwde man met een innemend gezicht, tevens minister van huisvesting van Zimbabwe, kneep zijn ogen tot spleetjes en bekeek het etiket van de fles die Van Heerde hem voorhield.

'Jij kent mijn smaak John, ik betrouw volledig op je oordeel. Doe me maar een glas van deze Laphroaig of hoe je het ook mag uitspreken.'

'Zonder ijs uiteraard.'

'Zonder ijs.'

Van Heerde liep naar de mahoniehouten kast in Vlaamse stijl die een van de wanden van zijn kantoor sierde en nam twee whiskyglazen. Makura volgde hem met zijn ogen. Van Heerde zag er goed uit in zijn golfuitrusting. Volledig in het wit, zijn buikje zorgvuldig gecamoufleerd onder een sportief jasje. Hij bewoog kwiek en soepel, ondanks zijn leeftijd, die bleek uit zijn spierwitte haren en zijn getaande huid. Een getraind iemand. Dat kon Makura als ex-guerrillero appreciëren. Zelf begon hij elke dag met een half uur intensieve lichaamsoefeningen. Dat was hij gewoon van het soldatenleven in de bush. Eerst in Angola, later in Rhodesië, aan de zijde van zijn toenmalige commandant, Robert Mugabe. Hij had die gewoonte nooit opgegeven, ook niet toen zijn leven iets comfortabeler werd als minister en vertrouweling van de president.

Straks reden ze naar The Royal Harare Golf Club, een golfterrein van een paar honderd hectare ten zuiden van de hoofdstad. Maar eerst diende er een en ander geregeld te worden.

'En, hoe staan de zaken John? Enige vooruitgang?'

Van Heerde keerde zich om en glimlachte. 'Niet slecht Emmerson, niet slecht. De activiteiten breiden zich uit, het noordoosten komt dichterbij. Mijn medewerker is net terug uit Lubumbashi. Hij had daar heel interessante gesprekken, onder anderen met de neef van Joseph. We zijn nog niet officieel in Kisangani geweest, maar ik heb al enkele contacten. Uiteraard liggen de dingen daar iets ingewikkelder, dat hoef ik jou niet te vertellen.'

Makura grinnikte. 'Iets ingewikkelder, inderdaad, maar niet onoverkomelijk. Generaal Kazini's invloed begint te tanen. Het gestook tussen de Hema en de Lendu kon niet blijven duren. Ook de internationale gemeenschap vindt dat het er wat al te dik op ligt. De rol van de *Defence Forces* is uitgespeeld, Uganda heeft zijn tijd gehad. Ze hebben lang genoeg hun zakken gevuld. Désiré is dood, Joseph heeft hen niet meer nodig, en over de Interahamwe spreekt geen mens nog. Overigens, lieten zij zich voor hun bewapening niet bevoorraden via jouw kanalen?' Makura pauzeerde even en nipte aan zijn whisky. Hij wist dat hij een gevoelige snaar had geraakt, en wachtte op Van Heerdes reactie.

'Nee', zei hij kort, 'de Libanezen bezetten die markt. Maar dat hoeft ook niet eeuwig te blijven duren.'

Makura glimlachte fijntjes. Hij kende Van Heerde al jaren. Het was een fijne kerel, een en al cultuur als het zo uit kwam, een ordinaire boef als het beter paste. Slechts één ding interesseerde hem: geld, waar het ook vandaan kwam of hoe het ook werd verdiend. Toen Zimbabwe onafhankelijk werd, had het er even slecht voor hem uitgezien. Als Rhodesiër had hij zich iets te ver gecompromitteerd met Ian Smiths apartheidsregime. Makura was herhaalde malen beschoten met wapens die Van Heerde had verkocht aan de blanken, ondanks het internationale embargo. Maar zodra Mugabe aan het hoofd van Zimbabwe stond, had hij Van Heerde de hand gereikt in plaats van hem het land uit te wijzen of te laten vermoorden. Hij kon nog van pas komen.

En of hij van pas kwam.

'Het wordt tijd dat wij daar in Ituri wat orde op zaken stellen. Ik meen te weten dat zijne excellentie niet ongenegen staat tegenover dat idee. Als jij denkt dat Joseph hetzelfde meent, kan er iets geregeld worden. Wil je dat ik een ontmoeting organiseer met onze minister van Defensie?'

'Hoe staat de jonge Kabila tegenover de Ugandezen?'

Makura snoof verachtelijk. 'Hij is ze liever kwijt dan rijk. Ze zijn er nooit in geslaagd de regio onder controle te houden. Al wat ze doen is de verschillende rebellengroeperingen tegen elkaar opzetten, de Rwandezen treiteren en ondertussen de mijnen leegroven, zonder dat Kinshasa iets van de opbrengst ziet. De jonge Kabila wil orde. Recht en orde, en die kunnen wij alleen brengen. Wij leggen de rust op, Kabila deelt de concessies uit, jij maakt de mijnen rendabel en iedereen deelt in de winst.'

'Iedereen?'

Makura lachte smakelijk. 'Iedereen die het verdient te delen.'

Van Heerde stak een sigaar op en leunde achterover. Hij tuitte zijn lippen en produceerde enkele kringen rook. Hij leek te genieten. Van het gesprek, van de whisky, van het aroma van de sigaar.

Makura ging verder. 'We moeten alleen zien binnen te geraken op het juiste moment. Onze inlichtingendiensten zijn tot nu toe van weinig nut. Ze kennen het terrein niet, ze hebben nog geen connecties.'

'Geen probleem.'

'Toch wel, we moeten achterhalen welke mijnen het rendabelst zijn. In Kinshasa weet men van niets. Alleen wie de concessiehouders zijn, niks over de opbrengst.'

'Geen probleem, we kunnen dat te weten komen. Ik heb mijn eigen inlichtingendienst. Momenteel heb ik een mannetje ter plaatse dat al een tijdje actief is in het milieu van de artisanale diamantmijnen. Wat geklooi met schoppen en houwelen, hij zorgt dat het handjevol diamanten dat ze opdelven het land uitraakt. Als de tijd rijp is, koop ik hem daaruit en werkt hij voor mij. Als de tijd rijp is. Jij kunt die rijp maken.'

'Een Congolees?'

'Nee, een Belg.'

Makura's gezicht betrok. 'De groep van Forrest?'

'Nee, niks mee te maken. De groep van Van Heerde.' Hij lachte kort. 'Een Antwerpse connectie.'

Makura ontspande. 'Oké John, je weet dat ik je vertrouw. Ik laat je weten wanneer mijn collega van Defensie vrij is om de details te regelen.' Hij dronk het laatste restje whisky op en stond plots op, een lange, rijzige Afrikaan in sporttenue te midden van een reusachtige Europees ingerichte werkkamer. Hij voelde zich daar even goed op zijn gemak als in de hut van zijn ouders ergens in het hartje van Mberengwa, waar elektriciteit nog moest worden uitgevonden en water uit een rivier werd geschept. 'Je weet dat ik je vertrouw, John, overal, behalve op de golf court. Daar vertrouw ik je voor geen halve meter. Tijd voor een balletje. Ik hoop dat je iets aan je backswing hebt gedaan, die leek nergens op vorige maand. En dat je het balletje met je club zult putten en niet met je voet als je denkt dat ik niet kijk.' Van Heerde trok even een verongelijkt gezicht voordat ze gezamenlijk in lachen uitbarstten.

En route (2)

Kurts vertrek was snel en vlot geregeld, maar zijn afwezigheid drukte zwaarder dan verwacht op het overblijvende groepje. Nadat de helikopter was verdwenen, leek iedereen het erover eens te zijn dat ze maar best snel het stadje verlieten. Niet dat het enig verschil uitmaakte, daar probeerde Mireille hen althans van te overtuigen, maar het leek alsof de villa waar ze hadden verbleven, een besmette plaats was. Ze dachten bij elke ademhaling dat ze het risico liepen tuberculosebacillen in hun longen te krijgen.

Nonsens, had Mireille benadrukt, als Kurt al tbc had, was hij ongetwijfeld veel vroeger besmet, en dan had de medicatie voor zijn reuma er waarschijnlijk iets mee te maken. Daarmee overtuigde ze niemand, dus vergde het nauwelijks enige discussie om het kamp op te breken. Enkele uren na het opstijgen van de helikopter reed de Landcruiser het stadje uit, achtervolgd door een rode stofwolk.

Ze reden verder oostwaarts, in de richting van het Virungapark, dat ze hoopten te bereiken na een drietal dagen. De richting was duidelijk, de te volgen route iets minder. De wegen waren in een min of meer behoorlijke staat nu ze de grens met Uganda naderden, maar alle aardewegen leken op elkaar. Daarom had Robert besloten een beroep te doen op een Congolees die dezelfde richting uitmoest en zijn diensten als gids had aangeboden. Plaats was er genoeg in de Landcruiser nu ze een passagier minder te vervoeren hadden. Uiteraard bood de man zijn diensten niet gratis aan, maar de aanwezigheid van Serge bij de onderhandelingen was voldoende om het afpingelen tot een minimum te beperken. Zijn naam was L'église Kusendu. Toen ze hem verbaasd vroegen of dat echt zijn voornaam was, lachte hij zijn tanden bloot en knikte. Zijn vader had dat een mooi woord gevonden.

Serge was al met al blij met de repatriëring van Kurt. Het was voor iedereen de beste oplossing en Serge had eindelijk nog eens gescoord tegenover Robert. Waarom die de reis wou inkorten, was hem een raadsel. Het leek op een bepaald mo-

ment alsof hij niet wou dat ze langs het Kivumeer zouden rijden. Hij moest intussen toch weten hoeveel dit voor Serge betekende, maar misschien was dat voor hem een extra motiva-
tie om van de vooropgestelde route af te wijken. Serge wist het
niet en begreep het niet, maar hij had geen zin meer om er zijn
hoofd over te breken. Robert had nog niet veel gezegd sinds
het vertrek van Kurt. Daar leek niemand zich aan te storen,
zolang hij hen veilig over de Congolese pistes loodste.

Iedereen leek trouwens in gedachten verzonken. Karel en
Rosa staarden naar buiten. Ze hadden hun kaki safariplunje
aan, het digitale cameraatje bungelde aan Karels pols. Rosa's
gezicht stond zorgelijk, ook zij dacht waarschijnlijk nog aan
Kurt, die nu tegen zijn zin in Kampala was, en wachtte op een
vlucht naar België. Zij had het sterkst aangedrongen op zijn
snelle terugkeer, maar ze zag er allerminst opgelucht uit nu
het probleem was opgelost. Misschien voelde ze zich ook minder veilig, kwetsbaarder. Een banale hoest werd in dit land
plots een verschrikkelijke ziekte.

Ook Mireille was stil. Ze zat schuin tegenover Serge en haar
profiel stak scherp af tegen het licht van het raampje waar ze
doorheen keek. Een mooie vrouw, dacht Serge niet voor de
eerste keer. Ze had, zoals gewoonlijk als ze in de Landcruiser
zat, haar blonde krullen samengebonden in een paardenstaart.
Daarboven droeg ze een honkbalpetje zoals Justine Henin. Het
gaf haar iets jongs en nonchalants, ook door het moderne brilletje met het hoekige montuur. Het was moeilijk om in haar
een huisarts te zien. Ze droeg een wit topje, waardoor haar gebruinde schouders en de kleurige kralenkrans die ze op het
marktje had gekocht beter uitkwamen. Allemaal dingen die
Serge kon appreciëren. Het was niet omdat ze waren omgeven door duizenden vierkante kilometers wildernis, dat ze hun
levensstijl maar overboord moesten gooien. Hij begreep niet

waarom mensen als Robert en Kurt zich plots totaal anders meenden te moeten kleden en gedragen, alleen omdat ze op reis waren. T-shirts, shorts, hoeden en petten, alles liefst een beetje smoezelig en onverzorgd, het waren attributen waarmee ze zich een nieuwe identiteit aanmaten. Het maakte van hen avonturiers, natuurmensen met een hoog *je m'en foux*-gehalte tegenover de westerse maatschappij. Die er wel netjes voor zorgde dat ze elk jaar een vliegtuigticket konden betalen en zich de luxe konden permitteren de halve wereld rond te vliegen om Het Ware Leven te ontdekken. Dat hielden ze drie weken vol, waarna ze weer mooi in de pas liepen.

Serge wist hoe handig hij hierop inspeelde met zijn reisorganisatie. En als hij zag met welk een overgave ze zich inleefden in hun rol, begreep hij dat hij nog een tijdje safe zat bij deze doelgroep.

Maar Mireille was anders. Zij bleef zichzelf, zij bleef een Vlaamse vrouw, iemand die even aan het venster van een andere cultuur kwam kijken. Nieuwsgierig, maar van een afstand. Toch leek Mireilles verzorgde vakantieoutfit vandaag niet te passen bij haar stemming. Serge wist dat ze zich onbehaaglijk voelde bij de afloop van de zaak met Kurt. Ze meende dat ze tekort was geschoten als arts, hoewel Serge haar had gerustgesteld. Wie kon haar kwalijk nemen dat ze niet onmiddellijk een ziekte had herkend die in België al een halve eeuw zo goed als uitgeroeid was, en dat te midden van de brousse waar ze nauwelijks hulpmiddelen of ondersteuning had? Serge glimlachte bij de gedachte aan Dieudonné. Hij was een bekwame vent, die duidelijk zijn zaakjes goed geregeld had in het ziekenhuis. Allicht was gisteren voor hem een hoogdag die hij zich nog lang zou herinneren: hij had een diagnose gesteld die de blanke dokter had gemist.

Robert remde bruusk en bracht de Landcruiser tot stilstand. Ze waren amper een kwartier onderweg en keken met zijn allen door de voorruit. De weg was versperd door tientallen opgewonden Congolezen. L'église draaide zijn raampje naar beneden en sprak in rad Lingala tot een van de voetgangers.

'Wat is er aan de hand?' vroeg Robert toen ze waren uitgesproken.

'Er is iets gebeurd.' De man keek star voor zich uit, hij wriemelde zenuwachtig aan de rand van zijn uitgerafelde hemd.

'Ja, dat had ik ook al door, weet je ook misschien wat precies?'

'Iets ergs, het is beter ons er niet mee te bemoeien.'

'Is het veilig om door te rijden? Wat doen al die mensen hier?'

'Laat ons stoppen.' Serge moeide zich in het gesprek. Hij had gezien dat de menigte bij elkaar pakte aan de linkerkant van de aardeweg. 'Laat ons kijken wat er aan de hand is. Die mensen zijn rustig, ze besteden geen aandacht aan ons.' Ook de nieuwsgierigheid van de anderen was gewekt. Ze hoopten op een avontuurtje, tenslotte wachtte hun opnieuw een eentonige tocht door de jungle. Robert keek opzij naar L'église. Die zei niets. Ook niet toen Robert de motor stillegde. Serge klapte de achterdeuren open. De geur van het evenaarswoud stroomde in golven naar binnen, een zware geur van verrotting en vochtige warmte. Ze stapten uit. Ze mengden zich onder de groepjes Afrikanen. Nu pas zagen ze dat er een pad op de weg uitkwam, een pad dat tussen het dichte struikgewas het woud inliep. Ze sloegen het pad in.

Enkele meters van de weg, maar door de begroeiing onttrokken aan de ogen van de toevallige voorbijganger, bungelde een lijk aan de onderste takken van een woudreus. Opgehangen aan een helblauw stuk elektriciteitsdraad, het hoofd in een onnatuurlijke knik, de romp in het verlengde van de draad. Het was een man, zoveel was duidelijk aan de lompen die hij aanhad, maar het hoofd was onherkenbaar verminkt. Of verrot. Waar de ogen hadden gezeten, restten nog donkere holten, uit de halfopen mond puilde een zwarte massa waartegen tientallen witte maden schril afstaken. De handen die uit zijn half vergane jasje staken, waren wasachtig gerimpeld, verdroogd, als bij een mummie. Zijn voeten, gezwollen en vochtig, staken uit een veel te korte broek, de huid was losgekomen, hing er in vellen bij, kapot door de ontbindingssappen of door het werk van gulzige roofvogels. Maden deden zich te goed aan het week geworden vlees. Geen schoenen. Het lijk bungelde nauwelijks een meter boven de begane grond, eronder had zich een donkere vlek gevormd. Er hing een ondraaglijke stank, een stank van verrotting die ze eerst niet hadden herkend, maar die allengs sterker was geworden bij het naderen van het lijk.

Serge draaide zich kokhalzend om en gebaarde de anderen terug te keren. Ze haastten zich naar de veilige beschutting van de Landcruiser. Ze sloten ramen en deuren en staarden elkaar vol afgrijzen aan. Mireille was de eerste die sprak.

'Zelfmoord?'

Niemand antwoordde. Rosa begon plots te snikken en kroop tegen Karel aan. Hij sprak haar sussend toe en legde zijn arm rond haar schouder, het cameraatje bungelde onnozel aan zijn hand.

'Jezus wat een afschuwelijk tafereel.' Karel kneedde zenuwachtig de hand van zijn vrouw. 'Hoe lang hangt dat lijk daar al? Is er dan geen politie om die plek af te schermen, of dat lijk weg te halen? Iedereen staat daar maar te gapen zonder dat er ook maar iets gebeurt.'

Mireille schudde haar hoofd. 'Ik denk niet dat die man al

lang dood is. Ik ken niet veel van dit soort dingen maar ik denk dat de ontbinding zich in dit klimaat heel erg snel inzet. Waarschijnlijk hangt hij er nog maar enkele dagen.'

'Waar is Robert? Laat ons zo vlug mogelijk doorrijden, dit is geen plaats om nog een minuut langer te blijven.'

Serge zocht met zijn ogen tussen de ronddrentelende mensen. Hij vond Robert niet direct en stapte opnieuw uit. Robert stond een eindje achter de Landcruiser, met zijn rug naar Serge toe. Hij was in een gesprek gewikkeld met een druk gesticulerende Afrikaan.

'Robert!'

Robert leek hem niet te horen. Serge stapte op hem toe en riep opnieuw zijn naam. Toen de Afrikaan hem in het oog kreeg, zweeg hij abrupt en keek hem zwijgend aan. Robert keerde zich om. Hij zag er bleek uit en even meende Serge zelfs iets van angst in zijn blik te zien.

'Robert, laat ons vertrekken, dit is niks voor ons, we hebben hier niets mee te maken. Komaan, de anderen zitten allang in de Landcruiser, Rosa is erg van streek.'

'Ja, ja ik kom zo. Ik wil alleen weten wat er gebeurd is.'

'Een zelfmoord, dat is toch duidelijk. Een arme drommel die er genoeg van had zes monden te voeden met eten dat amper genoeg was voor zichzelf, weet ik het? Komaan, we hebben hier tijd genoeg verloren, dit is niks voor toeristen. Het stinkt hier.'

De Afrikaan wendde zich tot Robert: 'Ga maar Robert, ik hou je wel op de hoogte.' Hij schudde hen de hand. Serge keek verbaasd naar Robert. Die keek hem onzeker aan. Weer viel het Serge op hoe bleek hij was.

'Ja, wij kennen elkaar. Van vroeger, van vorige reizen.'

'En hij gaat je op de hoogte houden? Waarvan?'

'Eh, van dit geval hier. Eigenlijk ken ik die man ook, of liever ik kende hem, voordat hij zich heeft opgehangen... of werd opgehangen.' De laatste opmerking had hij er bijna onhoorbaar achteraan gemompeld.

'Jij kende die man?' Serge keek Robert verwonderd aan. 'Sorry, dat wist ik niet. Ben je wel zeker? Dat lijk is zo goed als onherkenbaar!'

'Die man met wie ik praatte heeft hem herkend. Hij werd al een tijdje vermist.' Het bleef even stil. 'Laat ons gaan.' Robert deed zijn best om beslist te klinken, maar hij keek onzeker rond. 'Je hebt gelijk Serge, we hebben hier niets meer te zoeken. Het is allemaal niet zo belangrijk, ik kende hem maar oppervlakkig, hij heeft een paar maal voor ons gekookt op vorige reizen.' Serge keek hem onderzoekend aan, het was duidelijk dat hij geen geloof hechtte aan zijn woorden. Maar Robert zei niets meer.

La connaissance fait le pouvoir

De kilometers regen zich aaneen als de kralen aan het halssnoer van Mireille. Er werd weinig gesproken. De gebeurtenis van 's morgens had een diepe indruk nagelaten op alle leden van het gezelschap. Niet alleen het beeld van de gehangene stond op hun netvlies gebrand, maar vooral het feit dat het lijk daar zomaar hing, bijna tentoongesteld, dat alles leek hen onbegrijpelijk. Er was blijkbaar niemand om het weg te halen, geen hulpdiensten, geen politie of brandweer.

De reizigers werden weer geconfronteerd met een maatschappij die niet functioneerde. Ze waren gechoqueerd. Wat in het Westen voor de hand lag, gebeurde hier niet. Iemand van de omstanders zou uiteindelijk het initiatief moeten nemen om het lijk uit de strop te halen, misschien zijn familie zelf, als hij die had. Er was zelfs niemand om boos op te zijn. Het miserabel hoopje Afrikanen was even ontdaan als zijzelf, maar bij hen kwam het niet op om verontwaardigd te zijn.

Zonder dat iemand er oog voor had, was het landschap intussen opener geworden, heuvelachtig, bergachtig bijna. Ze hadden het regenwoud verlaten, en op aanwijzing van L'église reden ze nu definitief in de richting van de Ruwenzori, de oostelijke bergketen die Congo scheidde van Uganda. Hoewel ze nu niet meer voortdurend de indruk hadden in een serre te rijden, bleef het drukkend warm. Het groen van de heuvels waar ze doorheen reden, deed pijn aan de ogen na de constante schemering van de jungle. De pistes waren goed onderhouden, ze werden blijkbaar regelmatig genivelleerd. Een paar maal hadden ze de machines gezien die daarvoor werden ingezet. Het waren reusachtige schrapers, nagelnieuw, het resultaat van multilaterale akkoorden, ontwikkelingsprojecten en bilaterale partnerships. Congo moest en zou nog maar eens uit de spiraal van onderontwikkeling en geweld getrokken worden, daarvoor werden kosten noch moeite gespaard. Voorlopig waren het vooral de toeristen die van de ontwikkeling profiteerden, de wegen waren verlaten, op een zeldzame vrachtwagen of legervoertuig na.

De regio was weinig bewoond. Als ze al een dorp zagen, was het meestal verlaten, de tol van enkele jaren oorlog en onrust. Hier waren ze allemaal langsgekomen: de *interahamwe*, de oude Kabila met zijn troepen, de Ugandezen, de Rwandezen, de rebellen, de contrarebellen. Ze droegen ronkende namen als de *Forces Démocratiques de Libération du Rwanda*, de *Rassemblement Congolais pour la Démocratie*, de *Mouvement de Libération du Congo*. Allemaal hadden ze hun sporen nagelaten, hun tol geëist, de bevolking geterroriseerd, de vrouwen verkracht, kortom de bevolking bijgebracht wat vrijheid en democratie betekende. En dat deden ze vanachter de loop van wapens die waren geproduceerd in maatschappijen die de zegeningen van de vrijheid en democratie al lang kenden. Het resultaat was dat er in minder dan een decennium een paar miljoen mensen van de doelgroep waren gesneuveld en veel van de overblijvers zich hadden teruggetrokken in de jungle. Daar probeerden ze verder te leven zoals ze dat de duizenden jaren voor de komst van de bevrijders hadden gedaan, en hoopten ze met rust gelaten te worden.

Nu waren er de blauwhelmen die orde moesten brengen in de chaos, een chaos die opgelost zou zijn door een cirkeltje zwart te maken in een stemhokje. Het leek bijna westerse magie.

Robert parkeerde de auto onder een reusachtige apenbroodboom. 'We zijn er.' Het had moeilijk minder enthousiast kunnen klinken.

Ze bevonden zich vlakbij een schooltje, of iets wat erop leek. Het lage bakstenen gebouwtje had een golfplaten dak, een regelmatige rij vensters zonder glas en een afgebladderde houten deur, precies in het midden. Van daaruit vertrok een pad van aangestampte aarde tussen twee evenwijdige rijen bougainvillestruikjes, netjes gesnoeid op een meter hoogte. Het pad verdeelde een plein van aangestampte aarde in twee gelijke helften tot de struikjes openwaaierden tot een cirkel. Precies in het midden stond een roestige vlaggenstok zonder vlag. De struikjes vormden verder weer een pad naar de toegang. Een bepleisterde boog, geel geschilderd. Bovenaan prijkte de leuze van de school: 'La connaissance fait le pouvoir.' Kogelinslagen maakten sommige letters haast onleesbaar. Aan weerszijden van de toegangsboog stonden twee halfvolgroeide acacia's, aan een ervan hing een autovelg, opgehangen aan een ijzeren ketting. In de gaten van de velg stak een ijzeren staaf. Dat was de schoolbel.

Het groepje betrad het schoolplein door de toegangsboog. Achter de boog ging de savanne ongemerkt over in het plein, alleen de aarde was meer aangestampt, het onkruid had er geen kans tot overleven. Toch liepen ze allen onder de boog door, als om zijn bestaan te rechtvaardigen. Ze stapten zwijgend in de richting van het gebouwtje. Ze staken hun hoofd door de vensters om een blik te werpen in de klasjes. Daar stonden evenwijdige rijen tot op de draad versleten schoolbanken opgesteld voor een van de korte muren waartegen een schoolbord was bevestigd. De president lachte hen minzaam toe vanaf de foto boven het bord. De houten banken droegen de vormen van generaties zitvlakken en ellebogen. Er was geen vloer, geen plafond, er hing niks tegen de wanden behalve het schoolbord. De klasruimte was alleen van de jungle gescheiden door een muur van één baksteen dik. De restjes mortel in de voegen waren nog net voldoende om het geheel bij elkaar te houden. Alles leek lijdzaam te wachten op de volgende schooldag, wanneer joelende kinderen alle aandacht naar zich toe zouden zuigen en hun tomeloze energie tijdelijk de troosteloosheid uit het gebouwtje zou verdrijven. Ze kwamen om kennis te vergaren, de voorwaarde voor macht in een land dat al generaties lang werd geregeerd volgens de wetten van de jungle, slechts door een muurtje gescheiden van de klasjes.

'Hier overnachten we.' Robert deed opnieuw geen moeite om enige geestdrift in zijn stem te leggen. Hij was nog in zichzelf gekeerd en zag er moe uit. Ook tijdens de lange autorit had hij nauwelijks gesproken. Zijn T-shirt plakte aan zijn rug en op zijn voorhoofd zaten zwarte vegen van het zweet.

'Tussen de banken?' Karel keek even op van zijn LCD-scherm. Hij was duidelijk teleurgesteld dat ze na de schooluren waren aangekomen, op een vrijdagavond nog wel. Ook morgen zouden er geen schoolkinderen zijn om te verblijden met balpennen en ballonnetjes van de bank waar hij een half leven schulden had afbetaald. Ook Afrika mocht de zegeningen van het krediet leren kennen, al was het op een vooralsnog symbolische manier.

'Nee, achteraan is een klasje zonder banken, waarschijnlijk de leraarskamer. Er staat alleen één lange tafel en enkele stoelen.'

'En er hangt een foto van de president.' Serge deed zijn best om de bedrukte stemming wat te breken. Hij slaagde er maar half in. Ook de natuur leek er alles aan te willen doen om de sombere sfeer vast te houden. Het leek alsof de stank van de ochtendlijke ontmoeting met het lijk nog in de wagen hing en, nu ze waren uitgestapt, zelfs in hun kleren. In de namiddag hadden donkergrijze, bijna zwarte onweerswolken zich opgestapeld boven de heuvels. Af en toe werd de rand ervan kortstondig verlicht door onzichtbare bliksemschichten, alsof er iemand even met het licht knipperde. Nu het geronk van de Landcruiser was weggevallen, hoorden ze het gerommel van de donder, veraf, maar niet minder dreigend. Een bijna ritmisch geroffel, een trage cadans van naderbijkomend onheil.

'Laat ons de wagen uitladen, we nemen alleen het hoogstnodige, we blijven maar één nacht.'

'Is er water?' Rosa had geleerd dat dit de meest essentiële vraag was, en het antwoord niet altijd vanzelfsprekend. Ze had zich er al bij neergelegd dat ze niet op een douche moest rekenen om de lijkenlucht van zich af te spoelen. Ze hoopte wel op een minimum aan water voor de kookactiviteiten.

'Ja, er staat een handpomp achter de school. Het water uit

een put is niet drinkbaar uiteraard, alleen na koken en met chloortabletten.' Roberts laatste zin werd onderstreept door een krakende donderslag, veel dichter dan het gerommel dat ze tot nog toe hadden gehoord. Bijna onmiddellijk daarna stak er een wind op die de omgevende woudreuzen aan het ruisen zette. Serge floot zachtjes tussen zijn tanden en keek zijdelings naar Mireille.

'Bon, laat ons voortmaken, voordat we hier wortel schieten. Aan water zal het ons straks niet ontbreken. Robert, breng jij de wagen naar de achterkant, ik denk niet dat iemand je zal beletten op het schoolterrein te rijden, en het scheelt ons heel wat geloop. Moeten we trouwens niemand van onze komst op de hoogte brengen, de directeur van deze school bijvoorbeeld?' Het was ironisch bedoeld, maar niemand lachte.

'Maak je geen zorgen, we hebben hier al een paar maal overnacht. Morgen komt er wel iemand langs, dan regelen we alles. We zorgen eerst dat het materiaal is uitgeladen terwijl het nog licht is en vooraleer die bui losbarst.' Robert haastte zich naar de wagen.

Achter het schooltje vonden ze het bijgebouwtje. De deur was los, er was niks dat gestolen kon worden uit de ruimte, tenzij een tafel en wat wankele stoelen. Ze schoven alles aan de kant en richtten hun verblijfplaats voor de nacht in. Het was verbazend hoe snel alles zijn plaats kreeg: een hoek voor de matrassen en slaapzakken, de keukenkoffer in een andere hoek bij de tafel, de materiaalkoffer met de klapstoeltjes errond vormde de leefruimte. Rosa toog aan het werk met blikken en gasvuur, Karel ging de handpomp inspecteren met een aantal waterbidons. De anderen installeerden zich in het slaapgedeelte. De schemering was ingevallen, maar bliksemschichten zetten de omgeving nu bijna voortdurend in een bleekachtig licht, wisselend in intensiteit en duur. Ook dit gebouw had geen ramen, alleen een viertal venstergaten waardoor de aanwakkerende wind vrij spel had. Nog altijd was er geen druppel regen gevallen.

Karel kwam binnen met twee volle jerrycans. Hij sloot de deur zorgvuldig af: het slot was kapot en de klink ontbrak, maar hij plaatste er schrijlings een stoel tegenaan. Het meubel moest nog als deurslot hebben gediend.

'Dit wordt een serieus buitje jongens. Het zat er allang aan te komen maar ik geloof dat alles zich nu samentrekt boven ons hoofd. Ik wou dat ik mijn statief bij had, dan zou ik proberen zo'n bliksemschicht te fotograferen. Moeten we trouwens niet proberen die vensters af te sluiten?'

'Waarmee?'

'Met plastic vuilniszakken,' beantwoordde Karel prompt de vraag van Robert. Als om zijn woorden te onderstrepen zorgde een plotse rukwind ervoor dat alle kaarsen die ze hadden opgesteld, gelijktijdig uitwaaiden. Alleen de gaslamp waar Rosa bij kookte, zorgde voor nog wat licht. De bliksemschichten werden nu sneller gevolgd door krakende donderslagen. Karel dook in zijn rugzak, diepte een grijze plastic rol op en ging aan het werk, onder het sceptische oog van Robert. Hij leek te proberen schatten hoe lang de plastic zakken stand zou houden tegen een tropenstorm.

'Het gas is op.'

Iedereen keek naar Rosa. Ze zat gehurkt bij het gasvuur, tussen blikken met opengedraaide deksels, waarvan de inhoud klaar stond om opgewarmd te worden. Ze keek hen bijna verontschuldigend aan. Haar grijzende haarlokken plakten tegen haar bezwete voorhoofd, dat blonk bij het schijnsel van de gaslamp.

'Verdomme.' Serge keek naar Robert. 'Jij zei toch dat die ketel ging volstaan tot in Goma?'

Robert haalde zijn schouders op. 'Blijkbaar hebben we meer gas verbruikt dan gewoonlijk. We hadden wat meer op hout moeten koken.'

'En er is geen reserveketel?'

'Er is geen reserveketel.'

'Verdomme Robert, is dit alles wat je hierop kunt zeggen? Koude bonen in tomatensaus na acht uur rijden en...'

Serge brak zijn zin af en kromp in elkaar bij een oorverdovende donderslag. De splijtende aanslag op zijn trommelvliezen ging vergezeld van een flikkerende lichtflits, alsof er duizend kortsluitingen tegelijk het firmament uit elkaar rukten. Onmiddellijk daarna vielen de eerste druppels op het plaatijzeren dak. Eerst vielen ze zwaar en afzonderlijk, elke druppel als een klad modder die op het dak werd gegooid, maar enkele seconden later werd het een salvo van regen, een constant gekletter dat in decibels nauwelijks werd overstemd door de donderslagen die elkaar in snel tempo bleven opvolgen.

Niemand was in staat te reageren. Het leek of de losgebarsten elementen het op hen gemunt hadden, alsof de goden hadden besloten het schooltje met de grond gelijk te maken, te vermorzelen in nietsontziende razernij. Rosa was bij de rest van de groep op de slaapzakken gevlucht. De ontlading was zo plots dat ze de gebeurtenissen alleen konden ondergaan. Niemand dacht nog aan de blikken koude bonen of het afschermen van de venstergaten, ze kropen dicht bij elkaar aan en zaten met grote ogen te luisteren naar de ontketende elementen. Roepen had geen zin. Het gekletter van de regen was nu zo hevig dat ze zich toch niet verstaanbaar konden maken. Rosa was onder de arm van Karel gedoken en durfde niet meer op te kijken, de anderen staarden met schrikogen rond en vroegen zich af of het schooltje stand zou houden. En keer op keer daalden helse bliksemschichten neer, gevolgd door mokerslagen die het schooltje op zijn grondvesten deden schudden. De vuilzakken waren bij een hevige windstoot weggerukt en de regen zwiepte in vlagen binnen. Zelfs Karel deed geen poging om de vensters opnieuw af te schermen. Ook toen de stoel het begaf en de houten deur open zwaaide deden ze niks anders dan er ongelovig naar zitten staren. Ze konden alleen wachten tot het zou overgaan, tot de elementen er genoeg van zouden hebben om het land te geselen en de kolkende chemie in de atmosfeer tot rust zou komen.

Na een half uur nam het geroffel op de ijzeren platen geleidelijk af in sterkte en werd de tijd tussen de donderslagen langer. Het onweer schoof verder in een richting die alleen de elementen kenden.

Karel was de eerste die sprak. 'Hadden mijn serres hier gestaan dan schoten er nu alleen nog scherven en een schroothoop over. Jezus, wat een kracht.' In de stilte die volgde, hoorden ze de eerste cicaden aan het avondconcert beginnen, alsof er niets was gebeurd.

'Ongelooflijk. We zaten er middenin.' Mireille schudde haar hoofd, de angst in haar ogen was nauwelijks weggeëbd. 'Wat een oerkracht. Stel je voor dat je dit meemaakt in een hut van leem en stro. Ik dacht dat we met school en al verpletterd werden.'

Weer was het stil. Iedereen leek murw geslagen. Niemand dacht eraan om de blikken te halen om hun lege magen te vullen of om het vuil van de dag van zich af te spoelen aan de handpomp. Het leek alsof de minste beweging nieuw onheil over hun hoofd zou uitstorten en dat het daarom maar beter was te blijven waar ze waren.

Serge voelde de warmte van Mireilles schouder tegen de zijne. Hij realiseerde zich nu pas dat ze spontaan dicht bij hem was komen zitten na die eerste helse donderslag. Ook hij was ontdaan, maar vreemd genoeg had hij tijdens het onweer vooral aan zijn broer gedacht. Een dergelijk onweer in een hut... of nog erger, in een open zeilboot. Mireille keek hem zijdelings aan. Ze voelde dat hij aan het ongeluk dacht. 'Als je in zoiets terecht komt, dat... dat kan je niet overleven, dat moet verschrikkelijk zijn. Dan mag je nog zo'n goede zeiler zijn, dan word je een speelbal van de elementen.' Het was de eerste maal dat Serge zo openlijk over zijn broer sprak. Ze keken nu allemaal naar hem, het leek of hun eigen miserabele toestand draaglijker werd door aan nog ergere dingen te denken.

'En de bliksem? Ben je niet heel kwetsbaar met die mast? Die is toch van aluminium of zoiets?' Robert klonk echt geïnteresseerd, hij leek de woordenwisseling van daarnet te zijn vergeten, ook die werd gereduceerd tot een banaliteit tegenover de natuurkrachten die ze net hadden ondergaan.

'Klopt. Bij onweer zoek je de dichtstbijzijnde haven op, tenminste als dat mogelijk is.'

'En toch ging Dirk zeilen op het Kivumeer. Hij moet het toch hebben zien aankomen. Als zeiler ken je toch iets van het weer? Wij konden toch ook al uren op voorhand zien dat er onweer op til was?'

'Ik weet niet wat hem heeft bezield. Maar hij deed nog af en toe rare dingen. Hij hield ervan het gevaar op te zoeken, hij hield van risico's.' Het was even stil. Serge zuchtte diep en zat in gedachten verzonken.

'Ik herinner me bijvoorbeeld een dag in augustus, we waren met de boot in Westende, met de vier negentig, een bootje dat eigenlijk voor de binnenwateren is ontworpen. Maar hij wou per se op zee, hij had genoeg van het Galgenweel, er was geen houden aan.'

'Hoe oud waren jullie toen?'

'Ach, een jaar of vijftien denk ik, of al wat ouder, ik had

mijn rijbewijs al. Hij wou op zee, dus reden we naar zee, met de auto van papa en de trailer erachteraan. Er stond een flinke wind, dus eenmaal in de boot zaten we in een mum van tijd een flink eind uit de kust. Alles ging goed, het was avontuurlijk zeilen, we hadden geen oog voor wat er boven onze hoofden gebeurde. Er stak een onweer op, niet zoals dit hier, maar toch voldoende om de boot flink te doen rollen en stampen.

'Maar alles kwam goed?'

'Min of meer. De kustwacht maande ons aan terug te keren. Eerst waarschuwden ze ons met klaroenstoten, maar Dirk zat aan het roer en trok er zich niks van aan. Daarna kwamen ze achter ons aan met een motorboot. Dirk riep hen toe dat we zouden terugkeren, maar ze waren nog niet goed en wel weg of hij koos een andere koers, weg van de kust.

'Waarom?'

'Ik weet het niet. Hij had soms iets roekeloos, alsof hij het lot wou tarten, of het gezag wou uitdagen. Hij wou tonen dat niemand hem de les moest spellen, het weer niet, de kustwacht niet, ik niet.., alleen hij besliste wat hij wou doen. Ik was zijn oudere broer, maar op dergelijke momenten was ik zijn mindere. Ik kon alleen doen wat hij me opdroeg te doen, hij zat aan het roer.'

'Hoe is het afgelopen?'

'Uiteindelijk zijn we heelhuids teruggekeerd, we konden wel met een zeilboot overweg. Maar op het strand wachtte de zeevaartpolitie ons op. We hebben er een fikse boete aan overgehouden. Ik trachtte de dingen wat te vergoelijken, maar Dirk lachte hen vierkant uit. Papa heeft mogen betalen. Ook dat kon hem geen barst schelen.'

'Denk je dat het dat was, wat je broer heeft gedaan op het Kivumeer,' vroeg Mireille, 'bewijzen dat hij en hij alleen besliste wanneer hij ging zeilen, en niet de elementen? Wou hij tonen dat hij zijn eigen meester was?' Mireille keek Serge aan. Ze zag hoe hij worstelde met de herinneringen aan Dirk. Hij had er geen verweer meer tegen na de emoties van de afgelopen dag. Ze zag hoe hij vocht tegen zijn tranen. Maar hij verdrong ze en zei uiteindelijk: 'Misschien. Misschien ja. Ik weet het niet. Ik weet het nog altijd niet.'

Rosa stond plots op en haalde de blikken. 'Kom mensen, laat ons iets eten en trachten te slapen. Morgen komt er weer een dag, en volgens mij schijnt de zon dan weer, zoveel weet ik er intussen ook al van.'

Chief Chenge (1)

Rosa had gelijk. De volgende dag begon wolkeloos; donder en bliksem hadden de hemel schoongeveegd. Maar voordat de zon goed en wel boven de horizon uitrees, werd er aan de deur gemorreld. Karel was de eerste die reageerde, de rest sliep of deed alsof. Hij verwijderde de stoel waarmee hij, na de storm, opnieuw de deur had gebarricadeerd en keek in het vriende-lijk lachende gezicht van een wat oudere Congolees. Hij droeg een maatpak, een wit hemd en een das en hij had schoenen aan zijn voeten. Het leek alsof hij op dit vroege uur zo uit de zondagmis kwam gestapt. De man informeerde naar hun nachtrust en stelde zichzelf voor als Moses Kangudi, direc-teur van het schooltje, inderdaad. Uiteraard mochten ze nog langer blijven indien ze dat wensten, desnoods tot maandag, maar dan moest er wel plaats gemaakt worden voor de school-kinderen. De eerste shift kreeg les voor de middag, de tweede erna, er was een groot gebrek aan klassen. De anderen waren er intussen komen bijzitten, Robert vroeg naar de storm van afgelopen avond. Was het normaal dat er in deze tijd van het jaar zoveel regen viel? Het was toch nog veel te vroeg voor het regenseizoen?

Moses Kangudi staarde peinzend naar de kop melk die Rosa hem had aangeboden. Ze had thee willen zetten, maar moest zich verontschuldigen. Het gas was op.

'Nee, dat is heel uitzonderlijk,' zei Moses terwijl hij bedacht-zaam in de kop roerde. Hij wreef door zijn grijze krulhaar en kwam op dreef: 'Maar daar weten jullie toch alles van? Klimaat-verandering? Seizoenen die niet meer zijn wat ze geweest zijn, de opwarming van de aarde.' Ze keken hem ongelovig aan. Broeikaseffecten en Kyoto waren het laatste wat ze verwacht-ten op dit vroege uur, op deze plaats en dan nog wel uit de mond van een Afrikaan, ook al was hij dan directeur van een schooltje.

'Heeft het daar iets mee te maken?'

'Ja, dat denk ik wel. Ik luister elke avond naar BBC Africa. Het komt door al die koolstof die jullie de lucht in gooien in Europa. Jullie maken er wel veel heisa rond, maar de gevolgen zijn toch vooral voor ons: overstromingen, droogtes en woes-tijnvorming. En het ergste is, dat we opnieuw afhankelijk zijn van jullie goodwill om er iets aan te doen. Wij kunnen alleen maar ondergaan, slachtoffer zijn, de rol spelen die jullie best van ons kennen.' Hij lachte, maar niemand leek veel zin te heb-ben om mee te lachen. Het was te vroeg, of de verbanden wa-ren te ingewikkeld, of niemand had zin om zijn standpunt te toetsen aan hun blanke geest.

Robert kuchte. 'Moeten wij opnieuw een beleefdheids-bezoek afleggen bij Chief Chenge? Toen ik hier met een vorige groep was, heb je ons dat aangeraden en dat was best een nut-tige ervaring.'

Moses dronk zijn kop leeg en knikte. Hij was niet verrast

door de plotse wending van het gesprek, zo zaten blanken nu eenmaal in elkaar. 'Nuttig, en noodzakelijk bovendien,' zei hij terwijl hij zich nog wat melk liet bijschenken. 'Onze chief wordt graag op de hoogte gehouden van wie zich op zijn grondgebied bevindt. Een formaliteit, maar wij Congolezen houden van wat protocol. Zeker nu we het land weer wat ordentelijk willen besturen, moet iedereen zijn steentje bijdragen.' Hij lachte opnieuw. 'Ik zal hem op de hoogte brengen dat jullie op komst zijn, dat hij jullie mag verwachten na de middag.' Hij stond op en nam vormelijk afscheid, niet zonder Robert op het hart te drukken dat de volgende groep meer dan welkom was om opnieuw de nacht door te brengen in zijn schooltje.

Chief Chenge verbleef in zijn residentie. Het oude koloniale huis lag in het centrum van Mambasa, het stadje waar de school bij hoorde. Het centrum bestond uit drie stenen huizen, de rest van het stadje was opgetrokken uit leem en stro. Chief Chenge ontving Serge in de salon. In de schemerige ruimte werd het namiddaglicht gedempt door kleurige gordijnen met het portret van de president als motief. De salon leek immens groot, er stond maar één zetel en één kast, in een hoek stond een tafel met een houten stoel. Serge was alleen en voelde zich weinig op zijn gemak in de ongezellig kamer. De anderen hadden besloten een wandeling te maken in het stadje om te zien wat er te koop was. De volgende twee nachten zouden ze opnieuw in de bush kamperen, ze moesten proviand inslaan.

Behalve door de villa werd Serge verrast door de verschijning van de chief. Hij leek in niets op een Afrikaanse traditionele leider. In plaats van een blote torso en hier en daar wat luipaardvel zag Serge een goed in het pak zittende, zelfbewuste kerel die eerder op een zakenman leek dan op een stamhoofd. Hij keek in kleine oogjes, die onnatuurlijk ver van elkaar stonden, als bij een krokodil. Er kon nauwelijks een glimlach af toen Chief Chenge Serge de hand schudde. Hij nodigde hem uit om plaats te nemen op de stoel. Hijzelf ging in de zetel zitten. Zijn omvangrijke gestalte vulde die volledig, het meubel leek op maat te zijn gemaakt. Hij liet zijn handen rusten op de stoffen armleuningen. Serges aandacht werd onmiddellijk getrokken door twee opvallende ringen die aan de vlezige vingers van zijn linkerhand schitterden. Diamanten, zag Serge, en geen prullen, donkerrode robijnen, *fancy diamonds*. Als het echte waren, moesten ze een fortuin waard zijn, zoveel herinnerde hij zich wel uit de juwelierszaak van zijn ouders. Tot zijn eigen verbazing voelde hij even een verlangen om de stenen te bekijken door een diamantairsloep, om de zuiverheid te bepalen en om het aantal karaat af te wegen op een weegschaaltje. Het was lang geleden dat hij zo dicht in de buurt van zulke kostbare diamanten had vertoefd. Als het echte waren.

Chenge zag waar Serge naar keek en bracht zijn handen onder een van zijn vele kinnen. Hij draaide met de vingers van zijn rechterhand aan de ringen zodat de diamanten fonkelden in het gedempte licht van de salon.

Chenge schraapte zorgvuldig zijn keel en nam het woord. Hij sprak stil en met een hese stem, maar toch was elk woord verstaanbaar, het Frans dat hij sprak was onberispelijk.

'Mag ik u en uw groep welkom heten op mijn grondgebied? Ik apprecieer het ten zeerste dat u bent langsgekomen om mij te begroeten. Ik blijf graag op de hoogte van wie zich ophoudt in de omgeving van Adusa. Dit is in het belang van iedereen. Nog niet zo lang geleden was het niet mogelijk in Ituri te reizen door de vele ongeregeldheden waarover u ongetwijfeld alles hebt gehoord in België. Maar nu hoeft u niets meer te vrezen, onze president heeft rust en orde gebracht, Congo is een vredelievende staat, en een prachtig land zoals uzelf al hebt

kunnen zien.' Hij pauzeerde even, als om Serge de gelegenheid te geven te antwoorden.

'Dank u wel Chief Chenge, wij appreciëren ten zeerste uw
gastvrijheid.'

Chenge knikte minzaam.

Oef, dacht Serge, dat was het juiste antwoord. Hij wist niet
goed hoe hij verder moest gaan. Dit vormelijke gedoe was niet
aan hem besteed. Hij kende de spelregels niet en hij voelde
zich onbehaaglijk in de nabijheid van deze Congolees. Robert
had bij hem moeten zijn, maar om een of andere reden had
die het belangrijker gevonden inkopen te doen op de markt.
'We staan er ook op meneer Kangudi te bedanken voor het
onderdak dat hij ons heeft geboden in zijn school. Ondanks
het onweer van afgelopen nacht hebben we...'

Hij werd onderbroken door het geluid van een gsm. Chenge
maakte een verontschuldigend gebaar en klapte het toestelletje open dat hij uit de binnenzak van zijn vest had opgediept.
Hij sprak in het Frans, schakelde over naar de plaatselijke taal,
keek naar Serge en stond verrassend kwiek op.

'Wilt u me even verontschuldigen, mijnheer Verbeek, ik
moet een en ander regelen.' Zonder Serges antwoord af te
wachten verdween hij naar een belendend vertrek. Hij trok de
deur achter zich dicht.

Serge haalde diep adem. Hij voelde nu pas hoe gespannen
hij was, hoewel hij niet wist waarom. Het moest de afgelopen
nacht zijn, en het lijk in het woud gisteren. Niet echt de klassieke ingrediënten van een toeristenuitstap. En er was ook de irritatie om Robert. Waarom had hij hem opgezadeld met dit ver-
velende karwei? Robert kende die kerel toch, hij had hem al
ontmoet op eerdere reizen. Plots schoot hem iets te binnen.
'Mijnheer Verbeek' had Chenge hem daarnet genoemd. Serge
kon zich niet herinneren dat hij zijn naam had vermeld. Hij

dacht dat hij zich had voorgesteld als de zaakvoerder van *Rei-zen.Natuurlijk!* Maar hij kon zich vergissen, of hij begon spoken te zien, het moest de vermoeidheid zijn.

Serge haalde opnieuw diep adem en stond op. Chenge bleef weg, hij had blijkbaar heel wat zaakjes te regelen. Serge liep op zijn gemak door het vertrek en werd wat rustiger. Zijn stappen klonken hol op de houten vloer, een soort parket, onberispelijk geboend. Dat had Chenge niet gedaan, zijn buik zou in de weg hangen. Hoewel er geen geluid te horen was, woonde er hier dus toch nog volk. Serge keek naar de gordijnen, het presidentenmotief werd aan de achterzijde beschenen door de namiddagzon. Kabila's hoofd vormde zich gewillig naar de tientallen plooien. Door een kier viel een smalle bundel zonlicht binnen waarin ontelbare stofdeeltjes dansten. Serge had zin om de gordijnen open te trekken om iets van de sombere sfeer te verdrijven, maar dat zou te vrijpostig overkomen. In plaats daarvan ging hij naar de kast waarop een foto stond in een houten houder.

Zijn mond werd kurkdroog.

De foto toonde een blanke jongeman, zij aan zij met de chief, beiden met een AK-47, bungelend aan hun schouder. Ze keken recht in de lens, half lachend, uitdagend, één hand op de mitraillette, de andere arm op elkaars schouder. Gezworen kameraden waren het, spitsbroeders, mannen onder elkaar die de wet naar hun hand zetten als de wet niet uit hun handen at. Zo zagen ze eruit.

De jongeman was zijn broer. Serge greep de foto en ging ermee naar een raam. Hij trok een van de gordijnen verder open zodat een brede bundel zonlicht de ruimte in twee sneed. Er was geen twijfel mogelijk, het was Dirk.

'Mooie foto, nietwaar.' Serge draaide zich met een ruk om en keek in de koude ogen van Chenge. Hij moest ongemerkt binnengekomen zijn terwijl Serge verdiept was in de foto. Hij had een glas whisky in zijn ene hand, een fles Primus in de andere.

'Ik wist niet dat u mijn broer kende.' Zijn stem trilde ook al probeerde hij zich te beheersen.

'Gaat u toch zitten, mijnheer Verbeek, ik heb een biertje meegebracht, ik denk dat u daar zin in heeft, uw broer hield ook van een Primus af en toe.'

Serge nam opnieuw plaats op de stoel. Zijn hart bonkte in zijn keel, allerlei gedachten schoten door zijn hoofd. Dirk en Chenge, wat hadden die twee in godsnaam met elkaar te maken? En wat had dat geweer te betekenen? Wanneer was die foto genomen?

Chenge nam opnieuw de tijd om zich in de zetel te hijsen en draaide bedachtzaam met het glas whisky. Een tijdlang was er niets anders te horen dan het tikken van ijsblokjes. 'Ja, ik kende uw broer.' Chenge's hese stem leek nauwelijks de stilte te verbreken. 'Ik kende hem allang, al sinds de tijd dat hij hier als bioloog rondzwierf. Hij kwam regelmatig langs, zeker in de tijd toen het hier nog onveilig was. Uw broer was een verstandige kerel. Hij wist wie hem de nodige bescherming kon geven.' Chenge pauzeerde even.

'U weet dat hij...'

'Ja, dat weet ik.' Chenge keek Serge even aan en schudde langzaam zijn hoofd. 'Dirk was een goede vriend. Een heel goede vriend, wiens dood ik ten zeerste betreur. Ik heb vernomen dat hij is verdronken op het Kivu-meer. Onbegrijpelijk, maar Gods wegen zijn ondoorgrondelijk en het Afrikaanse continent is vol gevaren.' Opnieuw was alleen het getingel van de ijsblokjes te horen. Serge was nog altijd in de war, maar hij kon er niet toe komen de vragen te stellen waarop hij nog geen antwoord had gekregen. Hij had er de moed niet toe. Chenge was zo dominant aanwezig dat Serge alle initiatief uit handen gaf. Zwijgend staarde hij hem aan tot hij zacht, bijna fluisterend opnieuw begon te praten.

'De gevaren in Afrika komen soms uit de meest onverwachte hoek. Dirk kende Afrika als geen andere blanke en toch is het misgelopen.' Chenge sprak bedachtzaam, alsof hij het alleen tegen zichzelf had. 'In onze cultuur zegt men dat het niet goed is in de voetsporen te treden van iemand die net overleden is. Olifanten keren nooit terug naar de plaats waar een lid van de kudde is gestorven. Dirk wist dat, hij zou niet gewild hebben dat zijn broer hier nu zat.'

Serge wist niet wat hij hoorde en nog minder wat hij hierop moest antwoorden. Waar wilde die kerel heen? Wat wou hij zeggen? Moest hij opstaan en weggaan? Eigenlijk wou Serge niets liever. Hij wou zo vlug mogelijk deze sombere kamer verlaten en die Afrikaan laten zitten waar hij zat. Maar Chenge ging verder met zijn hese, dwingende stem: 'Wie de doden achtervolgt, wordt zelf niet met rust gelaten. Het is beter dat te weten. Er kan niets goeds van komen. Alleen maar onheil. Het is beter de doden te laten waar ze zijn.' Chenge keek hem nu onbewogen aan. 'Verder reizen is het noodlot tarten, misschien zelfs hetzelfde lot ondergaan. Als ik u was, mijnheer Verbeek, zou ik de reis hier afbreken. Ik hou u niet tegen om naar het Kivumeer te reizen, maar ik kan uw veiligheid niet garanderen. Ik weet niet wat uw voorvaderen voor u hebben voorbestemd, maar ik zou hen niet langer op de proef stellen door Dirks dood op deze manier te herdenken.'

Serge voelde zijn hart bonken in zijn keel. Hij probeerde zichzelf wijs te maken dat hij alleen maar naar een pafferige Congolees zat te luisteren die zichzelf zat aan te stellen, maar het lukte niet. Er ging van deze man een dreiging uit waartegen hij niet opgewassen was. Hij wist niet hoe ernstig hij

Chenge moest nemen, of de man werkelijk meende wat hij zei. Als het zijn bedoeling was de blanke duidelijk te maken wie hier de macht in handen had, was hij daar alleszins in geslaagd. Serge hoefde niet nog meer. Hij was bijna opgelucht toen hij zag dat Chenge opstond, even lenig als de eerste keer. Blijkbaar beschouwde hij het onderhoud als afgelopen.

'Mag ik u een prettige terugreis wensen en een behouden thuiskomst?'

Serge stond op en schudde verward de uitgestoken hand. Hij volgde Chenge. Die leidde hem niet naar de voordeur zoals hij had verwacht, maar ging hem voor naar de achterkant van het huis. Buiten kwamen ze op een veranda die uitzag op de tuin. Er stonden een tafeltje en enkele rieten zeteltjes. Serge vreesde even dat ze het gesprek hier zouden verder zetten maar Chenge stapte tot bij een glazen bak in de hoek van het terras.

In de bak lag een bundel slangen, roerloos en lui, onbeweeglijk als sculpturen. Ze leken een deel van het interieur. In het kluwen was er één kop zichtbaar. Een platte kop, onmiskenbaar van een cobra. Serge slikte.

'Zijn ze niet mooi?' zei Chenge zacht.

Serge knikte alleen maar. Hij stapte van het terras en liep langs de zijgevel van het huis naar de straatkant. Hij haalde diep adem, en repte zich zonder nog eenmaal om te kijken in de richting van de markt. Hij hoopte zo snel mogelijk de anderen te vinden.

Sundowner (1)

Serge keek Mireille aan. Hij had gewacht om haar in te lichten over de details van zijn bezoek aan de chief tot ze alleen waren. Het licht van de ondergaande zon viel op haar gezicht en haar blote schouders. Na bijna twee weken Afrika was haar huid licht gebronsd, goudkleurig bijna door de schuin invallende zonnestralen. Ze hadden zich verwijderd van de rest van de groep, zogenaamd om te genieten van de zonsondergang. Serge had slechts in oppervlakkige termen over het bezoek gesproken. Hij was zelf te verward om al meteen te weten of hij iedereen moest laten delen in zijn ongerustheid. Hij wou eerst Mireilles oordeel. Robert moest maar zien hoe hij het kamp voor de nacht opsloeg met de rest van de groep, zonder hun hulp. Ze zouden niet erg worden gemist, daar twijfelde hij niet aan.

Nadat Serge zijn relaas had gedaan, streek Mireille het haar uit haar gezicht en keek hem ernstig aan. 'Ben je zeker dat het je broer was op de foto?'

'Tuurlijk. Geen twijfel mogelijk. Trouwens, die kerel heeft het bevestigd. Ze kenden elkaar, Mireille, dat zei ik je toch.'

'En dat machinegeweer. Wist je daar iets vanaf? Waarvoor had hij dat nodig? Wat deed je broer hier eigenlijk? Je hebt toch geen geweer nodig om een groep reizigers te begeleiden?'

Serge schudde zijn hoofd en staarde in de verte. Er zeilde een reiger door de violet verkleurende lucht, zijn trage vleugelslag volgde de glooien van het landschap. Serge volgde hem met zijn ogen tot hij verdween achter de kruinen van een groep eucalyptusbomen. Daar moest het meertje liggen waarbij ze het kamp hadden opgeslagen, verscholen in de vallei, een tussenstop op weg naar de Virunga. Hij keek Mireille aan. Ze wachtte nog op antwoord; haar ogen herhaalden de vragen die ze net had gesteld. Hij zuchtte. 'Ik weet het niet, Mireille, en ik begin me steeds meer af te vragen of ik het nog wel wil weten. Weet je, ik ben deze reis begonnen omdat ik niet wist waarom Dirk was gestorven. Omdat ik niet begreep waarom hij het leven had gelaten op een zeilboot, iets wat hij kende als geen ander. Maar ik begin te beseffen dat ik hem helemaal niet kende, dat hij hier in Afrika meer deed dan toeristen begeleiden, dat hij dingen deed waar ik niks van afwist. Ik dacht dat ik het was die hem leidde, die hem aan werk hielp na zijn biologiestudies, dat ik het was die zijn activiteiten bepaalde, door de klanten die ik hem stuurde. Maar misschien gebruikte hij me als een dekmantel, als een excuus om in Afrika te blijven. Ik weet het niet, ik weet niet wat ik ervan moet denken.'

Het bleef stil. Er was nauwelijks wind, het heuveltje waarop ze zaten en dat uitzicht gaf op de savanne leek volledig verlaten, er was zelfs geen vogel te bespeuren. De drongo's en bijeneters hadden hun jacht op insecten gestaakt. De natuur hield de adem in tot de zon over de kim zou zijn gekanteld. Hopend dat de tijd stil zou blijven staan en er geen nacht zou volgen die de dingen opnieuw onherkenbaar en onheilspellend zou maken.

'Misschien speelt je fantasie je parten, Serge.' Mireille sprak bedachtzaam, alsof ze moeite had om de stilte te verstoren. 'Misschien was het maar een jachtgeweer, een ding dat hij nog had van zijn tijd als bioloog.'

Serge lachte kort. 'Nee. Nee, Mireille, je gaat niet op jacht met een mitraillette. Ik mag al geen Afrikakenner zijn, maar zo veel weet ik er wel van. En die chief was geen jager, hij leek me eerder een zakenman, een onbetrouwbare dan nog. Hij wou me hier weg, dat was duidelijk. En dan die slangen. Nee.'

Zijn stem klonk plots beslist. 'Nee, ik heb er genoeg van.'

De eerste cicaden begonnen aan het avondconcert. Eerst enkele, schuchter, dan steeds meer, tot ze werden omgeven door het elektrische zinderen van tientallen krekels. 'Ik heb er geen zin meer in, Mireille. Deze reis kan me gestolen worden. Robert kan de groep verder leiden, mij heeft hij niet nodig, dat heeft hij al duidelijk genoeg gemaakt.'

'Je gaat ons toch niet alleen laten?'

'Waarom niet? Robert kan jullie over de grens brengen, naar Uganda. Over enkele dagen kunnen jullie in Kampala staan. Einde van de trip.'

'En dan? Geen Kivumeer, geen Virungapark? Geen berggorilla's? Hoe ga je dat verantwoorden?' Serge haalde zijn schouders op. 'Ik betaal jullie wel terug, of ik geef jullie een reis gratis. Ik vind er wel wat op. Al wat ik wil, is dat die klotereis stopt. En dat ik hier weg kan. Dat ik niet meer herinnerd word aan Dirk. Deze reis was een vergissing. Een dwaze bevlieging, ik dacht hier antwoorden te vinden en al wat ik vind zijn vragen, altijd nieuwe vragen, onbetrouwbare Afrikanen, en een hoopje debiele toeristen die me de keel uithangen. En muggen, godverdomde muggen die me straks ook nog eens met een of andere vuile tropenziekte opzadelen.' Met een woedend gebaar mepte hij een insect dood dat zich op zijn onderarm tegoed deed aan een bloedmaal. Hij had zijn stem verhoffen maar zweeg nu abrupt.

De schemering viel nu snel in. Mireille schudde haar haar naar achter en zag hoe het silhouet van enkele paraplubomen steeds donkerder afstak tegen het purper van de horizon. Haar kalmte stak schril af tegen de uitbarsting van Serge. Ze leek niet verrast. Haar stem was even stil als voorheen toen ze langzaam begon te spreken.

'Dat zul je niet doen Serge. Je kunt de groep terugsturen als je dat wil, je kunt terugkeren naar Antwerpen als je dat wil, je kunt opnieuw in je mooie kantoor gaan zitten langs de Schelde, en je kunt opnieuw reizen gaan verkopen aan stomme toeristen zoals jij ze noemt. Je kunt doen wat je wil, niemand zal je tegenhouden. Maar je zult nooit meer van de zonsondergang over de Schelde kunnen genieten zonder aan Afrika te denken. Je zult niet meer op het Veerse meer kunnen zeilen zonder aan het Kivumeer te denken waar je broer is verongelukt, en je zult nooit meer naar een foto van Dirk kunnen kijken zonder opnieuw de foto te zien die je zag in het huis in Adusa. Je kunt niet meer terug. Je moet verder. Je moet een antwoord vinden op de vragen die je hier hebben gebracht. De vragen zullen je blijven achtervolgen, zoals ze je achtervolgen sinds de dag dat je het telefoontje hebt gekregen. Als je nu opgeeft ben je...' Ze aarzelde even vooraleer ze verder ging. Ze keek hem aan, hij wachtte af. 'Als je nu opgeeft, ben je een lafaard, Serge,' zei ze zacht. Ze schrok zelf van haar woorden, schoof plots tegen hem aan en pakte zijn hand. Serge liet haar begaan. 'Begrijp me niet verkeerd, Serge, ik weet ook niet wat ik van dit alles moet denken, maar je kunt het niet zomaar de rug toekeren, doen alsof er de laatste dagen niets is gebeurd en weer je oude leven opnemen. Je bent al te ver gegaan. Je wilt de waarheid weten. Anders was je nooit naar Afrika gekomen. Anders hadden we hier nooit samen op deze heuvel gezeten.'

Serge zweeg. Hij wist dat ze gelijk had. Hij kon niet meer terug. Maar hij durfde ook niet meer verder. Toch niet alleen. Hij kneep even in haar hand, sloeg zijn arm om haar schouders en trok haar tegen zich aan. Hij streelde het haar uit haar gezicht en keek in haar ogen. Ze glimlachte, zei niets maar trok zijn hoofd dichterbij. Haar mond en lippen waren koel als de nevel die langzaam opsteeg uit de vallei.

Le feu de camp

Karel en Robert keken niet op toen ze terugkeerden bij het kamp. Ze werden volledig in beslag genomen door wat hun voorvaderen hun al dertigduizend jaar geleden hadden voorgedaan, toen die het vuur hadden uitgevonden. Het moest hier ergens in de buurt geweest zijn, iets meer naar het oosten misschien. Ze zaten gehurkt rond een deskundig aangelegd houtvuur waar nauwelijks vlammen van afsloegen. Je zag alleen roodgloeiende houtskool, in een cirkel van kasseigrote keien uit het meer. Het vuur was egaal verspreid, de gloed was overal even intens. Daarboven hing een ijzeren rooster uit hun kampeeruitrusting en daarbovenop lagen vijf lappen vlees, die ze 's morgens hadden bemachtigd op de markt. Het had veel geld en geduld gevraagd, maar door Roberts vasthoudendheid hadden ze vanavond uitzicht op een vijfsterrenmaal.

Beide mannen droegen een short en sandalen en uiteraard een honkbalpet, met de klep en het logo van Karels bank naar achter. Op een grote steen stonden twee halflege Primusflessen en een kommetje apennootjes. Hun gebruinde bovenlichamen weerkaatsten de vuurgloed in de invallende duisternis. Ze werden volledig in beslag genomen door het braden van het vlees. Of daar leek het toch op. Ze keken in alle geval niet op toen Mireille en Serge erbij kwamen staan. Karel prikte met zijn vork in een van de steaks, draaide hem om en bestudeerde zorgvuldig de onderkant. Robert draaide de pepermolen leeg boven de andere stukken vlees, zijn ogen tot spleetjes geknepen wegens de stralingshitte.

Mireille en Serge begrepen de wenk. Dit was specialistenwerk, stadsmietjes waren hier niet voor nodig. Serge kon het toch niet laten te vragen: 'Eten jullie die biefstuk niet liever rauw? Veel van het pure gaat verloren door hem toe te schroeien.' Geen van beide mannen reageerde.

Rosa was in de weer met tomaten en ajuin, groenten die ze ook op de markt hadden gevonden. Deze keer had ze er ook nog een soort spinazie bij gekocht die ze wou stoven met pindakaas. De marktkramer had het haar aanbevolen en het leek haar het proberen waard. Misschien nam de pindakaas iets weg van de bitterheid van de konijnenbladeren, zoals zij de groente noemde. Mireille en Serge namen plaats op de vouwstoeltjes.

'Kan ik iets doen, Rosa?' Mireille vond het zelf een wat lullige vraag maar ze wist dat Rosa graag de leiding nam bij de bereiding van de hoofdmaaltijd, meteen ook de hoofdactiviteit van de dag. Het sterkte haar eigenwaarde, het gaf haar een houvast. De vertrouwde handelingen van het spoelen en snijden van groenten deden haar vergeten dat er de laatste dagen dingen waren gebeurd die ze moeilijk kon plaatsen, laat staan enthousiast zou kunnen becommentariëren tegenover de thuisblijvers die op haar relaas wachtten over enkele weken.

'Het gaat wel Mireille, dank je.' Ze ging zonder opkijken verder met het kleinhakken van de ajuin. 'Hoe zou het met Kurt zijn?' vroeg ze plots. Ze liet het mes even rusten. Serge keek Mireille aan. Het was waar, ze hadden het nauwelijks nog over Kurt gehad sinds hij gerepatrieerd was. Het bleef even stil terwijl om hen heen de vertrouwde geluiden van de nachtelijke bush weerklonken: het sjirpen van de cicaden, af en toe een schreeuw van een nachtvogel.

'Dat komt in orde Rosa, die urgentiedienst werkt heel efficiënt. Kurt zit nu al veilig en wel in België.'

'Ik hoop het voor hem. En ik hoop dat wij er niets aan overhouden.'

'Ben je daar bang voor?' Serge stopte even met aan de gaslamp te prutsen en keek Rosa aan.

'Toch een beetje. Mireille, jij zei toch dat we ons moesten laten checken als we terug zijn in België, een of andere tuberculosetest laten doen.' Ze voegde er aarzelend aan toe: 'Ik weet niet of ik wel zo lang wil wachten om me te laten checken.'

'Wat bedoel je, Rosa.' zei Mireille. 'Je weet toch dat het hier niet kan. Je wil toch niet zeggen dat je ook eerder wilt terugkeren?'

'Wie heeft het hier over terugkeren?' Karel en Robert waren er ongemerkt bij komen staan, elk met een bord gebraden vlees in hun hand. Pas nu roken ze de kruiden gemengd met de rookgeur van het houtvuur.

Veel te snel, vond Serge, de groenten waren nog niet klaar, maar hij wachtte zich wel commentaar te geven. In plaats daarvan zei hij: 'Ik denk dat we alles eens rustig moeten bekijken. Misschien na de maaltijd, als die steaks klaar zijn, kunnen we beter eerst eten.'

'Ze zijn nog niet klaar', klonk het korte antwoord van Robert, 'we wilden alleen zien hoe het gesteld was met de groenten.'

Wou je er zeker van zijn dat er niets werd besproken zonder dat je erbij was, dacht Serge.

'Dat duurt nog wel een tijdje', zei Rosa, 'ik moet eerst nog deze spinazie-of-wat-het-ook-mag-zijn stoven. Ik hoop dat het een beetje vooruitgaat op dat vuur van jullie. Karel, neem jij de grote kookpot uit de kist?'

'Dan kunnen we beter allemaal rond het vuur gaan zitten', zei Karel, 'zo kunnen we alles beter in het oog houden.'

Elkaar in het oog houden, dacht Serge opnieuw. Er hing duidelijk spanning in de lucht, of lag het aan hemzelf? Of was het het tijdstip van de dag: de moeheid en de honger die hun tol opeisten?

Het groepje verplaatste zich naar het kampvuur. Robert

verlegde hier en daar wat takken, blies voorzichtig op de smeulende houtskool en algauw had hij een vlam die net voldoende was voor de stoofpot en de rijst. Het vlees hield hij net buiten het bereik van de likkende vlammen.

Serge stak van wal, hij sprak opnieuw over zijn bezoek aan de chief, zonder te veel in details te treden. Hij verzweeg wat hij had gezien op de foto, en hij sprak al helemaal niet over de slangen op het terras.

Sinds het gesprek met Mireille was hij vastbesloten zijn zelf-opgelegde missie af te maken. Hij wou naar de plaats waar zijn broer was verongelukt. Met of zonder de anderen. Maar niet zonder Mireille, hoewel hij nog niet wist hoe hij dit verder moest aanpakken. Telkens als hun ogen elkaar ontmoetten, wist hij dat zij hetzelfde voelde. Hij zag geen spoor van verlegenheid op haar gezicht, alleen een vage glimlach, verlicht door het kampvuur.

'Dus Chief Chenge vond het oké dat we verder reisden door Ituri?' Robert keek Serge aan. Hij zat aan de andere kant van het vuur, donkere schaduwen dansten rond zijn snor en stoppelbaard.

'Enthousiast leek hij me niet. Hij was nogal vormelijk, of hoe moet ik het noemen. Hij was bezorgd om onze veiligheid, maar volgens mij had hij er niets op tegen, nee.'

'Hoe bedoel je? Bezorgd om onze veiligheid?' Opnieuw was het Robert die sprak terwijl hij Serge bleef aankijken. Ze keken nu allemaal naar Serge, alleen Karel draaide de t-bones nog maar eens om. Serge wist niet onmiddellijk hoe hij hierop moest antwoorden. Hij wou hen niet ongerust maken, maar hij wist ook dat hij hen niet in gevaar kon brengen omdat hij per se naar het Kivumeer wilde. Daarnaast was een vroegtijdig afgebroken reis inderdaad geen goede zaak voor *Reizen. Natuurlijk'*. Mireille had gelijk.

Hij pookte even met een stok in het vuur, wat hem op een afkeurend gemompel van Karel kwam te staan.

'Zoals ik al zei, dolenthousiast was hij niet, maar hij hield ons ook niet tegen. Ach, het leek mij gewoon een gewichtig doende Afrikaan die wou tonen dat hij hier de lakens uitdeelt. Maar als je wil weten hoe hij reageerde was je beter meegegaan, Robert. Ik begrijp niet waarom jij er niet bij was.'

'Er moesten inkopen gedaan worden.' Robert klonk korzelig terwijl hij het deksel van de stoofpot lichtte en met een zaklantaarn in de groenten scheen. 'Vlees is moeilijk te krijgen, je moet de weg kennen. Je zult het je niet beklagen als je straks die steak proeft.' Deze keer volgde er een goedkeurend geklak met de tong vanwege Karel.

'Kan zijn, maar ik voelde me niet erg op mijn gemak bij die kerel, als er iemand bij geweest was die hij kende, had hij waarschijnlijk minder moeilijk gedaan.'

'Hoezo, deed hij dan moeilijk? En waarom?' Rosa roerde af en toe in de groenten en de rijst, maar ze volgde het gesprek nauwlettend.

'Serge, als Chief Chenge gezegd heeft dat we beter niet verder reizen heb ik liever dat je dat zegt.' Robert sprak met enige stemverheffing, het klonk bijna gebiedend.

'En waarom zou hij dat zeggen? Heeft hij daar enige reden toe?' Opnieuw keken ze elkaar aan. Wat weet die kerel toch, dacht Serge. Hij heeft door dat Chenge me wilde waarschuwen. Waarom zegt hij dat dan niet. Moest hij toch het hele gesprek vertellen? Met het gevaar dat Rosa onmiddellijk voor de kortste route naar de luchthaven koos? Of moest hij het been stijf houden en trachten uit te vissen wat hier aan de hand was? Dat er iets aan de hand was, en dat Robert er een rol bij speelde, daar was hij sinds het onderhoud met de chief van overtuigd. Misschien moest hij Robert onder vier ogen uithoren, zonder de anderen erbij. Of alleen met Mireille.

Robert sprak opnieuw, hij staarde in het vuur, hij sprak tot niemand in het bijzonder. 'Chenge is de chief van Ituri. Serges bezoek was meer dan een beleefdheidsbezoek. Chenge kent de situatie hier als geen ander. Met Dirk erbij zouden we het nooit in ons hoofd hebben gehaald verder te reizen zonder zijn toestemming. Hij weet wie er zich in de buurt ophoudt. Sinds de verkiezingen is het hier rustig, dat klopt, anders hadden we ook nooit deze route genomen. Maar het stikt hier nog altijd van de wapens, en de rebellen, en een hoop gespuis dat niet veel nodig heeft om een groep toeristen te overvallen.'

'Ho maar, Robert, Chenge heeft met geen woord gerept over mogelijke overvallen.' Serge onderbrak Robert. Rosa's gezicht werd zorgelijker. Als Robert zo verder ging, keerden ze vanavond nog terug naar Kisangani. 'Ituri is niet onveiliger dan de rest van Congo. Risico's zijn er altijd aan een avontuurlijke reis, maar dit zijn voorziene risico's. Dit gebied wordt met de dag veiliger, dat wisten we op voorhand.'

Robert haalde zijn schouders op. 'Jij bent de leider.'

Karel keek naar zijn vrouw. Hij had zich niet in de discussie gemengd, evenmin als Mireille. Zij wou zich niet openlijk aan de kant van Serge scharen.

'Ik denk dat ik het risico neem om een steak te proeven. Dat hebben we gepland voor vanavond, de rest zien we morgen. Als het aan mij ligt, werken we het programma af zoals voorzien: eerst het Kivumeer, daarna Virunga. Serge zal wel weten wat hij doet.' Karel nam een lap vlees en deponeerde die op zijn bord. 'Rosaatje, geef me eens een schep van die konijnenbladeren, eens zien wat dat zal geven.'

'Ik hoop maar dat hij weet wat hij doet.' Robert wou duidelijk het laatste woord in de discussie. 'Hij is de reisleider. Maar ik was geen dag langer in Ituri gebleven. Een chief neem je best serieus in dit land.'

L'union minière

'Kan jij me helpen?'
  'Hangt ervan af.'
  'Waarvan?'
  'Van wat je ervoor vraagt'
  'Waarvoor?'
  'Je weet wel.'
  'Met of zonder condoom?'
  'Zonder.'
  'Dan ken je de prijs.'
  '10 dollar?'
  'Akkoord.'
  'Maak je klaar.'
  'Eerst betalen.'

De man diepte enkele briefjes op uit zijn gescheurde werkbroek en gaf ze aan de vrouw. Buiten de werkbroek droeg hij
enkel een vuile, mouwloze T-shirt. Zijn bovenarmen waren ge-
spierd en bezweet, zijn huid leek zwart fluweel, met grijze vegen stof.

De vrouw bekeek de bankbriefjes vluchtig en stak ze ge-
routineerd in een gleuf die ervoor leek te zijn gemaakt: tussen
haar twee borsten in een veel te kleine bh. Ze knikte naar de
man en ging hem voor. Behalve een bh droeg ze een *panje*, een
kleurrijke lendendoek en een witte blouse, versleten, maar min
of meer schoon. Haar gezicht was gaaf, haar kunstvlechten
werden naar achter getrokken door een lint dat de contouren
van haar perfect ovale gezicht accentueerde. Ze was mooi.

Ze hield halt onder een eigenaardige boom. Een boom die
wel omgekeerd leek te zijn geplant, met de wortels in de lucht.
Hij had geen bladeren maar een hoop warrige takken die wed-

ijverden in kromheid en onregelmaat. Ze leken alle te vertrekken vanaf de veel te brede en veel te korte stam, zonder enige overgang.

'Onder die baobab?'

'Als jij dat wilt.'

De vrouw spreidde haar lendendoek tussen enkele struiken. Ze was nu halfnaakt. Ze legde zich op haar rug op de panje en wachtte. De man liet zijn broek zakken tot op zijn knieën, niet verder en knielde tussen de benen van de vrouw. Hij had een erectie. Hij legde zich op de vrouw, zijn hoofd in haar schouderholte. Hij stak met enige moeite zijn penis in haar vagina en kwam klaar met enkele spastische lendenstoten en twee of drie dierlijke keelgeluiden. De vrouw keek weg van zijn kruin. Niet ver van haar gezicht bengelde een spin aan een zijden draad. Een reusachtige spin, het achterlijf leek op een gezwollen, harige aardappel, waaruit paarsblauwe poten ontsproten.

De man richtte zich op en bleef zitten, op zijn knieën. Ook de vrouw richtte zich op. Zij nam haar lendendoek en veegde de resten van haar vaginaal vocht en zijn sperma van zijn halfslappe penis. Vervolgens richtte de man zich volledig op, trok zijn broek opnieuw rond zijn zitvlak en vertrok zonder haar aan te kijken. Het hele tafereel had nauwelijks vijf minuten geduurd.

De vrouw gordde de lendendoek rond haar middel en bleef even naar de spin staren. Nu pas zag ze dat zij boven een web bengelde. Het web was horizontaal tussen de takken van de struik gespannen. In het midden lag een langpootmug, als in een veel te groot bed, hulpeloos wachtend tot de spin zou afdalen om haar leeg te zuigen.

De vrouw stond op en stapte door de bush in de richting van haar hut, waar haar drie kinderen wachtten. De tweeling die door het stof van de slaaphut zou kruipen en de baby die wachtte op de schoot van haar jongste zus. Hij zou zijn armpjes strekken naar haar barstensvolle borsten. Ze had vandaag drie klanten gehad en hield het voor bekeken. De 30 dollar die haar dit hadden opgebracht waren voldoende om een week te overleven. Tegen dan was het eind van de maand en werden de mijnwerkers uitbetaald. Dan kwamen er opnieuw klanten, en had ze misschien voldoende geld om langs te gaan bij de dokter in de stad. Elke stap deed pijn in haar onderbuik. Tijdens het werk hield ze het nauwelijks nog uit, hoewel ze daar niets van liet merken. Maar ze weigerde te bewegen tijdens de coïtus, ook al vroegen de mannen erom en wilden ze extra betalen. Bij elke beweging van haar bekken schoten er pijnscheuten als stralen door haar onderlichaam. Er moest iets mis zijn met haar baarmoeder. De laatste malen had ze een sponsje moeten inbrengen, om het bloeden tegen te houden tijdens het werk. En ze vermagerde, ook al was er genoeg eten voor hen allemaal, ze liet zich goed betalen en was gewild. Ze moest naar de dokter. Als het zo verder ging, moest ze stoppen met werken, en dat betekende het einde voor hen allemaal.

De vrouw stak de aardeweg over die het mijnterrein scheidde van de *cité*, het kunstmatige dorp dat was ontstaan door de hutten die de *creuseurs*, ambachtelijke delvers, hier hadden gebouwd. Ze waren bedoeld als tijdelijk onderkomen, maar waren nu permanent bewoond. Sinds er enkele diamanten waren gevonden, kwamen er altijd meer *creuseurs* bij, en *négocieurs* en *comptoirs*. Met hen kwamen ook geïmproviseerde winkeltjes, ateliers voor de schoppen en houwelen en zeven, de kramen van de *comptoirs* met hun weegschaaltjes. Aan de rand van dit alles lagen de verblijfplaatsen van de prostituees. Sommigen hadden kinderen van wie de vaders elke dag in de mijnschachten kropen, met in hun blik de verbeten trek van de diamantdelver. Ze leefden alleen maar voor het moment waarop hun onmenselijke arbeid beloond zou worden met de ultieme vondst waardoor ze deze hel konden ontvluchten.

Terwijl ze de aardeweg kruiste, hoorde ze het geronk van een naderende auto. Ze bleef staan. Het leek alweer eeuwen geleden dat er nog iets anders had weerklonken dan de metalige geluiden van de houwelen en schoppen die ze dag in dag uit hoorde.

Ze zag hoe een witte jeep naderbij stoof, gevolgd door een hoog opdwarrelende stofwolk. Toen de bestuurder haar in het vizier kreeg, vertraagde hij en stopte. Ze keek in het gebruinde gezicht van een blanke man. Hij droeg een honkbalpet en zijn snor was bedekt met het rossige stof van de weg. Naast hem zat ook al een blanke, een wat jongere kerel, voor zover je dat kon zien bij blanken. Hij had zich vergeten te scheren, hij had een baard en geen baard, je wist nooit wat je had aan die bleekgezichten. Ze glimlachte naar hem, als ze niet zo moe was, zou ze meer inspanning doen om hem voor zich te winnen. Hij glimlachte terug, zijn ogen leken het blauw van de tropenhemel te weerspiegelen. Hij had iets vaag bekends over zich, zijn blonde haar, het gebruinde, nog jonge gezicht. Ze zocht in haar geheugen naar een aanknopingspunt maar de bestuurder sprak haar aan.

'Weet jij waar we meneer Zanje kunnen vinden?' Hij keek haar aan en wachtte op een antwoord. De vrouw schoot bijna in een lach. Enkele minuten geleden wist ze perfect waar meneer Zanje was, hij lag toen klaar te komen in haar lichaam. Allicht was hij nu terug bij de mijnwerkers. Ze legde hem de kortste weg uit om er te geraken, doorheen de bush was het maar een paar honderd meter, maar met de wagen moesten ze rond. Ze staarde de jeep na terwijl hij langsreed. Achteraan zaten nog een man en twee vrouwen. De man nam een foto van haar, door het raam, tijdens het voorbijrijden. Ze hadden haar informatie gevraagd en haar beeltenis meegenomen, ongevraagd, en zonder te bedanken. Blanken.

'Ik wist dat het hier in de buurt was, we moeten de rivier over, dan zijn we er zo. Het dorp ligt aan deze kant, maar het echte ontginnen gebeurt aan de overkant.' Robert remde op de motor terwijl hij voorzichtig van de met stenen bezaaide grintweg afdaalde.

'Wat bedoel je met "dorp"?' Dat hoopje hutten en kramen waar we daarnet die vrouw ontmoet hebben?'

Robert schakelde naar de eerste versnelling en grinnikte. Van zijn humeurigheid van de avond voordien was niet veel meer te merken. 'Ja. Daar woont iedereen die iets te maken heeft met de uitbating van de diamantmijn. Voorlopig, maar dat voorlopig moet al jaren duren. Ik heb nog niks zien veranderen in al de tijd dat we deze site bezoeken.' De motor kreunde bij het laatste steile stuk voor ze in de rivierbedding kwamen en weer min of meer horizontaal stonden aan de rand van het water.

'Wel Karel, moet jij geen fotootje nemen?' Robert draaide zich half om en keek Karel vragend aan. 'Je kunt naar de overkant waden, dan weet ik hoe sterk de stroming is, en heb jij iets om boven de schouw te hangen als je thuis komt.'

Karel opende dankbaar de achterdeur en sprong uit de Toyota. Het water kwam nauwelijks tot zijn knieën en aan de overkant zocht hij een goede opstelling voor een panoramafoto. Nu maar hopen dat het water hoog genoeg wilde opspatten.

Robert reed de Landcruiser zonder problemen door de rivier. Karel stapte weer in met een tevreden grijns op zijn gezicht. Dit was het Afrika dat hij aan zijn vrienden wilde laten zien.

De weg maakte een scherpe bocht naar links en terwijl ze uit de rivierbedding klommen, werd de weg langzaamaan bevolkt met steeds meer kinderen en jongvolwassenen. Op een short of trainingsbroek na waren ze naakt. Op hun hoofden droegen ze rieten manden, gevuld met wat op het eerste zicht steengruis leek. Ondanks die last keken ze de auto na tot die opnieuw achter een bocht verdween. Nu zagen ze waar het steengruis vandaan kwam: links van de weg strekte zich de eigenlijke diamantmijn uit, een rotsige, kale, licht stijgende helling waaruit hopen steengruis opstaken als menhirs, of als termietenheuvels zoals ze die hadden gezien in de savanne. Tussen de hopen krioelde het van arbeiders, met blote, glimmende torso's. De meesten hakten op schijnbaar willekeurige plaatsen met houwelen in de rotsen, traag, maar zonder ophouden.

Karel keek ongelovig naar de bedrijvigheid. 'Als er iets is dat je "handenarbeid" kunt noemen, dan is het dit wel. Jezus Maria, allemaal met de blote hand. Ze hakken die berg gewoon aan stukken met een houweel. Ik zie nog niet eens een kruiwagen. Zitten we hier terug in de middeleeuwen?'

Ook Serge schudde verbaasd zijn hoofd. 'Is dit een diamantmijn? Waar zijn de gebouwen? De machines? Waar zijn de transportbanden en de mijnschachten?' Hij kon nauwelijks geloven dat de schittering en de stenen waarmee hij was opgegroeid, afkomstig was van deze grauwe berg.

Robert lachte. Hij genoot weer van zijn rol als Afrika-expert. 'Dit is een artisanale mijn, een open mijn, er zijn nauwelijks onderaardse gangen. De grond wordt gewoon weggeschraapt en onderzocht op ruwe diamanten, meter per meter. Die mijn behoort toe aan niemand. Toch niet aan een firma zoals wij die ons voorstellen. Iedereen werkt voor zichzelf, waar hij maar wil en zolang hij wil. Wie iets vindt dat de moeite waard is, presenteert het aan een *négocieur*, die het op zijn beurt aan een *comptoir* aanbiedt. Het is de *comptoir* die de waarde van het ruwe gesteente bepaalt en het doorverkoopt.'

Robert was gestopt om Karel de gelegenheid te geven zijn geheugenkaartje te vullen met een reeks kilobytes. Ze keken in stilte naar het gekrioel. Er was nauwelijks iets anders te horen dan het geklingel van de houwelen, de doffe klappen als het staal in een losser gedeelte terecht kwam. Ze probeerden zich voor te stellen hoe uit deze troosteloze steenwoestijn iets schitterends kon voortkomen als een diamant.

'We kunnen even uitstappen', zei Robert, 'het is hier volkomen veilig. Wel opletten waar je je voeten zet, je zou op een robijntje of een smaragd kunnen trappen. Ik wacht hier even op de baas, meneer Zanje, hij moet intussen allang weten dat we hier zijn.' Ze stapten uit en onder leiding van Karel begonnen ze aan de beklimming van het ongelijke terrein. Karel wou hogerop, hij wou een overzichtsfoto. Ze werden nu langs alle kanten omgeven door hopen steengruis, door delvers en door kinderen met loodzware manden op hun hoofd. Boven dat alles lag een gordijn van asgrauw stof. Van onder het gordijn werden ze aangestaard, maar niemand sprak hen aan. Alleen de kinderen lachten hen af en toe verlegen toe. Het leek alsof ze op bedrijfsbezoek waren in een fabriek. De zoveelste buslading bezoekers die een snelle rondleiding kreeg op de werkvloer, na de speech van de PR man, en voor de afsluitende koffie in de kantine. Hier bestond hun kantine uit een aantal rotsblokken onder een van de weinige bomen die de aanslag op de heuvel hadden overleefd. Ze zetten zich hijgend neer terwijl Karel zijn werk deed. Hij was in zijn nopjes, dit was speciaal, dit was uniek. Een welkome afwisseling tussen de landschapsfoto's en marktjes. Het zou een extra dimensie geven aan zijn fotoreeks. Rosa was minder enthousiast. Ze zei weinig en kon haar ogen niet afhouden van de sjouwende kinderen.

Serge en Mireille waren apart gaan zitten. Mireille dronk van haar veldfles terwijl Serge door zijn verrekijker tuurde. Nu hij van de eerste verbazing was bekomen, vroeg hij zich af hoe Dirk deze plek had gevonden. Het was een uitstekend idee om deze site op te nemen in het reisprogramma. Ze bevonden zich hier echt in *the middle of nowhere*, een heel eind van de hoofdweg naar het Virungapark af. Misschien was Dirk hier terecht gekomen via Chief Chenge. Hij herinnerde zich de diamanten aan de vingers van de man.

Serge kreeg de Landcruiser in het vizier, een paar honderd meter bergafwaarts van het punt waar ze nu zaten. Hij zag dat Robert gezelschap had van een Afrikaan. Waarschijnlijk de baas. Ze leken in een druk gesprek gewikkeld.

'Waarom gebruik je de verrekijker, Serge? Ik vind zo al dat we hier als voyeurs rondlopen, moet je het echt allemaal van nog dichterbij zien?' De inhoud van Mireilles woorden paste niet bij haar stem. Ze klonk slaperig en loom, misschien omdat ze opnieuw dicht tegen Serge aanzat. Ze deed geen moeite om fysiek contact te vermijden. Serge liet de verrekijker even zakken en keek haar aan. Hij glimlachte, maar bracht het toestel opnieuw naar zijn ogen.

'Het zijn niet de mijnwerkers die ik begluur, maar onze vriend, Robert. Je weet dat ik hem niet vertrouw, ik denk dat hij dingen voor ons verzwijgt, of verbergt. Herinner je het gesprek gisteren rond het vuur. Hij wou liever niet verder rijden, maar vandaag is er weer geen vuiltje aan de lucht. Misschien wou hij niet dat wij alleen verder reden, weet ik veel, ik krijg er kop noch staart aan.'

'Waarom? Wat doet hij nu? Zonder bril zie ik niks. Alleen maar een witte stip in de verte, de jeep veronderstel ik.'

'Hij lijkt heel wat te bespreken hebben met die ploegbaas, ze staan volop te gesticuleren.' Het was even stil terwijl Serge ingespannen tuurde. 'Zie je wel, er worden daar zaakjes ge-daan. Robert neemt iets in ontvangst en hij haalt zijn porte-feuille boven. En nu staan ze handen te schudden alsof hun leven ervan afhangt. Hier, kijk zelf maar.' Serge keek Mireille ongelovig aan en gaf haar de verrekijker. Het duurde even voor ze de auto in het vizier kreeg en scherp kon stellen.

'Die ploegbaas is weg. Robert is alleen, hij staat tegen de wagen geleund.' Mireille liet de verrekijker zakken en staarde bijziend in de verte. 'Wat heeft dit allemaal te maken met een toeristenreis? Chenge, de chief met diamanten aan elke vin-ger en met slangen in zijn tuin, wil niet dat we in zijn grond-gebied neuzen. Robert wil ook al niet verder rijden, tot giste-ren dan toch en nu krijgen we dit.'

Serge knikte. 'Je hebt gelijk. De rode draad door dit alles lijken diamanten te worden. Of slangen. Herinner je de mis-sie.'

'Maar de missie lag wel honderdvijftig kilometer verwijderd van Chenge's villa in Adusa.'

Serge knikte. 'Toch denk ik dat er een verband is. Misschien wilden ze ons toen al duidelijk maken dat we ongewenst be-zoek waren.'

'En Robert dan? Wat heeft hij hiermee te maken?'

'En mijn broer? Er is ook nog de foto.'

'Laten we het hem gewoon vragen.'

'Wat ga je dan vragen?' Serge ging op overdreven vriende-lijke toon verder: 'Robert, wat heb je daarnet van die Congolees gekregen? We hebben het wel gezien hoor, we hebben je net-jes bespied met de verrekijker.'

Mireille lachte. 'Nee, dat kan niet. Maar toch denk ik dat we recht hebben op wat duidelijkheid. Robert is degene die hier al meermalen geweest is, mét je broer. Hij kent of herkent mensen op de meest onverwachte plaatsen. Jij hebt me verteld dat hij bij het lijk ook met iemand stond te praten en achteraf leek hij erg geëmotioneerd. Het wordt tijd dat hij ons zijn versie van de feiten geeft.'

'Je hebt gelijk, maar we hoeven hem niet te zeggen dat we hem beloerd hebben.'

Mireille zweeg en dacht na. 'Nee', zei ze uiteindelijk, 'misschien is het zelfs beter om daarover te zwijgen. Ik ben benieuwd of hij het gesprek met die ploegbaas voor ons zal verbergen. We kunnen er nog iets uit leren.'

Serge keek vluchtig in de richting van Karel en Rosa. Ze zaten over het LCD schermpje van de digitale camera gebogen. Serge sloeg zijn arm om Mireilles schouder en drukte een kus op haar warrige krullen. 'Laat ons gaan, misschien doet Robert ons een paar diamanten cadeau, dan zwijgen we verder ook over de zaak.'

Robert leunde opnieuw tegen de motorkap. Hij haalde een gsm uit zijn zak en vloekte. Geen ontvangst uiteraard. Hij had niet anders verwacht maar je wist nooit of een of andere snuggere onlangs nog een mastje had neergepoot in de buurt. Hij zag dat de anderen de heuvel afdaalden en stopte de gsm weg.

'En, geen zin om wat mee te graven? Misschien doen jullie hier wel de vondst van jullie leven.'

Ze verzamelden rond de jeep. Rosa diepte een veldfles uit haar rugzakje en nam een teug. 'Ik vind het schandalig', zei ze, terwijl ze haar mond met de rug van haar hand schoonveegde, 'echt schandalig.'

'Wat?' Robert keek haar verbaasd aan.

'Die kinderen natuurlijk. Onmenselijk. Wanneer gaan ze ooit naar school? Wanneer spelen ze? Waar wonen ze? In die hutten, tussen die vieze mijnwerkers?' Ze schudde haar hoofd. 'Dit is geen plaats voor kinderen. Ook niet voor toeristen als je het mij vraagt.' Iedereen zweeg. 'Ook al niet,' voegde ze er nog aan toe. Ze keek naar Karel en wachtte op zijn steun. Karel leek in verlegenheid gebracht door haar uitval. Hij keek naar de grond. 'Wat kunnen wij daar nu aan doen, Rosa, we hebben al zo veel van die situaties gezien, weet je nog, de kinderen op de rijstvelden in Thailand...'

'Dit is anders,' zei Rosa kort. 'Dit is veel erger. Die kinderen zijn niet gelukkig, dat zie je zo, ze worden uitgebuit, uitgeput, en wij staan erop te kijken. Dit is geen plaats voor toeristen,' herhaalde ze opnieuw. 'Ik weet niet waarom jullie naar hier wilden komen.'

Karel keek hulpeloos naar de anderen. Niemand leek goed te weten wat te doen. Uiteindelijk keken ze naar Serge.

'Laat ons instappen. Rosa, je hebt voor een deel gelijk. Misschien hadden we hier niet mogen komen. Niet alles is een toeristische attractie.' Hij keek even in de richting van Robert, die er verveeld bij stond. 'Kom, laat ons vertrekken, we moeten onze slaapplaats opzoeken, we kunnen het later bespreken.' Bovenop alle andere dingen die we nog moeten bespreken dacht hij er achteraan. Jezus, wat een reis. Hij opende het portier en stapte in.

Er werd nog weinig gesproken tijdens de rit die volgde. Het leek of Rosa een wonde had blootgelegd waarvan iedereen zijn ogen liever afwendde. Er was Kurt geweest, het bezoek aan het ziekenhuis, de evacuatie, het lijk, en nu de confrontatie met industrialisatie op zijn Afrikaans. Het beeld van de savanne die bruusk werd onderbroken door een desolaat landschap van omgewoelde aarde, heuveltjes en sleuven, putten en bergen van zand en rotsblokken, reisde met hen mee. Het beeld van halfnaakte mannen die bijna met de blote hand naar diamant zochten. En daartussen kinderen van alle leeftijden, met manden op hun hoofden en ruggen, die grond af en aan sjouwden, schijnbaar zonder doel of richting.

Ile Afrique (1)

De rastamuts van de sologitarist zou tot op zijn schouders zijn gezakt waren er niet zijn overdadige krullen geweest om het ding min of meer op zijn plaats te houden. Toch wiebelde ze van voor naar achter bij elke solo die hij op aangeven van de zanger uit zijn vingers toverde. Zijn linkerhand danste over de snaren zoals de menigte bezwete plaatselijke schonen over de dansvloer voor hem. Wanneer het trage gedeelte van elk nummer overging in het snelle *kwasa-kwasa**-ritme, werd daar ook nog enig bekkenwerk aan toegevoegd, zodat niet alleen zijn muts maar ook zijn gitaar tot leven kwam. De vervorming die het geluid onderging door twee monsterlijke luidsprekers leek daarbij niemand te storen. De gedrochten waren waarschijnlijk stukken ouder dan de producent van hun geluid zelf en werden omstuwd door bekkenkantelende Afrikanen. In de ene hand hielden ze een Primus, en in de andere hand een sigaret. De sfeer zat er goed in.

Het was dan ook vrijdag, dit was het beste hotelletje van honderd kilometer in de omtrek, het enige dat er overigens te bekennen viel binnen die straal. De band die er enkele maanden zijn intrek had genomen was elke week verzekerd van de aandacht van iedereen die zich kon verplaatsen. Het was dan ook de beste band van mijlen in de omtrek, om dezelfde reden als het hotelletje. Iedereen wist dat het na het vertrek van de Lu-

---

*   Congolese muziek met typische gitaarritmes

bumbashi stars opnieuw enkele maanden stil zou zijn eer er opnieuw zoveel georganiseerd leven in de brouwerij zou komen.

Aan Karel en Rosa was zoveel uitbundigheid niet besteed. Het feit dat er 's avonds helemaal niets in orde gebracht moest worden, geen slaapplaats, geen avondmaal, geen vuur, was niet van aard om hun stemming op te vrolijken. Na hun aankomst hadden ze alleen moeten wachten tot het avondmaal werd opgediend. Rosa was het bereiden van de avondmalen steeds meer gaan beschouwen als haar persoonlijke bijdrage tot het welslagen van de reis en Karel deed niets liever dan zich bezig te houden met het opzetten van een broussekamp. In het hotelletje viel er niets te doen. Na de maaltijd van kip in palmolie met gestampte maniok en gestoofde maniokbladeren hadden ze nog even op de *barza* gezeten, het terras voor het eetzaaltje, elk met een Primus. IJsgekoeld bier was het enige dat ze misten als ze kampeerden. Toen had Rosa herhaald dat ze er haar buik vol van had. Niet alleen van het avondmaal, maar van de hele reis. Dit was haar ding niet. In Thailand hadden ze ook armoede gezien, maar die werd tenminste nog onderbroken door af en toe een tempel of een mooi strand. In Peru liepen de straten vol met bedelende kinderen, maar dat hoorde er op een of andere manier bij. Als je er eenmaal aan gewoon was, werd je aandacht door duizend en een andere dingen afgeleid. Hier hadden ze sinds ze Kisangani hadden verlaten nog niets anders gezien dan hutten en aardewegen en groen, enorm veel groen. Dat zag ze al heel haar leven. Azalea's werden groen verkocht vooraleer de kleur van de bloemen zichtbaar werd. Nee, voor haar hoefde het niet meer.

Serge en Mireille hadden geprobeerd op haar in te praten, maar ze hield voet bij stuk. Ze had Congo gehad. Ze wou eigenlijk niets liever dan zo snel mogelijk de grens over, richting Uganda, misschien was Kampala anders, desnoods bleven ze enkele dagen in de hoofdstad, alles was beter dan de voortdurende confrontatie met dit achtergebleven gebied.

Karel zat er wat beduusd bij. Hij wou wel verder zoals gepland, tot aan het Kivumeer, maar hij wist dat Rosa onverzettelijk was. Als ze een besluit genomen had, week ze er niet meer vanaf. Uiteraard kon hij niet alleen verder, zonder Rosa hield ook voor hem de geplande reisroute op.

Uiteindelijk trad Robert het koppel bij. Het leek hem de beste oplossing voor iedereen: Kurt was al afgevallen en het Kivumeer en de Virunga ging niet veel verandering brengen voor Rosa. Aan het Kivumeer zouden ze een paar dagen in een hotelletje aan de rand van het water verblijven. Dat was goed voor de echte natuurliefhebber die Rosa ook al niet was. In het Virungapark stond een zware trekking op het programma, in het regenwoud, waar ze nauwelijks een streepje blauwe lucht zouden zien gedurende drie dagen. En had Chenge hen niet aangeraden zo vlug mogelijk de Kivustreek te verlaten?

De discussie was nog niet ten einde toen de band aan zijn optreden begon en de *barza* geleidelijk ingenomen werd door de fans van de rastaman. Verder babbelen was onmogelijk toen het eerste nummer werd ingezet. Serge wou opmerken dat dit tenminste iets anders was dan wat ze de voorbije dagen hadden gezien, maar hij kreeg zelfs niet meer de gelegenheid. Karel en Rosa wensten hen goedenacht en verdwenen naar hun slaapvertrek in een van de paviljoentjes die het binnenplein omgaven. Robert verdween in de richting van de bar, alleen Mireille maakte nog geen aanstalten om het strijdtoneel te verlaten. Ze schoof haar rieten zeteltje dichter bij Serge, zogenaamd om ruimte te maken voor de dichter wordende menigte op de *barza*. Niemand lette nog op hen, alle aandacht ging naar de *kwasa-kwasa*-band, die volop bezig was de menigte in de juiste stemming te brengen voor de nachtelijke activiteiten, wanneer het bekkenwerk zou verder gezet worden in de wijde omgeving maar dan zonder muziek. Het aantal dansers was gestaag toegenomen, alleen op het terras beperkte men zich nog tot het aanvullen van de vochtreserves vooraleer ook hier onherroepelijk het ritme in de benen zou slaan.

'En wat nu?' Mireille boog zich naar Serge en keek hem vragend aan. Serge haalde zijn schouders op.

'Ik kan niet zeggen dat ik erg verrast ben door Rosa's besluit om er de brui aan te geven. En eigenlijk ben ik er ook niet echt het hart van in. Beter nu dan over enkele dagen, als we aan het Kivumeer zitten. Vanaf hier kunnen ze inderdaad snelst doorsteken naar Uganda, in plaats van eerst nog een omweg te maken naar het zuiden.'

'Een afgebroken reis, niet echt goeie reclame voor *Reizen.Natuurlijk!* als je 't mij vraagt.'

'Nee. Maar als dit het verhaal wordt, kan ik er wel mee weg. Reis onderbroken wegens te grote cultuurshock of zoiets. *Reizen.Natuurlijk!* de totale onderdompeling in een andere cultuur, speciaal voor open geesten die tegen een stootje kunnen!'

'Jezus Serge, je klinkt alsof je er nog een reclameslogan uit wil persen.'

Serge nam een lange teug van zijn Primus, keek Mireille aan en lachte. 'Nee Mireille, maar hun vertrek opent wel mogelijkheden. Heb ik je al verteld dat ik eigenlijk geen visum heb voor Uganda?'

'Wat?!' Mireille keek hem ongelovig aan. 'Jij organiseert deze reis en je kunt niet eens de grens over?' Serge antwoordde niet onmiddellijk, hij genoot van de verontwaardigde uitdrukking op Mireilles gezicht. Het toverde een adertje tussen haar wenkbrauwen dat hij nog niet eerder had opgemerkt, of toch niet van zo dichtbij. Hij stopte een weerbarstige haarlok achter haar oor in een onhandige nabootsing van haar karakteristieke gebaar. Haar gezicht ontspande en hij lachte opnieuw. Ze lachte mee, even was het alsof ze heel alleen waren op het terras, alleen in een cocon van aandacht, met de *kwasa-kwasa* op de achtergrond. Hij trok haar naar zich toe en drukte een vluchtige kus op haar mond. Serge besloot eindelijk te antwoorden. 'Nee, men heeft me een visum geweigerd in Brussel.' Ze voelden beiden dat het nogal potsierlijk klonk. Brussel leek zo misplaatst op dit terras, langs deze aardeweg, op een totaal verloren plaats aan de rand van het evenaarswoud.

'En toch is het zo,' ging Serge verder, ook al had Mireille niets gezegd. Terwijl hij een arm rond haar schouder legde en haar tegen zich aantrok vertelde hij het verhaal van de ambassade.

'En dus', besloot hij, 'komt het eigenlijk nog niet zo slecht uit dat Rosa en Karel niet verder willen reizen.'

'Dus je wil hen alleen op pad sturen richting Kampala?'

'Nee, met Robert.'

'Met Robert?'

'Ja. Ik heb wat nagedacht. Robert wil niet dat we naar het Kivumeer gaan. Hij lijkt verwikkeld te zijn in rare zaakjes en hij verbergt iets voor ons. Op die manier zijn we van hem af, hij kan maar beter zijn eigen gang gaan, hij wil toch al voortdurend bewijzen dat hij de eigenlijke reisleider is. Wel, hij kan het nu tonen door met de helft van de groep naar Kampala te reizen. Zonder ons.' Mireille zweeg. De band was even stil. Er leek een pauze ingelast te zijn, het volk drumde in de richting van de bar. Het werd opnieuw wat rustiger op het terras.

'En wij', vroeg Mireille stil, 'wat doen wij dan?'

'Wij zetten de reis verder. Alleen. Ten minste tot aan het Kivumeer. Dat moet ik doen. Daarvan heb je me gisteravond bij het meertje overtuigd. Ik wil zien waar mijn broer aan zijn einde is gekomen, wat er ook nog mag gebeuren.'

Mireille knikte. Ze leek opgelucht.

'Zonder Robert dus. Als hij akkoord gaat, met hem weet je nooit. Daarnet bij de diamantmijn zei je toch dat je hem op de man af ging vragen wat hij in zijn schild voert?'

'Ik heb er nog de gelegenheid niet toe gehad. Maar je hebt gelijk. Robert moet meewerken, anders is het risico voor Karel en Rosa te groot. Waar hangt hij eigenlijk uit?'

'Geen idee, maar het is tijd voor een Primus. Straks begint de band aan een volgende reeks, dan kan je er opnieuw niet meer doorheen. Ik blijf wel hier, anders raken we onze zeteltjes kwijt.'

Serge stond op en wandelde in de richting van de bar. Die lag aan de voorzijde van het hoofdgebouw, een eindje verwijderd van de eetzaal met zijn terras. Serge moest volledig rondlopen, langs de paviljoentjes met de slaapvertrekken. Het was er behoorlijk donker, hoewel er voortdurend volk aan en af liep, pendelend tussen het binnenpleintje waar de band optrad, en de bar. Daardoor zag Serge Robert vooraleer die hem opmerkte. Hij stond binnen de lichtcirkel van een neonlamp. Het koude licht vormde de enige verlichting rond de openlucht-bar, een ruw gemetselde toog onder een rieten afdak. Robert leunde tegen een paal, naast hem stond een jonge Congolese vrouw, een slanke, rijzige negerin in jeans. Ze droeg een wit, mouwloos topje dat nauw aansloot rond haar boezem en enkele centimeters donkere huid vrijliet boven een blinkend rode broeksriem. Ze had lange kunstvlechten die tot halfweg haar rug kwamen en die ze los liet vallen rond haar gezicht. Een knappe verschijning, en dat leek ze zelf ook te weten. Ze dronk nonchalant van haar Primus, uit het flesje, zoals iedereen. Serge vroeg zich even af hoe ze erin slaagden zo mooi voor de dag te komen, terwijl ze toch weer heel de dag niets anders hadden gezien dan hutten op erven van aangestampte aarde.

Robert had helemaal geen oog voor zijn gezelschap. Hij was verwikkeld in een telefoongesprek. Het leek er heftig aan toe te gaan, hij maakte met zijn vrije hand wilde gebaren in de lucht.

Serge wist even niet wat te doen, maar toen dacht hij aan zijn voornemen. Hij stapte resoluut binnen de lichtcirkel, recht op Robert en de vrouw af. Ze was de eerste die hem zag. Even werd Serge in de war gebracht door haar blik. Ze leek niet verrast hem te zien maar keek hem nieuwsgierig aan, zonder enig teken van verlegenheid. Net toen hij haar wou begroeten, kreeg Robert hem in het oog.

'Serge!' Hij klapte zijn gsm ogenblikkelijk dicht en gaf Serge een overdreven joviale klap op de schouder. 'Waar heb jij gezeten man, het feest is nog lang niet afgelopen. Mag ik je voorstellen, dit is Kate. We hebben net kennis gemaakt, ze komt uit Bunia, helemaal naar hier gekomen voor het optreden van de *Lubumbashi stars*.' Ze gaven elkaar een hand. De zenuwachtigheid in Roberts gedrag was Serge niet ontgaan, het versterkte zijn voornemen om zich niet met een kluitje in het riet te laten sturen. Robert ratelde verder: 'Waar is Mireille? Ik hoop dat ze nog niet naar haar kamer is, er valt hier nog een en ander te beleven, dit is Congo op zijn best. Een Primus, een goede band en charmant gezelschap, *Reizen. Natuurlijk!* precies wat we nodig hebben.'

'Mireille wacht op het terras. Alleen Karel en Rosa zijn naar hun kamer, dat wist je al.' Serge had Frans gesproken maar hij wendde zich nu rechtstreeks tot Robert, in het Nederlands. Zijn toon werd ernstig.

'We moeten een en ander bespreken Robert, dat is de reden waarom ik je ben komen opzoeken. Maar ik zag dat je aan het telefoneren was.' Kate had de wenk begrepen, de overschakeling naar het Nederlands was duidelijk genoeg. Ze glimlachte en ging een eindje verder staan bij de bar. Ze zou niet lang alleen blijven.

'Ik ken hier wel wat volk ja, het is al de vierde keer dat ik hier overnacht. Leuke tent. Ik wou eens horen of een vriend die ik hier vorige keer heb ontmoet niet wou langskomen. Om een paar pinten te drinken.'

Serge geloofde er niets van. De manier waarop hij door de gsm sprak was niet de manier waarop je met een oude vriend telefoneerde.

'Ik geloof je niet Robert.'

'Hoezo, je gelooft me niet?'

'Nee, dat was geen gewoon telefoongesprek dat je daar voerde. Volgens mij had je met iemand een grondig meningsverschil.' Robert keek hem verbaasd aan. 'Jij hebt me staan bespieden? Nu nog mooier. Zijn het jouw zaken met wie ik bel? Of mag ik alleen bellen nadat ik de toestemming heb gekregen van de reisleider?' Robert leek voor de aanval te kiezen, maar Serge was vastbesloten verder te gaan.

'Nee, dat zijn mijn zaken niet. Maar het is niet de eerste keer dat je eigenaardig doet, Robert. Ik weet niet hoe Dirk dit opnam maar ik heb de indruk dat je verwikkeld bent in een aantal zaakjes die je niet met ons wilt delen.'

'Hoezo, niet met jullie wil delen? Er is niks dat ik wil verbergen, het is alleen niet de eerste keer dat ik hier rondrijd, dat is alles. Is het zo eigenaardig dat ik hier enkele mensen ken?'

Serge was even van zijn stuk gebracht.

'Nee, dat zeg ik ook niet. Maar er zijn toch al een aantal dingen gebeurd waar jij iets meer van schijnt te weten.'

'Zoals?'

'De slang in de missie, het lijk langs de weg, de reactie van Chenge toen ik hem bezocht.' Serge besloot nog even te zwijgen over wat hij had gezien doorheen de verrekijker bij de diamantmijn.

'Je ziet spoken man. Dat is allemaal een toevallige samenloop van omstandigheden, meer niet. Al wat ik zeg is dat je Chenge's woorden beter ernstig zou nemen.' Serge besloot het over een andere boeg te gooien.

'Waarom wil je niet dat we naar het Kivumeer gaan? Je weet wat dat voor mij betekent.'

'Hoe kom je daar nu weer bij? Ik wil niet dat je Chenge's woorden onderschat. Voor de rest ben jij de reisleider, je doet maar.'

'Jij was ook degene die als eerste een kortere reisroute voorstelde toen Kurt er nog bij was.'

Robert leek zijn geduld te verliezen. 'Man toch, dat was om te helpen, omdat ik zag dat je niet wist wat te doen. Maar zoals zo dikwijls op deze reis had je mijn raad niet nodig. Jij bent het die voortdurend wilt bewijzen wie de leiding heeft, terwijl je niks van Afrika kent en voortdurend foute beslissingen neemt. Kurt weg, tegen zijn zin, en nu Karel en Rosa ook nog. Mooie reisleider ben jij. De groep ligt uit elkaar en we zijn amper halfweg. Met Dirk erbij was dit nooit gebeurd.' Robert keek Serge uitdagend aan. Hij wist dat hij een gevoelige snaar had geraakt maar het teveel aan alcohol en het feit dat Serge hem behandelde als een schooljongen maakte hem driest.

Serge probeerde kalm te blijven. Hij reageerde zoals hij zou doen op kantoor, wanneer hij met een lastige klant te maken kreeg. Maar de opmerking over Dirk was een slag onder de gordel.

'Wat je zegt is onzin, en dat weet je zelf ook. Kurt is terug in België, en dat was best voor hem. Voor Rosa is deze reis niet wat ze ervan verwacht had, wel, voor mij ook niet. En als je het dan toch wilt weten, dat komt vooral door jouw aanwezigheid.

Als je niet met me kunt samenwerken omdat ik niet de beslissingen neem die je van me verwacht, heb ik een leuke verrassing voor je: je kan morgen vertrekken, samen met Rosa en Karel. Dan hoef je niet naar het Kivumeer, en kan je meteen zelf reisleider spelen. Je kunt ervoor zorgen dat ze heelhuids in Kampala raken en nog iets van de hoofdstad zien. Of we verder nog zullen samenwerken, zullen we zien in België. Tot morgen.' Zonder het antwoord af te wachten, draaide hij hem de rug toe.

Wireless (2)

'Die vent is zo koppig als een ezel.'

'Dat heb ik ook gemerkt, ja. Hij blijkt zich niks aan te trekken van onze goede raadgevingen. Bepaald onverstandig.'

'Het is die broer van hem, Dirk. Hij is als geobsedeerd door zijn dood. Hij lijkt niet te willen aanvaarden dat hij is verongelukt. Ik weet niet wat er in zijn hoofd spookt. Het lijkt alsof hij denkt dat Dirk weer tot leven zal komen eens hij aan de rand van het Kivumeer zal staan of zoiets.'

'Terwijl wij weten dat het om een zeilongeluk ging, nietwaar?'

'Uiteraard.'

'Ik heb gehoord dat jullie het lijk van Kayemba hebben zien hangen?'

'Ja. Wat is er met hem gebeurd?'

'Vermoord, ongetwijfeld. En daarna opgehangen.'

'Door wie?'

'Door de Ugandezen. Als voorbeeld voor de anderen. Ze hebben de arme man niet alleen omgebracht, maar door het als een zelfmoord voor te stellen, onthouden ze hem ook nog een fatsoenlijke begrafenis. Dit is een gevaarlijk beroep.'

'Hoe weet je dat het de Ugandezen waren?'

'Hij had koopwaar bij zich. Die is gestolen. Hij was op weg naar mij. Hoe reageerde Verbeek? Was dat nog niet voldoende om hem rechtsomkeer te laten maken?'

'Nee, hij niet. Hij beschouwde het als een zelfmoord. Logisch.'

'En je hebt hem niet gezegd dat je ook iemand kunt vermoorden en dan in een strop hangen?'

'Nee, ik was zelf te zeer van streek. Ik heb veel met Kalambay gewerkt, mijnheer Chenge, ik kende hem.'

'Dat weet ik. Dit is een gevaarlijk beroep. Maar goed, dan is er niets dat we nog kunnen doen. Alleen toezien hoe het afloopt.'

'Ik heb mijn best gedaan.'

'Daar twijfel ik niet aan.'

'Er is tenminste een deel van de groep dat terugkeert, twee van de overblijvers willen niet meer naar het zuiden.'

'Dat is toch iets.'

'Verbeek wil dat ik hen vergezel. Hij wil dat ik met twee van de toeristen onmiddellijk de grens oversteek naar Uganda.'

'Heb je de handelswaar?'

'Ja, maar...'

'Wel, dat komt dan goed uit. Wie zorgt er voor de rest in Antwerpen?'

'Dat is het hem juist. Dat weet ik niet. Dat was niet mijn taak.'

'Zoek het dan uit.'

'Hoe? Ik heb geen contacten in Antwerpen, mijn taak was alleen de handelswaar over de grens brengen.'

'Zoek het uit Robert, ik contacteer je nog. Veel succes.'

La décision

Eigenlijk was het makkelijker gegaan dan hij had gedacht. 's Morgens bij het ontbijt van gekookte maïskolven en een hardgekookt ei had hij hen op de hoogte gebracht van zijn plan. Rosa en Karel waren zoals verwacht akkoord, vooral toen hij hen had beloofd dat hij de helft van het reisgeld zou terugbetalen. Robert zei niets. Hij had vooral oog voor zijn maïskolf en deed alsof het hem nauwelijks nog interesseerde. Serge kondigde tot slot aan dat hij alles netjes op papier zou zetten, dan was alles min of meer officieel. Hiervoor moest hij wel naar Komanda, het dichtstbijzijnde stadje. Maar hij wou geen halfwerk, tenslotte ging het om de reputatie van *Reizen.Natuurlijk!*, hij wou het beste voor zijn klanten.

Alles op papier zetten was niet zo eenvoudig. De winkelier die volgens de aanwijzingen in de bar een schrijfmachine had, zat op het terras voor zijn winkeltje te wachten op klanten. Waarschijnlijk wachtte hij al weken. Het blauwe carbonpapier dat hij tussen de vellen stak, was flinterdun en nauwelijks nog blauw. De boodschap was, bij een eerste poging, amper leesbaar. Het lint van zijn aftandse typmachine was een aaneenschakeling van gaten, dus Serge moest eerst nog op zoek gaan naar carbonpapier dat een vleugje inkt bevatte. Dat vond hij op het politiekantoor, dat wist hij van zijn succesvolle bezoek aan 's mans collega in Bafwasende. Toen ging hij terug naar de winkelier. Die was intussen spoorloos verdwenen, de winkel was op slot, waarschijnlijk was alles uitverkocht.

Gelukkig had een jongetje zijn plaats ingenomen op het terras. Hij keek verwonderd naar de blanke man die met een paar velletjes carbonpapier stond te zwaaien alsof het de vlag van Congo was. Hij wist wel waar de winkelier was. Op het postkantoor. Er was een vliegtuigje van de paters aangekomen. Die brachten toch altijd de brieven mee van Kinshasa, eenmaal per maand, wist de blanke man dat niet? Nee, dat wist Serge niet, en hij wist ook niet waar het postkantoor was. Uiteraard werd alles nu heel eenvoudig. Op het postkantoor zou hij niet alleen de winkelier vinden, ook schrijfmachines en bereidwillige postbeambten die hem verder konden helpen bij het typen van zijn tekst. Het jongetje keek Serge triomfantelijk aan. Alleen de vraag waar het postkantoor zich bevond, was moeilijk te beantwoorden zonder straatnamen en zonder linker of rechterkant, maar ver was het niet, absoluut niet en het stond zeker in het dorp. Serge gaf hem een euro, hij wist zelf niet waarom. Vervolgens stapte hij op goed geluk het dorp in, stootte op de winkelier die hem tegemoet kwam met handenvol carbonpapier. De man klopte hem bijna juichend op de schouder en troonde hem mee naar zijn terras. Hij joeg het jongetje uit zijn rieten zetel en toog aan het werk. Anderhalf uur later waren de vijf lijntjes getypt en gekopieerd in vijfvoud. Serges handtekening maakte alles officieel, iedereen was gelukkig. De winkelier keek naar het briefje van tien euro alsof het van de andere kant van de wereld kwam. Alles wel beschouwd, klopte dat ook. Serge schudde de hand van de winkelier en het jongetje en dacht met groeiend heimwee aan zijn desktop en Office XP.

De dingen liepen verkeerd toen hij opnieuw bij het hotelletje kwam. De groep wachtte hem op in het eetzaaltje. Er werd weinig gesproken. Serge voegde zich bij de groep en legde de papieren op tafel. Robert maakte enkele sarcastische opmerkingen over een mislukte reis als gevolg van een mislukte reisleider maar Serge ging er niet op in. Hoe minder hij zei, hoe vlugger het afgelopen zou zijn. Rosa en Karel bladerden door de papieren zonder Serge aan te kijken. Door zich buitenspel te plaatsen, konden ze verder trekken onder het leiderschap van Robert, in wie ze eigenlijk toch al meer vertrouwen hadden, maar dat wilden ze niet hardop zeggen. Alleen de beslissing van Mireille om bij Serge te blijven, begrepen ze niet. Robert vroeg grijnzend of Serge echt iemand nodig had om zijn handje vast te houden. 'Ik kies er niet voor bij Serge te blijven, maar om niet meer in jouw gezelschap te moeten zijn,' zei Mireille ijskoud. 'De meest logische stap is rechtsomkeer te maken. Misschien kan de terugtocht met Serge nog een deel van mijn reis redden, die beschouw ik voor een groot stuk als mislukt door jouw arrogante gedrag.'

Robert roerde in zijn kop koffie voor hij een antwoord vond op Mireilles aanval. Hij was zich niet bewust van de antipathie die hij ook bij haar had opgewekt. 'Al goed, al goed,' bromde hij uiteindelijk. 'Uiteraard is het beter zo. Wij hebben wat meer ruimte in het minibusje dat we nu moeten huren, nu jullie terugrijden met de Landcruiser.' En als om het goed te maken voegde hij eraan toe: 'Dan kan je meteen ook af en toe het stuur overnemen. Zeshonderd kilometer zandweg naar Kisangani is te veel voor één chauffeur, zeker als die Serge heet.' Hoewel Mireille verontwaardigd in zijn richting keek, ging Serge er weer niet op in. Hij had geen zin meer in een scène met Robert, het kon de reputatie van zijn organisatie alleen maar schaden. Het belangrijkste was dat Karel en Rosa nog iets aan hun reis hadden, en dat kon het best gegarandeerd worden als ze nu splitsten. Hij had een hoop gezeur over het niet uitgevoerde programma verwacht, maar dat bleef uit. Rosa wou weg uit Ituri. En Serge wou naar het Kivumeer, en dan terug naar Kisangani. Dat was het enige dat hem nog bezighield. Dat en Mireille.

En route (3)

Mireille parkeerde de terreinwagen onder een breed uitwaaie-
rende acacia als onder een zonnescherm op de parking van
een warenhuis. De boom met zijn gele bloemen als toortsen
op de doornige takken bood plaats aan nog minstens vier wagens. Het parkeerterrein was niet volledig ingenomen omdat
het langs een aardeweg lag die alleen werd gebruikt door wagens van hulporganisaties en een zeldzame vrachtwagen met
wat koopwaar voor de broussewinkeltjes in de grotere dorpen.
De boom markeerde de afslag naar het zuiden. Hier moesten
Serge en Mireille de hoofdweg verlaten die ze in omgekeerde
richting hadden gevolgd sinds hun vertrek uit het hotelletje in
Komanda. Een nieuwe route dus, onbekend terrein, honderd-
twintig kilometer naar het zuiden lag het Kivumeer. De weg
leek zich van de hoofdweg te onderscheiden doordat hij wat
smaller was, wat hobbeliger en wat minder goed onderhouden. Voor de rest slingerde hij zich ook over de heuvels, tussen woudpartijen en savanne, onder de staalblauwe tropenhemel, met hoog in de lucht een vergeten sliert condens van
een vliegtuig dat zich onverschillig naar het noorden haastte.
Ze vonden het een prachtige plek.

'Etenstijd'.

Serge sprong uit de wagen en klapte de achterdeuren van
de Landcruiser open. Hij voelde zich goed, bevrijd. Na het gesprek in het eetzaaltje was de groep zonder veel verdere plicht-
plegingen uit elkaar gegaan. Alles was geregeld. Uiteindelijk
waren er geen verliezers. Karel misschien, maar hij had voor
zijn vrouw gekozen. Hij had geen andere keuze. Robert werd
betaald om de praktische kanten van de reis te regelen, niet
om dwars te liggen of met zijn eigen zaakjes bezig te zijn. Het

was beter hem op zijn plaats te zetten dan dat hij de organisatie een slechte naam gaf.

'Serge!'

Hij keek naar Mireille. Ze stond onbeweeglijk met het handvat van de etenskist die ze had willen uitladen in haar ene hand. Ze keek langs hem heen, naar een punt onder het struikgewas dat de open plek afboordde, een en al gespannen aandacht. Hij volgde haar blik. Onder een overhangende struik, op de grens van het natuurlijke parkeerterrein en de begroeiing, keek een baviaan hen nieuwsgierig aan. Hij zat rustig op zijn achterwerk, onbeweeglijk, zonder verpinken. Hij leek te wachten tot ze de tafel hadden gedekt, om mee aan te schuiven.

Ze keken elkaar aan en schoten gelijktijdig in een lach. 'Doen die dingen kwaad?' vroeg Mireille uiteindelijk.

'Geen flauw idee', antwoordde Serge, 'en onze specialist is er niet meer om het hem te vragen.' Ze lachten opnieuw en laadden samen de etenskist uit de wagen. Serge klapte de twee stoeltjes open die in de kist geplooid lagen en zag verwonderd dat er enkele verse broden en potten pindakaas in de kist lagen. Heerlijk malse broden, lang geleden dat ze die nog hadden gehad.

'Waar komen die vandaan, Mireille?'

'Gekocht in het dorp, terwijl jij de wagen in orde bracht.'

'Dat wist ik niet. Leuke verrassing. Maar alleen voor ons. Die aap moet maar voor zichzelf zorgen.' Mireille gooide haar petje in de wagen en schudde haar krullen naar achter. Ook zij genoot van de wending die de reis had genomen. Ze voelde zich als een spijbelend kind, alsof ze gedeserteerd was uit de schoolreis. Het feit dat ze hier heel alleen was met de manager van een organisatie die ze bewonderde, gaf er nog een extra spannend tintje aan. Ze monteerde het gasvuurtje en zocht naar de lucifers. Toch wou ze nog iets kwijt, op het gevaar af de stemming te verbreken. Maar het was beter dat Serge het wist.

'Er is nog iets dat ik je moet zeggen Serge.'

Serge keek op van het brood dat hij royaal aan het besmeren was met pindakaas.

'Toen ik in Komanda rondliep, zag ik Robert. Blijkbaar had hij ook nog iets te doen in het stadje.' Mireille blies de lucifer uit waarmee ze het vuurtje had aangestoken en keek Serge aan. 'Er liep veel volk, het was in de hoofdstraat of wat ervoor moet doorgaan, je weet wel, met al die winkeltjes, ik denk dat je daar ergens je papieren hebt laten typen. Robert liep aan de over-kant, hij zag mij niet.' Ze keek even in de verte, in de richting die ze straks moesten volgen en aarzelde. 'Ik ben hem gevolgd. Ik zag hem een huis binnengaan.'

'Een winkel?'

'Nee, een gewoon huis. Een stenen huis. Hij klopte eerst aan en stapte onmiddellijk binnen toen er werd opengedaan.'

'Hij heeft jou niet gezien?'

'Nee.'

'En dan noem je mij een voyeur omdat ik een verrekijker gebruik.'

Mireille keek snel naar Serge maar werd gerustgesteld toen ze de twinkel in zijn ogen zag.

'Ik weet niet of het iets te betekenen heeft, maar blijkbaar kende Robert ook al mensen in Komanda. Wist jij dat of...'

'Kijk eens Mireille', Serge liet haar niet uitspreken, 'Robert had daar waarschijnlijk weer een en ander te regelen. Zaakjes waar ik me niet meer druk om wens te maken, voor mijn part woonde daar de directeur van de diamantmijn, of de ambas-sadeur van Uganda, het interesseert me niet meer. Misschien ging hij gewoon de prijs bespreken voor de minibus die hij heeft gehuurd, weet ik veel. Al wat ik hem opgedragen heb, is Rosa en Karel veilig in België af te leveren, wat hij verder nog bekokstooft, is zijn zaak. Ik wil alleen nog denken aan de week die we hebben om het Kivumeer te bezoeken en terug te keren naar Kisangani. Wij tweeën, verder niemand en dat is een vooruitzicht waar ik best mee kan leven.'

Ze keken elkaar aan. In de stilte die volgde, waren de vertrouwde geluiden te horen, het roekoeën van wilde duiven en een waaier van andere vogelgeluiden die ze niet probeerden thuis te brengen. En plots, geleidelijk aanzwellend, het hese fluiten van de waterketel. Daarmee leek het onderwerp definitief afgesloten.

'We zullen zelf onze soep moeten maken Mireille, Rosa is er niet meer.' Hij scheurde twee pakjes instantsoep open. Mireille antwoordde niet, ze keek opnieuw langs hem heen, in de richting van het struikgewas waar het geluid van krakende takjes was te horen.

'Alleen wij tweeën zei je toch?'

Serge volgde opnieuw haar blik. Ze werden aangestaard door drie bavianen. Ze zaten even onbeweeglijk als de eerste, broederlijk naast elkaar, als op een tribune. Serge was opgestaan, lachte even bij het zien van hun publiek maar draaide hen dan de rug toe. Hij zette zich op zijn knieën neer bij Mireille en trok haar naar zich toe. 'Alleen wij tweeën,' fluisterde hij in haar oor, zijn mond zocht haar mond, zij was de eerste die hem opende.

De deal

'Je stelt me teleur Robert. Op deze manier kunnen we geen zaken doen.' Chenge's stem klonk heser dan anders. En stiller. Toch had Robert geen enkele moeite om hem te verstaan.

In het kale vertrek klonk elk geluid alsof het in een kerk werd uitgesproken. 'Dit materiaal is heel wat waard, dat weten wij allebei. Maar het moet in de juiste handen terechtkomen.' Chenge zat op een stoel achter een tafeltje. Op het tafeltje lagen enkele stukjes van wat op het eerste gezicht mat glas leek. Ze lagen op een eenvoudig papieren zakje. Chenge nam de ruwe diamanten een voor een op en legde ze in de palm van zijn rechterhand. Er lag een flauwe glimlach op zijn massieve gezicht terwijl hij zijn hand schommelde en zijn ogen bijna liefkozend over de diamanten liet glijden. Plots keek hij naar Robert. 'En de juiste handen bevinden zich in Antwerpen, Robert, een stad waar jij de weg kent.'

'Mijn taak hield op bij de kluis in Zaventem, Chenge, dat zei ik je toch al.' Roberts stem klonk nerveus. Hij trachtte dezelfde ontspannen houding aan te nemen als de Afrikaan, maar dat lukte moeilijk in zijn toeristenplunje, tegenover de onberispelijk geklede Afrikaan die in driedelig donker maatpak, wijdbeens aan het tafeltje zat. 'Al wat ik deed, was de diamanten in mijn broekzak stoppen en ze overvliegen, van Kampala naar Brussel. Kinderspel. Wat er verder mee gebeurde, weet ik niet. Of weet ik wel, maar ik weet niet waar. En de man die het nummer van de kluis had, is dood.'

'Dan houdt onze samenwerking hier op, meneer Mertens.'

Robert slikte.

Chenge maakte een kommetje van zijn rechterhand, plooide het zakje open en liet de diamanten er inglijden, als knikkers. Hij opende zijn vest en stak het zakje in zijn binnenzak. Robert volgde elke beweging. Chenge keek op naar de man voor hem. Hij leek een krokodil die met wijd opengesperde muil lag te wachten op een prooi, zonder te bewegen, zonder met de ogen te knipperen.

'Er rest nog één mogelijkheid.'

'En die is?'

'Dat je Serge Verbeek overtuigt het spel mee te spelen.'

Robert keek Chenge ongelovig aan. Serge bij de handel betrekken, terwijl ze alle moeite hadden gedaan om hem erbuiten te houden? Terwijl ze hem met alle mogelijke middelen hadden proberen overtuigen de reis af te breken en niet verder zijn neus in Dirks zaken te steken? Hij schudde langzaam zijn hoofd. Hij wist nooit precies wat er in die massieve kop van Chenge omging, maar hier begreep hij niets meer van.

Chenge keek hem onbewogen aan en plooide zijn handen voor zijn buik.

'Serge kan ons ongetwijfeld opnieuw aan de nodige contacten helpen. Als jij dat niet kunt, moeten we een alternatief vinden. Je wilt toch niet dat ik zelf naar Antwerpen ga? Je wilt toch niet dat ik op zoek ga naar de diamantslijper die het werk tot nu toe deed, terwijl jullie hier twee keer per jaar langskomen? Terwijl jullie alleen maar de handelswaar bij de rest van jullie bagage moeten stoppen? Is het echt te veel van de blanke man gevraagd om ons deze kleine dienst te bewijzen, na al wat wij voor jullie hebben gedaan?'

Robert antwoordde niet. De laatste vragen waren indringender gesteld, hij voelde dat hij het best niet meer verder discussieerde.

'Hoe denk je Serge ooit zover te krijgen?'

'Hoe denk jij Serge ooit zover te krijgen?' Er klonk geen spoor van vermaak in Chenge's stem toen hij Roberts vraag herhaalde. 'Ik ga daar niet voor zorgen. Jij gaat daar voor zorgen. Hij wil per se naar het Kivumeer zei je toch? Wel, daar zijn onze vrienden baas, de Ugandezen. Misschien kunnen zij een handje helpen. Zij zijn daar goed in, herinner je de arme Kalambay in het bos. Goeie God Robert, ik moet toch niet ook nog al het denkwerk voor je doen? Moet ik echt zo hard aandringen eer een blanke man iets wil doen voor een arme Afrikaan?'

Robert voelde hoe de zweetdruppels langs zijn slapen gleden. Schoft, dacht hij. Onverbeterlijke schoft. Chenge wist best waar zijn diamanten werden geslepen, godverdomme, natuurlijk wist hij dat. Maar dit was eenvoudiger. De blanken het vuile werk laten doen. Hoefde hij niet eens zijn olifantengat op te lichten, alleen de winst incasseren. Maar Robert kon het niet alleen. Zonder Dirk wist hij niets. Het was Dirk die het zaakje afhandelde in Antwerpen, of liet afhandelen. Het was een meesterlijke zet, Serge simpelweg Dirks rol laten overnemen. Iedereen bleef buitenspel.

Chenge keek hem de hele tijd onbewogen aan. Zijn krokodillenogen stonden kil en afwachtend, de prooi kwam langzaam in zijn bereik.

Plots ging de enige deur van het vertrek open. Chenge keek niet op, zijn ogen bleven gefixeerd op Robert. Er kwam een fors gebouwde Congolees naar binnen, gekleed in camouflagekleuren die hem overal ter wereld herkenbaar maakten als een soldaat. Er bungelde een machinegeweer aan zijn schouder. Hij vatte post bij de deur.

Robert besefte dat hij geen keuze had. 'Smeerlappen,' dacht hij opnieuw, maar hij knikte langzaam in de richting van Chenge. Die knikte langzaam terug, zonder zijn ogen af te wenden.

'Zeer verstandig Robert, je bent snel van begrip, zeker voor een blanke. We houden contact, je begrijpt dat ik zeer gebrand ben op een goede afloop. In afwachting zijn de ruwe diamanten veiliger bij mij dan bij jou.'

Robert beende met grote stappen naar de deur. Hij besefte dat hij verloren had, dat hij opnieuw de rol van loopjongen kreeg toebedeeld. Het maakte hem razend. Hij gunde de

Congolees met het machinegeweer geen blik toen hij hem passeerde. Maar plots bedacht hij zich, hij wilde per se het laatste woord hebben. Hij hield halt, keerde zich naar de soldaat en hing zijn honkbalpet over de loop van de mitraillette. 'Hier maat, een cadeautje van de Belgische banken. Met dank voor bewezen diensten.' De kolos keek hem verbouwereerd na terwijl hij in het felle zonlicht stapte.

Lac Kivu

Vue sur le Lac Kivu was gelegen op de uiterste punt van een schiereilandje dat als een stalagtiet in het meer hing, opgehangen aan de heuvels van de oever. De naam was eenvoudig, evenals het uitzicht van op het terras. Eigenlijk was er niets anders te zien dan het meer en zijn oevers, maar het panorama was van een adembenemende pracht. Over een immens wateroppervlak, begrensd door het donkergroen van de heuvels rondom, gleed af en toe een prauw voorbij, stil en geruisloos.

Mireille en Serge toastten elkaar toe. Ze waren net aangekomen, stoffig en bezweet na acht uur Landcruiser. Ze waren geradbraakt. Het hotelletje en het terras dat enkele tientallen meters boven de waterspiegel uittorende, waren zo uitnodigend dat ze eerst besloten het stof door hun keel te spoelen voor ze hun spullen gingen uitladen.

'Eindelijk.' Serge kneep het schijfje citroen tegen de rand van zijn glas en roerde het sap door zijn gin-tonic. 'Driewerf eindelijk. Ik dacht dat er nooit een eind aan die stofbaan zou komen. Nu zijn we dan toch bij het Kivumeer en eindelijk drinken we eens een beschaafd aperitiefje.'

'De onverschrokken Afrikareiziger is aan het woord. Na

twee weken in de brousse is hij ontregeld.' Mireille lachte en schoof haar zonnebril naar achter. Nog even en de zon was onder, de schemering kwam al opzetten vanuit de hoeken van het terras. Serge lachte even, maar werd snel opnieuw ernstig.

'Ontregeld voel ik me niet, maar dit vind ik toch leuker dan met tentstokken te klooien of een pot rijst te koken op een houtvuur. Een halve dag aan het stuur van een Landcruiser is vermoeiender dan ik dacht.' Hij wreef even over zijn gezicht en keek uit over het water. Na een tijdje zei hij met zachte stem: 'Ik kan me goed voorstellen dat mijn broer hier af en toe kwam uitrusten. Wat een plek. Hier moet Dirk dus ook gezeten hebben, misschien wel op deze plaats, hij kwam hier al jaren.' Hij zweeg even. 'Misschien zat hij ooit op deze stoel.'

Ze luisterden naar de stilte. Er klonken zelfs geen cicaden, hoewel het nu snel donker werd. Ze dronken af en toe met kleine slokjes van hun cocktail, verzonken in hun eigen gedachten.

Mireille was niet verrast door Serges opmerking, ze had niet anders verwacht dan dat de herinneringen aan Dirk hier het sterkst zouden komen opzetten. Ze waren aangekomen op de plaats waarvoor Serge deze reis had gemaakt. Mireille wou de stilte niet verbreken, integendeel, ze hield ervan naar Serge te kijken, naar zijn bruinverbrande gezicht waarop zijn blonde baard zichtbaar werd, zijn krachtige trekken, zijn warrige haar dat hem jonger deed lijken dan hij was. Ze wou niets liever dan hem tegen zich aantrekken en zacht zijn voorhoofd kussen. Maar ze respecteerde zijn stilzwijgen. Hij moest hier zelf zien uit te komen, ze kon alleen van op de zijlijn toekijken en naar hem toelopen als hij haar nodig had.

'Als jullie willen wachten tot de zon weer opkomt, zullen jullie wel naar de andere kant moeten verhuizen. Goedenavond!'

Geen van beiden hadden ze de man opgemerkt die nu plots aan hun tafeltje stond, in elke hand een olielantaarn. Het was een blanke man met een volle zwarte baard en lang haar, dat hij in een paardenstaart naar achter had getrokken. Hij droeg shorts en stak blootsvoets in sandalen, om zijn lichaam hing een T-shirt met het embleem van *Ärzte ohne Grenzen*. Hij zette een van de lantaarns op hun tafeltje en gaf hen meteen een hand. 'Hermann is de naam, met dubbele n, Zwitser van afkomst, arts van opleiding en baas van beroep. Aangenaam.' Terwijl hij aan één stuk ratelde, ebde hun melancholieke stemming geleidelijk weg. Hermann baatte al meer dan tien jaar dit hotelletje uit. Hij had het gekocht van een Belg die het dertig jaar eerder had gebouwd nadat hij een half leven lang een koffieplantage had gerund in Rwanda. Hier kwamen zijn collega planters cocktails drinken, elkaars vrouwen begluren en uitrusten van het exploiteren van hun zwarte werkvolk. Ook Hermann was hier een tweede leven begonnen nadat hij een tiental jaar voor Artsen Zonder Grenzen had gewerkt. Zijn laatste missie was de genocide van '94 geweest, hij had twee jaar in een vluchtelingenkamp in Goma gewerkt. Het hotelletje was zijn onderkomen geweest als hij de miserie wou ontvluchten en nadat ze het vluchtelingenkamp hadden opgedoekt was het zijn permanente verblijfplaats geworden. 'En', besloot hij zijn ongevraagde relaas, 'wat brengt jullie naar dit godvergeten gat?'

'Wij zijn toeristen,' zei Serge eenvoudig. 'Ik ben Serge Verbeek en dit is Mireille Segers. Ik ben de broer van Dirk Verbeek, die hebt u allicht gekend.'

Hermanns gezicht betrok. 'Sorry, ik wist niet dat...'

'Geeft niet, laat maar. We zouden hier met een zestal mensen zijn aangekomen, maar een deel van de groep is vroegtijdig teruggekeerd.' De man vroeg niet verder, maar ging naar een gemetselde tafel in het midden van het terras. Hij diepte een doosje lucifers uit zijn shorts en stak het vuur aan een stapeltje fijngehakt hout dat iemand had klaargelegd. Hij legde een rooster op de daarvoor voorziene stenen. Toen de vlammen hoog oplaaiden kwam hij terug naar het tafeltje vanwaar Serge en Mireille hem hadden gadegeslagen. Serge had de plotse verandering in Hermanns gedrag gemerkt. Hij dacht dat die voortkwam uit verlegenheid met de situatie.

'Dus je hebt Dirk goed gekend? Ik geloof dat hij hier dikwijls logeerde, als hij geen toeristen had, of tussen zijn excursies naar de natuurparken door?'

'Klopt ja, hij kwam hier heel regelmatig. Zo regelmatig dat hij hier bijna een permanente kamer had. Ik heb zelfs nog een hoop spullen van hem.'

'Spullen?'

'Ja. Boeken', Hermann leek te aarzelen, 'en andere dingen.'

'Andere dingen?'

Hermann keek Serge even aan en draaide hen plots de rug toe. Hij keerde terug naar de barbecue en stapelde enkele dikkere takken op het vuur, straalsgewijs, zorgvuldig gestapeld. Hij nam ruim de tijd vooraleer hij terugkeerde naar hun tafeltje.

'Zo, dat ziet er goed uit. Vanavond staat er vis op het menu. Zoals elke avond, we houden het hier graag eenvoudig. Twee brasems, speciaal voor jullie, uiteraard. Jullie zijn de enige gasten. Rivierbrasem is het beste dat je hier kunt krijgen, levendig vers, en bereid door mijn kok die een paar sterren waard zou zijn indien hij in een deftig restaurant zou werken in pakweg België. Maar gelukkig betaal ik hem zo goed dat hij er niet aan denkt dit godvergeten gat te verlaten.' Het was bedoeld als grap, maar Serge zag dat hij moeite had om de zelfverzekerde toon terug te vinden die hij had gebruikt voor hij wist dat hij Dirks broer was. Serge keek even naar Mireille. Ze keek op hetzelfde moment naar hem en trok haar wenkbrauwen op. Ook haar was zijn ontwijkende gedrag blijkbaar opgevallen.

'Je zei daarnet dat je nog wat spullen van mijn broer had, Hermann, zou ik die kunnen zien? Misschien kan ik een en ander meenemen.'

Hermann nam een stoel van een belendend tafeltje en zette zich er schrijlings op neer, zijn armen op de rugleuning. Hij liet zijn kin op zijn armen rusten en keek hen een voor een aan. Zijn gezicht stond ernstig.

'Had je nog veel contact met je broer, Serge?'

'Gewoon, elke keer als hij naar België kwam. Tussendoor kwam er af en toe een e-mail om praktische zaken te regelen in verband met de reizen die we organiseerden. Dirk werkte voor mij, Hermann, dat weet je toch?'

'Jawel, uiteraard. Maar Dirk was met nog heel veel andere dingen bezig. Hij was hier goed ingeburgerd. Hij zwierf hier jaren rond, zeker toen hij veldwerk deed als bioloog. Sinds die tijd kende hij hier elke gemeenschap, elk dorp, elke chief, en zij kenden hem, hem en zijn Landcruiser. Hij had een groot hart, ik ken er weinigen die zo onbevangen met de lokale bevolking konden omgaan, zelfs na al die jaren. Hij bleef hen helpen, hen vervoeren, hun geld toestoppen, zakken katoen of maniok transporteren met zijn jeep. Soms leek het of zijn wagen een gemeenschappelijk goed was. Er zijn er weinigen die dat zo lang volhouden. De inspanningen komen meestal van één kant, moet je weten.' Hij lachte schamper en ging verder: 'De meeste blanken denken dat ze hier in enkele maanden het schuldgevoel van heel Europa moeten afkopen. Na een tijdje zijn ze dan opgebrand en zijn ze verwonderd dat de Afrikanen nog altijd geen standbeeld voor hen hebben opgericht.'

Hij schudde zijn hoofd. 'Nee, Dirk was anders. Hij leek er gewoon plezier in te vinden, hij deed het gewoon, zonder veel na te denken, zonder iets terug te verlangen.'

Hij pauzeerde even. Het spreken leek hem moeite te kosten. Hij keek naar het vuur en stond op om wat houtblokken te herschikken. Terwijl hij met zijn rug naar Serges en Mireilles tafeltje stond, ging hij verder.

'Misschien was hij te erg betrokken, wou hij te veel tonen dat hij een van hen was.'

'Hoe bedoel je?'

'Daar maakte hij volgens mij een fout. Je bent nooit een van hen. Je blijft een buitenstaander. Een blanke, een andere, iemand die er niet alleen anders uitziet, maar ook anders spreekt, anders denkt, anders lacht. Het heeft geen zin om te proberen die verschillen te ontkennen, net zoals het geen zin heeft om te denken dat je huid zwart zal worden of je haar zal gaan krullen als je hier maar lang genoeg rondloopt.' Hij zweeg en pookte in het houtvuur.

'Twee verschillende werelden? Onverenigbaar? Ik ken er een paar in mijn land die je graag bezig zouden horen. Waarom noem je het niet meteen twee aparte culturen die het best gescheiden moeten blijven?' Mireille schrok zelf van de heftigheid waarmee ze gesproken had. Ook Serge keek haar verwonderd aan, dit was niet de bedachtzame Mireille die hij meende te kennen.

Hermann keerde terug naar zijn stoel, nam opnieuw plaats en keek haar aan. Hij zag er plots moe uit, in zijn ogen lag iets van berusting. Hij ging ervan uit dat wat hij zei niet zou begrepen worden, maar hij had geen andere keuze dan het uit te spreken.

'Ik weet wat je bedoelt, Mireille, maar je begrijpt me verkeerd. Zeggen dat zij anders zijn, is niet hetzelfde als zeggen dat zij minder waard zijn, of nog erger, dat zij niet dezelfde rechten zouden hebben. Integendeel, erkennen dat zij anders zijn is hen meteen het recht geven om zich anders te gedragen, om op een andere manier te leven en met de dingen om te gaan, niet naar onze normen en gewoonten. We denken allemaal dat we toch zo breeddenkend zijn, toch zo verschrikkelijk multiculturig, zolang we maar in ons eigen beveiligde wereldje blijven, tv kunnen kijken en onze favoriete chips kunnen knabbelen. Maar plaats om het even welke westerling in de Afrikaanse cultuur en hij gedraagt zich als een lompe racist of als een superieure betweter. Er zijn er niet veel die in staat zijn hier onbevangen en zonder vooroordelen te gedijen. Weinigen kunnen de mensen appreciëren om wat ze zijn, om hoe ze zijn, zonder hen onmiddellijk te willen bekeren tot het zaligmakende westerse denken. Dirk kon dat. Ikzelf heb er nog elke dag moeite mee.'

Het was even stil. Alleen het knetteren van het vuur klonk op de achtergrond. Mireille vond het allemaal wat radicaal klinken, maar ze vond niet onmiddellijk de juiste woorden om tegen Hermann in te gaan.

'We zijn van plan hier enkele dagen te blijven Hermann.' Serge verbrak de stilte. 'We kunnen het er later nog over hebben. Als je het goed vindt zou ik nu toch eerst eens een kijkje willen nemen in Dirks rondavel, en ons meteen installeren in onze slaapvertrekken.'

Tot zijn verrassing stond Hermann onmiddellijk op terwijl hij zei: 'Zoals je wilt. Ik zal je de sleutels geven. Jullie kunnen alles meenemen wat jullie vinden in Dirks kamer. Ikzelf kan er toch niets meer mee aanvangen. Misschien is het zelfs beter dat zijn spullen op die manier verdwijnen.'

Het lag op Serges tong om te vragen wat hij daarmee bedoelde, maar Mireille stootte hem aan en schudde het hoofd.

Haar ogen zeiden dat het beter was maar meteen een kijkje te nemen, voordat Hermann van idee veranderde.

Hermann ging hen voor naar de receptie aan de voorkant van het hoofdgebouw. Zijn paardenstaart bengelde tot precies halfweg het embleem van zijn T-shirt.

Serge probeerde op goed geluk een van de sleutels. Het nummer stond in het houten plaatje gegrift, maar dat was niet te lezen in het donker buiten de rondavel. De houten deur ging meteen open, ze maakten licht en keken nieuwsgierig rond. Hoewel er slechts het allernoodzakelijkste meubilair stond, was alles smaakvol aangekleed met een Afrikaanse toets. De bedsprei, de gordijntjes en het schemerlampje op de nachtkast, alles had een Afrikaans motief. De meubels waren vervaardigd uit een glanzende, dieprode houtsoort. Tegen een van de witgekalkte muren stond een kast, ernaast leidde een deur naar het sanitaire gedeelte, althans, dat was wat ze aannamen. Het enige voorwerp dat niet thuishoorde in de kamer was een gevulde rugzak, die in een hoek stond, met ervoor twee paar stapschoenen. Hun ogen bleven erop rusten, terwijl ze besluiteloos in het deurgat bleven staan. Mireille pakte Serges hand en trok hem verder binnen. Ze sloot zacht de deur en pakte opnieuw zijn hand. Serge haalde diep adem en keerde zich naar haar toe. 'Wel, dit is het dan', zei hij stil, 'de enige plaats waar Dirk langer dan een paar dagen na elkaar verbleef. En het is de eerste keer dat ik hier kom. Nu hij er niet meer is.' Het klonk niet als een verwijt aan zichzelf. Het was eerder een vaststelling. Serge ging op een van de twee stoelen in het kamertje zitten. 'Terwijl we jaren dezelfde kamer gedeeld hebben in Antwerpen. We wilden niet eens een aparte kamer, ook al was er ruimte genoeg in dat enorme herenhuis boven de juwelierszaak. Tot hij naar de universiteit ging en alleen ging wonen.

Zo ging dat. En hij alleen ging reizen. En alleen terugkwam. En dood terugkwam.' Serge stokte en staarde in gedachten verzonken naar enkele muggen die rond het schemerlampje dansten.

Mireille nam plaats aan de andere kant van het tafeltje. 'Moet je niet zien wat er in zijn rugzak zit?' vroeg ze zacht.

Serge keek verstrooid op. 'Nee. Nee, daar hebben we nog alle tijd voor.'

'Mag ik kijken of er iets in de kast achtergebleven is?'

Serge trok zijn schouders op. Het leek hem moeite te kosten om iets aan het interieur te veranderen. Misschien had hij liever gehad dat alles met witte lakens bedekt was geweest.

Mireille stond op en trok de kast open. Ze trok een verwonderd gezicht, keek even naar Serge en nam enkele voorwerpen uit de kast. Ze plaatste ze een voor een op de tafel. Twee zwarte buisjes van enkele centimeter doorsnede, twee pincetten, iets wat op een elektronische keukenweegschaal leek, een houten sigarenkistje met daarin kwasten, potloden en ballpoints en een tl-lamp in een plastic houder. Haar verwondering sloeg om in bezorgdheid toen ze naar Serge keek. Hij zag bleek en keek als gebiologeerd naar de voorwerpen. Zijn hand trilde toen hij een van de zwarte buisjes opnam en erin keek.

'Een diamantairsloep,' fluisterde hij.

Mireille keek van de voorwerpen naar Serge en weer terug. 'Is dit alles gereedschap van een...' Ze stokte midden in haar zin en keek Serge verbijsterd aan. Ze wisten dat ze beiden aan de enig mogelijke verklaring dachten.

La plage

Joshua Worodria gespte zijn broeksriem toe en trok een T-shirt over zijn hoofd. Hij stopte de gsm waarmee hij net een gesprek had gevoerd in zijn zak en verliet zijn hut. Het was nog vroeg, er hingen nevelslierten over het meer en boven de heuvels hing een geelachtig waas dat pas zou verdwijnen als de zon tevoorschijn kwam. Dat zou onmiddellijk in alle hevigheid zijn, de zon was al meer dan een uur op, maar ging nog schuil achter de bergen in het oosten. Joshua stapte stevig door. Eindelijk actie. Het was lang geleden dat hij nog een opdracht uit te voeren kreeg, al meer dan een jaar. Van toen het gebied nog werd gecontroleerd door de Ugandese generaal Kazini, onder wiens bevel hij hier verzeild was geraakt. Hij was er blijven hangen, op een lapje grond dat hij had gekregen voor bewezen diensten, samen met een Congolese vrouw met wie hij het wel kon vinden. Dat lapje grond kwam hem overigens rechtmatig toe. Hij was een Hema, een Ugandees weliswaar, maar even verwant met het Congolese Bahemavolk van dit gebied als iemand die hier geboren was. Net zoals generaal Kazini, die hier orde op zaken was komen stellen, was hij verwant door de bloedbanden van de voorouders. De band was tien keer sterker dan de grenzen die ooit waren getrokken door een volk dat hier evenzeer thuishoorde als een miereneter in een termietenheuvel.

Maar het kweken van maniok en geiten begon hem te vervelen. Het herinnerde hem te veel aan zijn kinderjaren, aan het armoedige bestaan bij zijn ouders, die hun leven hadden gesleten als arbeider op een koffieplantage van een blanke. Elk jaar trachtten ze wat maniok uit de grond te persen om hun slavenloon aan te vullen. Hij dacht de laatste tijd met groeiend heimwee terug aan zijn tijd bij de Ugandese troepen. Hij was erbij geweest toen Kabila aan zijn zegetocht begon naar Kinshasa. En hij had zijn deel gedaan bij het onder controle houden van het Oosten. Dat gebeurde niet zonder schermutselingen, die Congolese heethoofden moesten af en toe voelen wie de lakens uitdeelde. Maar geleidelijk aan was alles rustig geworden. De Ugandezen hadden het gebied rond het Kivumeer stevig in handen, de opbrengst compenseerde ruimschoots de investering.

Maar Joshua verveelde zich. Hij begon opnieuw gevechtstechnieken te trainen, vooral karate, waarin hij ooit een zwarte gordel had behaald. In Kampala was dat, in het internaat waar zijn ouders hem met hun bijeengeschraapte centen naartoe hadden gestuurd. Het kon hem opnieuw van pas komen, nu men hem eindelijk nog eens had gevraagd een klus te klaren.

Hij grinnikte en stapte nog steviger door, één hand omknelde de gsm in zijn broekzak, die mocht hij in geen geval verliezen.

Net toen de eerste stralen boven de oostelijke bergen uitpriemden zag hij het hotel liggen, hoog op het schiereiland, nog een half uurtje stappen schatte hij. Hij zou perfect op tijd aankomen en dan wachten op verdere instructies.

Serge wist niet onmiddellijk waar hij zich bevond toen hij zijn ogen opentrok. Hij zag donkerbruine nokbalken straalsgewijs samenkomen en daartussen de lichtere vlekken van strowerk. Hij lag in een hut, maar wel een met een comfortabel bed. Langzaam kwamen de herinneringen terug. De rondavel, het hotelletje bij het Kivumeer. Net toen zijn ontwakende geheugencellen het beeld opriepen van de avond voordien, registreerde hij de zachte geur van een vrouwenlichaam. Hij draaide zijn hoofd opzij en de herinnering aan de nacht vulde zijn bewustzijn. Hij keek naar het profiel van Mireilles gezicht. Ze sliep nog, een eindje van hem vandaan. Dat was vannacht anders geweest, maar een vrouw die gewoon was alleen te slapen veranderde niet na één liefdesnacht. Ze hadden van elkaar genoten, ondanks de ontdekkingen in Dirks kamer. Of misschien net daarom. Dirk was betrokken bij illegale diamanthandel. Daar zag het toch sterk naar uit. Waarom of voor wie hij werkte, was een volkomen raadsel. Ze hadden wat gespeculeerd maar hadden het uiteindelijk laten rusten. Ze hadden zich geïnstalleerd in deze kamer, gedoucht, nog apart, en waren teruggekeerd naar het terras. Hermann had woord gehouden. De rivierbrasem was voortreffelijk, perfect gegrild boven het houtvuur, zonder kolen, zilverpapier, kruiden, of andere westerse flauwigheden, alleen zout en het vakmanschap van Geoffrey, de kok. Ze hadden er een Zuid-Afrikaans wit wijntje bij gedronken en gelachen met het grappige Afrikaans: *Chenin Blanc – Kleinbegin*. Met het knapperige brood en de verse groenten en de immense stilte rondom hen had de avond het vraagstuk van Dirks activiteiten even naar de achtergrond verdrongen. Hermann had zich niet meer laten zien. Geoffrey had hen attent gemaakt op een koppel visarenden. Hun scherpe schreeuw was het enige dat de nachtelijke rust af en toe verstoorde.

Serge gleed behoedzaam uit bed. Het donkere vierkant van het raam werd steeds duidelijker zichtbaar in het witte muurvlak. Serge schoot behoedzaam wat kleren aan en opende de deur. Hij had zin in een wandeling. Na twee weken kamperen wist hij dat Mireille geen ochtendmens was. Samen de eerste maal wakker worden was niet noodzakelijk hetzelfde als samen de eerste maal naar bed gaan, zeker niet na een fles *Kleinbegin*. Er was nog tijd genoeg om daaraan te wennen.

Vanaf het terras aan de achterkant van de rondavel keek hij

even uit over het meer. Hij kon de oevers niet zien, er hing een melkachtige sluier over het water, die verdichtte tot mist naar de einder toe. Er gleed een prauw voorbij, geruisloos. De visser keek even naar boven, naar de blanke man die hem toewuifde op het terras van zijn rondavel, vooraleer hij verdween achter de nevelslierten.

Hij koos de zandweg naar het noorden, waarlangs ze gisteren waren aangekomen. Na enkele honderden meters volgde hij een pad naar de oever van het meer. Na ruim twee weken in de brousse was de watervlakte een verademing, een rustpunt waardoor hij onweerstaanbaar werd aangetrokken. De oever was dichtbegroeid met lage struiken waarin het vogelgekwetter luider weerklonk nu de zon niet lang meer op zich zou laten wachten. En terwijl hij verder afdaalde naar het meer wist hij dat het niet alleen het water was dat hem aantrok, zoals in België, maar dat het vooral de wetenschap was dat dit meer het graf was geworden van zijn broer.

De weg werd minder steil en de begroeiing minder dicht. Serge zag dat hij in een baai was terechtgekomen. De oever glooide zacht naar het water toe, de laatste tientallen meters vormden een rotsachtig strand. Hij liep over de keien in noordelijke richting, terwijl de zon zijn eerste stralen over het meer wierp en geleidelijk de nevelslierten oploste. Hij was net van plan aan zijn hongergevoel toe te geven en op zijn passen terug te keren toen hij in de verte zag dat halfweg de baai een piertje was gebouwd dat een eindje in het meer stak. Tot zijn verrassing zag hij enkele masten boven het piertje uitsteken. Zeilboten. Dit moest de plek zijn waar...

Hij versnelde zijn pas en kwam aan bij de pier. Een vijftal boten lagen op trailers, evenwijdig aan de waterkant, half verscholen tussen het opschietende broussegras. Twee ervan waren in jaren niet gebruikt, het canvas zeil dat ze moest beschermen was half vergaan. Serge vroeg zich verwonderd af wie van deze boten gebruikmaakte. Misschien waren ze voor de klanten die in het hotelletje kwamen vooraleer Hermann eigenaar was geworden. Koffieplanters die eens wat anders wilden dan bonen kweken en hier zondags een zeiltochtje organiseerden. Terwijl hij rond de boten neusde viel zijn oog op een helrood gekleurd stuk polyester, een eindje verwijderd van het rijtje zeilboten. Hij ging ernaartoe en terwijl hij zijn hart in zijn keel voelde bonken, ontwaarde hij duidelijk de contouren van een rode boeg, half verscholen in het hoog opschietende gras. Hij trapte het gras plat rond de kiel en zijn adem stokte toen hij zag wat hij zocht: Enjoy 2. Dit was de boeg van een 490, hetzelfde type zeilboot waarmee hij met Dirk had gezeild. Dit moest de boot zijn waarmee Dirk was verongelukt. Wie anders zou hier, bij het Kivumeer, een rode 490 gehad hebben met dezelfde naam als hun gemeenschappelijke boot?

De boot was afgetuigd, geen mast, geen zeilen, alleen de romp. Net zoals bij de kajuitboot van Dirk bij het Veerse Meer kon Serge niet aan de drang weerstaan om zich in de boot te zetten, op de plaats van de stuurman, de plaats die Dirk altijd moest hebben ingenomen. Het gaf hem een vreemd gevoel, niet alleen omdat hij op het droge zat, maar omdat het hem herinnerde aan de vele uren die ze samen op deze enkele vierkante meters hadden doorgebracht. Een 490 is moeilijk te manoeuvreren zonder fokkenmaat, wist hij. Nu leek het hem haast onmogelijk. Was dat de reden van het ongeluk? Had Dirk daarom de controle verloren, omdat hij alleen op het meer was gegaan, zonder zeilmaat om het fokkenzeil te bedienen en de boot in evenwicht te houden? Serge pakte de helmstok, het roer was intact. Hij keek automatisch naar het zwaard, het tweede essentiële element om de boot in balans te houden, maar het zwaard was verdwenen. Misschien was het verloren gegaan bij het bergen van de boot. Hij boog zich voorover en stelde verwonderd vast dat de zwaardmoer toch op zijn plaats zat. Hij haalde ze uit de zwaardkast. Dat ging verrassend eenvoudig. Ze was afgebroken. Een metalen moer van bijna een centimeter dik? Voor de tweede maal stokte Serges adem in zijn keel toen hij de moer nauwkeurig bekeek. Er was een duidelijk zaagvlak tot halfweg de moer. De moer was niet afgebroken, ze was doorgezaagd, of toch gedeeltelijk. Het duizelde Serge toen er, net zoals gisteren bij de ontdekking van de diamantairspullen mogelijke verklaringen doorheen zijn hoofd schoten. Maar nu bleven zijn gedachten steken bij slechts één mogelijke verklaring. Dirk was niet verongelukt door zijn eigen stomme schuld, maar zijn boot was gesaboteerd. De doorgezaagde moer was afgebroken zodra er spanning op het zwaard kwam, misschien bij het zware weer waarin Dirk was uitgezeild. Zonder zwaard was een 490 niet te controleren, zeker niet door één zeiler. Hij moest gekapseisd zijn en verdronken in het Kivumeer met zijn verraderlijke stroomversnellingen.

Serge staarde ongelovig naar het stuk metaal in zijn hand. Dirk was betrokken bij diamanthandel, misschien wel diamantsmokkel. En nu dit. Was hij vermoord? Serge stak de moer in zijn zak en stapte uit de boot. Opnieuw voelde hij de onrust in zich opkomen, de beklemming die bezit van hem had genomen sinds het eerste voorval in de missiepost. Een gevoel van onzekerheid, dat steeds opnieuw werd gevoed door nieuwe elementen en nu heviger was dan ooit. Zijn onzekerheid begon te neigen naar angst. Hij haalde diep adem en besloot zo snel mogelijk terug te keren, terug naar Mireille, en wat hem betrof, terug naar België.

Joshua Worodria zat ineengedoken langs het pad dat van de oever naar de zandweg leidde. Hij hoorde de blanke van tientallen meters ver komen. Er was geen twijfel mogelijk, dit was de man die hij moest hebben. Hij was gesignaleerd in het hotel, net voor zonsopgang, en daarnet nog had Joshua een sms ontvangen dat hij bij de zeilboten rondneusde. Hij verzond snel het OK bericht dat hij voordien al had gevormd. Zijn kompaan in de prauw kon zijn tocht verder zetten. Even plooide hij zijn mond in een grijns, maar snel daarna nam een ijskoud gevoel bezit van zijn hoofd en zijn hele lichaam. Alle gedachten en waarnemingen stroomden weg en maakten plaats voor nog slechts één ding: opperste concentratie op de actie die nu moest volgen.

Hij sprong op het pad, net voor de blanke hem zou passeren. De verrassing was compleet. Worodria wachtte even tot de verbazing in de ogen van de blanke werd verdrongen door angst. Toen sloeg hij toe. Een keiharde *tsuki jodan* naar de plexus van de weerloze man. Een mokerslag met de vuist van zijn rechterhand, net onder het middenrif, voortgestuwd door een krachtige lendenslag, die de energie van heel Worodria's lichaam voortplantte naar het vierkant van zijn vuist. Serge sloeg dubbel, zoals Worodria had voorzien. Hij greep zijn schouders, richtte Serge op, en smakte zijn hoofd tegen zijn knie die hij tegelijkertijd opwaarts stootte. Er klonk een droog geluid als van een brekende tak. De blanke wankelde. Bloed droop uit zijn neus. Worodria aarzelde geen moment. Hij verplaatste zijn steunbeen een meter naar links, bracht zijn rechterbeen in horizontale positie en haalde uit met een splijtende *mawashi geri* naar het borstbeen van de blanke. Die werd door de kracht van de vernietigende trap bijna een meter achteruit gekeild. Hij smakte neer en bleef bewegingloos liggen, languit op zijn rug in het gras. Met een katachtige sprong belandde

Worodria naast hem, één knie ter hoogte van de schouder van zijn slachtoffer, de andere knie op zijn borstbeen. Opnieuw weerklonk een droog gekraak. Hij greep de keel van de man en kneep, maar na enkele tellen leek hij zich te bedenken, hij loste. De blanke lag roerloos, bloed sijpelde uit zijn neus en zocht zijn weg langs zijn wang naar het stof op het pad.

Worodria stond op en keek rond. Hij hijgde nauwelijks. De hele actie had slechts enkele seconden geduurd. De zwarte man haalde een paar keer diep adem en wachtte tot de haat uit zijn ogen verdween. Hij wierp een blik vol verachting op het levenloze lichaam, spuwde in het gras en keerde zich om.

Sundowner (2)

Voor de vijfde maal sinds de witte Landcruiser voor het hotelletje geparkeerd stond, verdween de zon achter de heuvels van de westelijke oever van het Kivumeer. Vanaf het terras was alleen te zien hoe het water verkleurde van blauw naar donkerbruin tot bijna zwart, terwijl de heuvels van de oostelijke oever van het ene moment op het andere toegedekt werden door de schemering.

Hermann verzorgde het houtvuur, zoals elke avond sinds zijn gasten waren gearriveerd. Met grote zorg en aandacht legde hij elk stuk hout op de juiste plaats, zodat de rivierbrasem kon gegrild worden op het tijdstip en bij de temperatuur die Geoffrey, de kok, zou bepalen.

De dingen waren de laatste dagen niet verlopen zoals hij wilde. Zoals gewoonlijk als hij blanken op bezoek kreeg. Hij kon zich daar verwijten om maken. Hij kon zich afvragen waarom hij Serge niet had gewaarschuwd, waarom hij hem niet had afgeraden alleen op pad te gaan. Maar dat had hij niet gedaan. Hij was het moe zich verantwoordelijk te voelen voor al wie in zijn buurt kwam. Hij was verantwoordelijk geweest voor een vluchtelingenkamp van zestigduizend Rwandezen en vijftien gezondheidswerkers, hij had zijn deel gehad en zijn deel gedaan. Hij concentreerde zich nu op het bereiden van een houtvuur, zoals elke avond. Eén activiteit en dat was voldoende. Een activiteit die controleerbaar was, die beantwoordde aan duidelijke regels en die hem veel voldoening schonk, als de vlammen eenmaal in gelijkmatig tempo aan de houtblokken likten. Waarom kon dit niet volstaan?

Hij zuchtte en keerde zich om, nam een stoel en zette er zich schrijlings op, zijn armen op de rugleuning.

'Hoe gaat het?' Hij keek naar Serge die in een makkelijke rieten zetel met armleuningen zat, met een gin-tonic op het tafeltje voor hem.

Serge was even ingedommeld, hij liet een zacht gekreun horen en probeerde zijn ogen te openen. Dat ging nog altijd moeilijk. Zijn gezicht was nog gezwollen, hoewel zijn trekken weer herkenbaar waren geworden. Hij droeg een zonnebril om zijn omgeving het afschuwelijke zicht van twee donkerblauwe oogkassen te besparen en omdat het minste licht hem nog hevige hoofdpijn bezorgde. Zijn omgeving bestond sinds de overval alleen uit Mireille en Hermann.

Hermann had Geoffrey erop uitgestuurd toen Serge niet was teruggekeerd voor het ontbijt, de dag van de aanslag. De kok had de juiste kant gekozen en had Serge vlug gevonden, op het pad naar het meer. Mireille en Hermann waren onmiddellijk met Hermanns Landrover naar de plaats gereden waar Serge bewusteloos lag. Ze hadden hem ter plaatse onderzocht en hem vocht toegediend via een infuus dat tot Mireilles verbazing tot de standaarduitrusting van de Landrover behoorde.

Eens in het hotel was hij na enkele uren ontwaakt uit zijn coma. Dat zijn neus gebroken was, hadden ze al kunnen constateren. Toen Serge kon reageren, had Hermanns deskundig onderzoek uitgewezen dat hij waarschijnlijk ook enkele ribben had gebroken. Maar niets leek te wijzen op ernstige letsels. Mireille vroeg zich bij die woorden af wat Hermann dan wel verstond onder ernstige letsels. Ze stond erop dat ze een ziekenhuis opzochten om ten minste enkele röntgenfoto's te nemen. Hermann vond dit overbodig, omdat het niks veranderde aan de behandeling: Serge moest rusten en wachten tot alles spontaan genas. Gebarsten ribben en een neusbeentje heelden vanzelf, hij moest zich alleen kalm houden en de natuur zijn werk laten doen.

Toch waren ze naar Goma gereden, bij een radioloog die Hermann kende. Ze hadden de foto's genomen en die hadden bevestigd wat Hermann al had vastgesteld: een gebroken neus en twee gebarsten ribben. Behandeling: rust. Serge was het daar onmiddellijk mee eens, de trip naar Goma in de Landrover was een marteling geweest.

Dan was er nog het psychische trauma. Maar ook daar was Hermanns advies: rust. Zowel Serge als Mireille wilden onmiddellijk weg, weg van deze verdoemde plaats, weg uit Congo. Met kalme vastberadenheid had Hermann hen kunnen overreden te blijven. In het hotel waren ze veilig. Het was beter het gebeuren ter plaatse te verwerken dan hals over kop terug te keren naar België, een reis die het genezingsproces absoluut niet zou bevorderen. En wat gingen ze in België doen? Piekeren en speculeren over het hoe en het waarom. Niet dat de antwoorden hier voor het oprapen lagen, maar Hermann wist wat het meer voor Serge betekende. Het nu de rug toekeren zou hij later beschouwen als verraad.

En zo waren ze gebleven. Mireille verpleegde Serge. Ze

voelde zich gerustgesteld door de kalme houding van Hermann. Hij had gelijk. Ze hadden tijd nodig om de dingen te laten bezinken, en misschien was dit de beste plaats om er doorheen te komen. Ze verplaatsten zich alleen van de rondavel naar het terras en terug. De eerste dagen zei Serge niet veel, elke beweging van zijn gezichtsspieren deed hem pijn. Mireille legde ijskompressen, gaf hem pijnstillers, en hielp hem bij de bewegingen die zelfs voor dit eenvoudige leven noodzakelijk waren. Serge liet haar begaan, eerst omdat hij niet anders kon, na enkele dagen omdat hij genoot van haar zorgen. En elke avond aten ze een rivierbrasem, zorgvuldig bereid op het houtvuur.

Hermann herhaalde zijn vraag: 'Heb je nog pijn als je diep ademt? Of als je hoest?'

'Ik denk dat het ergste voorbij is, het gaat elke dag wat beter dan de dag voordien. De beste remedie is deze gin-tonic. Of twee gin-tonics, dan pas treedt het verdovende effect van de alcohol op.' Serge probeerde te grijnzen, maar zijn grimas was nauwelijks herkenbaar als een lach. Hij plaatste het lege glas op het tafeltje. Hermann wenkte Geoffrey. Hij wees op de lege glazen en terwijl Geoffrey de bestelling ging uitvoeren zei hij: 'Ik moet je wat zeggen Serge.'

Serge en Mireille keken hem aan, zijn stem klonk ernstig, zonder de ondertoon van ironie die er meestal in doorklonk. Hij knipte in gedachten een mug van zijn onderarm en keek ook hen aan, een voor een. Zijn bebaarde gezicht stak donker af tegen de zachte gloed van de barbecue achter hem.

'Ik heb vandaag een bericht ontvangen van Chief Chenge. Een telefoontje van een van zijn medewerkers. Hij wil jullie spreken. Zodra je de reis aankunt naar Adusa wil hij dat je je aanmeldt in zijn villa.'

Het bleef even stil. Serge zei niets, hij keek uit over het meer.

Mireille keek van de een naar de ander. Hermann wachtte af. Geoffrey zette drie glazen op tafel en ging naar de barbecue waar hij begon aan het bereiden van het avondmaal.

'Denk je dat Chenge iets met die overval te maken had?' Serge vroeg het neutraal, zijn stem verried geen emotie. Het was de eerste maal dat ze over de mogelijke dader spraken, tot nog toe hadden ze dit onderwerp vermeden, Serges genezings- proces stond altijd op de voorgrond.

'Nee,' Hermanns antwoord kwam onmiddellijk en beslist. 'Chenge heeft niets te zeggen hier rond het Kivumeer. Waarom zou hij je dit overigens aandoen?' Hij aarzelde even vooraleer hij verder ging. 'Je weet toch dat je broer Chenge goed kende, hij genoot zijn bescherming.'

'Ik ben Dirk niet.'

'Nee, maar je bent zijn broer. In Chenge's ogen is dat het- zelfde.'

'Maar Chenge wou niet dat we naar het Kivumeer kwamen. Chenge wilde niet dat ik ontdekte dat Dirk werd vermoord. Hij wou vermijden dat ik mijn neus te diep in Dirks zaakjes stak. Er is maar één logische conclusie: Chenge zit achter dit alles, misschien zelfs achter de dood van mijn broer.'

'Je vergist je.'

Mireille en Serge keken Hermann aan. Hij keek terug, zijn donkere ogen stonden ernstig toen hij herhaalde: 'Je vergist je.'

'Wie dan wel? Mijn broer werd vermoord, Hermann, dat staat voor mij vast. Dat ik niet op de hulp van de politie moet rekenen in dit land heb ik intussen al door. Voor zover men dit een land kan noemen overigens.' Serge zette met een driftig gebaar zijn glas op het tafeltje. 'Er schijnt hier van alles te mogen gebeuren zonder dat er een haan naar kraait, dat heb ik intussen zelf mogen ondervinden. Als er al iets of iemand is die bepaalt wat wel en wat niet mag, dan is het alleszins niet de overheid, of wat ik daaronder versta. Al wat ik weet is dat iemand mijn broer dood wou en die iemand heeft me duidelijk willen maken dat ik beter zelf geen detective speel. Indien dit niet het werk van Chenge was, van wie dan wel?' Hij keek van de een naar de ander, wachtend op antwoord. Hermann keek bedachtzaam terug, hij leek Serges redenering te toetsen aan zijn eigen vermoedens. Plots vroeg hij: 'Waarom mocht jij Uganda niet in?'

'Hoe weet jij dat?'

'Van Mireille, toen jij in coma lag en we de mogelijkheid van een repatriëring bespraken.'

Serge zweeg en haalde zijn schouders op. Mireille legde haar hand op zijn onderarm en mengde zich voor de eerste maal in het gesprek. 'Misschien is het beter om dit alles te laten voor wat het is, Serge. Je zei het zelf al, je kunt niet in je eentje de dood van je broer uitpluizen. Niet in dit land. Er is niemand die je kan helpen, er is geen enkele instantie tot wie je je kunt richten. Ik heb de politie van Goma opgezocht toen we daar waren voor je foto's. Ze namen niet eens nota van mijn verhaal. Al wat ze wilden waren de paspoorten, om te zien of er geen stempeltje ontbrak waarvoor ze ons wat geld konden afpersen. Hier sta je alleen, en wat kan je alleen uitrichten, in een land dat geregeerd wordt door machten waar wij geen vat op hebben?' Zacht voegde ze eraan toe: 'We weten niet eens of Dirk zelf wel tot het goede kamp behoorde. Voor zover je hier van goede of slechte kampen kunt spreken.' Ze wachtte even om haar gedachten te ordenen. De anderen keken haar aan. 'Laat ons nog wat wachten en dan terugkeren. In enkele dagen zijn we in Kisangani, desnoods huren we hier een chauffeur zodat we niet zelf hoeven te rijden.'

Serge schudde zijn hoofd. 'Ik heb nagedacht Mireille, ik

heb er de laatste dagen tijd genoeg voor gehad.' Hij pauzeerde even en ging dan verder. 'Als je wilt, kun je terugkeren. Ik wil je niet verplichten bij mij te blijven. Jij kunt zelfs de grens over en naar Kigali of Kampala reizen. Maar ik blijf hier.' Hij zette zijn zonnebril af en boog zich voorover. 'Zie je dit Mireille? Ik heb me niet in elkaar laten slaan om met nog meer vragen terug te keren dan waar ik mee gekomen ben. Goed, het is niet zonder gevaar, maar ik wil weten wie hier een spelletje met me speelt.' Serge sprak steeds heftiger: 'Ik ben niet beroofd, in mijn portefeuille was die schoft niet geïnteresseerd en zelfs mijn horloge liet hij ongemoeid. Hij handelde in opdracht, daar ben ik zeker van en zijn opdrachtgever wou me iets duidelijk maken. Ik wil weten wie hierachter zit.' Hij stokte, blijkbaar voelde hij nu pas de pijn in zijn borstkas.

Hermann knikte en wreef bijna goedkeurend over zijn baard. 'Ga naar Chenge, Serge. Als er iemand is die je een antwoord kan geven, is hij het.'

Geoffrey plaatste vier borden op hun tafeltje. In het midden plaatste hij een schaal met vier goudgeel gebraden vissen. De oeroude geur van houtvuur vermengde zich met het humusachtig aroma van het zoetwatermeer en de vis. Opnieuw knikte Hermann goedkeurend. 'Kwestie van prioriteiten,' mompelde hij, en hij deponeerde de grootste vis op zijn bord.

Wireless (3)

'Hoe staan de zaken, Robert?'

'Niet zo best, mijnheer, niet zo best. Het lijkt erop dat Chenge niet zomaar van plan is zijn smokkelroute op te geven.'

'Zonder zijn voornaamste agent? Nu die dood is, krijgt hij de handelswaar toch niet meer over de grens?'

'Nee, dat klopt, dat dacht ik ook.'

'En dus?'

'De toeristengroep als dekmantel voor zijn smokkel-activiteiten is veel te interessant om zomaar te laten schieten. Hij zoekt andere manieren om ermee verder te gaan.'

'Met andere mensen.'

'Ja.'

'Er is maar één persoon die van het zaakje op de hoogte is en dat ben jij. Tenminste, dat heb je me altijd gezegd.'

'Jazeker, mijnheer, dat klopt nog altijd.'

'Dan zeg je het maar beter meteen, Robert, Chenge wil dat jij het zaakje overneemt.'

'Nee, nee, mijnheer. Ik niet. Hij wil dat Serge, Dirks broer, erin wordt betrokken.'

'Wie is Serge?'

'De zaakvoerder van het reisbureau, ik heb je over hem verteld. Hij is momenteel hier in Congo, als reisleider. Hij heeft de reis overgenomen van Dirk.'

'En Chenge wil dat hij ook de rol van zijn broer overneemt om de stenen buiten te smokkelen?'

'Ja. Niet alleen het land uitsmokkelen, ook zorgen dat ze verder worden verwerkt in Antwerpen, zoals vroeger...'

'Zodat het opnieuw een zaakje van de Verbeeks wordt?'

'Ja. Op die manier hebben ze niemand anders nodig. In Antwerpen blijven dezelfde mensen betrokken.'

'Welke mensen, Robert?'

'Dat weet ik niet, mijnheer. Dat is het hem juist. Dat heeft Dirk me nooit verteld. Ik kende zijn contacten in Antwerpen niet.'

'Maar je kent mij. Is het niet, Robert? Je kent mij, en wordt het niet tijd dat we elkaar wat beter leren kennen? Wordt het niet tijd dat je eens naar Harare komt om een en ander van nabij te bekijken? Of naar Brasschaat, mij om het even, maar het lijkt me het gepaste moment om onze samenwerking wat vastere vorm te geven. Wat denk je, Robert? Of geef je er de voorkeur aan de tweede viool te blijven spelen? Wil je liever de loopjongen blijven van Chenge en de Verbeeks, wil je blijven toezien hoe de grote winst altijd aan andere handen blijft kleven? Terwijl jij het bent die nu alle contacten met de mijnwerkers in handen heeft.'

'Nee. Uiteraard niet mijnheer, misschien was dat wel de reden waarom ik u belde.'

'Zeer verstandig, Robert. Dat betekent wel dat het spelletje dat Chenge speelt, moet ophouden. Of dat die Serge nog duidelijker moet gemaakt worden dat hij hier niets meer te zoeken heeft. Als de Ugandezen daar niet in geslaagd zijn, moet jij hen misschien wat helpen. Je zult er geen spijt van hebben.'

'Wat als de Ugandezen zich tegen mij keren?'

'Dat zullen ze niet doen.'

'Waarom niet?'

'Omdat ik het je zeg. Hun rol is uitgespeeld. Daar zorg ik voor. Het wordt tijd dat er orde op zaken wordt gesteld in Ituri. Net zoals in de Kasai. Er zal geen plaats meer zijn voor de Ugandezen en voor hun artisanale mijnen. Het wordt tijd dat we dat gebied een beetje vooruit helpen, en jij kunt daarbij een belangrijke rol spelen. De handelswaar zal in ieder geval het land uit moeten, en wie heeft daar meer ervaring in dan jij? Voor de contacten in Antwerpen zorg ik. We hebben verder niemand meer nodig.'

'Niemand?'

'Niemand. Voor de Ugandezen zorg ik, de contacten zijn gelegd. Jij zorgt dat het geklooi van Chenge en de Verbeeks ophoudt. Daarna kunnen we zaken doen. Er valt nog heel wat te ontwikkelen in Ituri. We beginnen bij de fundamenten, onder de grond. Dat is de beste strategie, in Congo begint alles onder de grond. Bel me opnieuw als je me nodig hebt.'

John Van Heerde drukte zijn gsm uit, leunde achterover in zijn buffelleren kantoorzetel, stuurde een wolk sigarenrook richting zoldering en lachte kort. Hij drukte enkele toetsen in en wachtte terwijl hij zich een bodempje Laphroaig inschonk. Na enkele tellen verscheen er een brede glimlach op zijn zonverbrande gezicht.

'Makura? Van Heerde hier. Zin in een partijtje golf?'

Le retour

Mireille plofte haar rugzak tussen de overlangse zetels van de Landcruiser. Ze duwde hem vooruit tot hij aansloot bij de zwarte reiskist die vooraan stond, achter de bestuurdersbank. Er was plaats genoeg, maar toch moest alles zorgvuldig gestapeld worden om te vermijden dat alles ging schuiven tijdens het rijden. Geoffrey hielp bij het aanbrengen van de bagage. Een joviale kerel, goedlachs, met een open gezicht en de gave om er altijd te zijn als hij nodig was zonder ooit op de voorgrond te treden. Mireille hield van zijn gezelschap, hij maakte haar op de een of andere manier rustig. Ze nam het kleine rugzakje aan dat hij haar aanreikte en propte het onder een van de banken.

'De diesel nog, Geoffrey. De jerrycans staan op het terras.' Ze keek hem na terwijl hij het pad afliep in de richting van de rondavels. Hij droeg een jeans en een T-shirt van *Ärzte ohne Grenzen*. Waarschijnlijk had Hermann een hele lading van die dingen gekregen bij wijze van ontslagvergoeding. Ze glimlachte onwillekeurig toen ze aan haar collega dacht. Ze had er geen idee van wat ze hadden moeten beginnen zonder hem. Absoluut geen idee. De kalme maar besliste manier waarop hij Serge en haarzelf had begeleid na de aanslag, dwong haar bewondering af. En tegelijkertijd besefte ze hoe weinig ze opnieuw had gehad aan haar eigen kennis als arts. Zij was afkomstig van een westers land, waar haar enige tussenkomst had bestaan in het toetsen van een 1 en twee nullen op haar gsm. De rest zou binnen enkele minuten overgenomen geweest zijn door een medisch urgentieteam. Ze had nagenoeg dezelfde opleiding genoten als Hermann, maar de omstandigheden hadden hen tot bijna twee totaal verschillende professionals omgevormd.

Ze zuchtte, klapte een van de zetels omhoog en sjorde hem vast. Maar goed, er waren verzachtende omstandigheden. Ze hield van Serge. En elke arts wist dat een te grote emotionele betrokkenheid een slechte raadgever was bij het objectief beoordelen van een gewonde. Ze hoefde zichzelf niks wijs te maken. Ze hield ervan Serge te verzorgen. Niet als arts of collegareiziger, maar als een verliefde vrouw die ervan hield hem aan te raken, zijn pijn te verzachten, zijn lichaam te voelen als hij op haar steunde. Het was een gevoel dat ze al te lang had gemist en de reden waarom ze Serge niet alleen wou laten vertrekken.

Ze hijgde toen ze twee jerrycans met drinkwater versleepte om ze vast te sjorren tegen de opgeklapte zetels. Serge was vastbesloten om terug te keren. Hij wou opnieuw met Chenge spreken, zelfs als dat betekende dat hun wegen scheidden. Mireille had het idee niet uit zijn hoofd kunnen praten, en dus ging ze mee.

Ze pufte even uit op het opstapje van de achterdeur. Het was nog vroeg, maar toch kostte elke inspanning al moeite. Het moest de hoogte zijn, of het contrast met het luie leventje van de laatste dagen. Ze veegde de krullen uit haar gezicht en liet haar blik over het meer dwalen. Door bij Serge te blijven nam ze een risico, en dat wist ze maar al te best. Terugkeren naar Chenge was niet zonder gevaar, dat had het verblijf aan het meer hen overduidelijk gemaakt. Maar haar besluit stond vast. Misschien besliste ze hier dat ze niet meer zou terugkeren naar haar dokterspraktijk in Vlaanderen. Het deed haar niets. Ze wou bij Serge zijn, bij hem zijn in zijn zoektocht naar de reden van Dirks dood. Al de rest leek haar opeens banaal en bijkomstig. Ze wou deze reis afmaken samen met de man die ze bewonderde, en van wie ze hield. Ze volgde haar hart, ze had lang genoeg haar hoofd gevolgd.

Geoffrey kwam het pad op in het gezelschap van Serge. Geoffrey had in elke hand een jerrycan gevuld met diesel. Het pad steeg lichtjes naar de auto toe maar hij hijgde nauwelijks. Serge stapte er traag achteraan, af en toe keek hij om naar het meer.

Mireille sprong van het opstapje en zette haar honkbalpet op. Tijd om te vertrekken.

Chief Chenge (2)

Serge veegde het laatste restje palmolie op met het laatste stukje brood en zuchtte voldaan. Chenge mocht dan niet de meest joviale kerel zijn die hij op deze reis had ontmoet, de kok die in zijn keuken stond wist hoe hij een kip moest bereiden. Elke Congolees wist dat, zo ging het verhaal, maar dan hing het er nog maar vanaf of elke Congolees wel een kip had om zijn kookkunsten te demonstreren.

Het weerzien met Chenge was niet bepaald hartelijk geweest. Hij had hen eerst een tijd lang laten wachten in hetzelfde kale vertrek van de eerste ontmoeting. Toen hij eindelijk binnenkwam, had hij vormelijk zijn medeleven betuigd met de gezondheidstoestand van Serge. De bloeduitstorting in zijn onderste oogleden was nog altijd duidelijk merkbaar, en ook zijn neus had nog niet zijn normale afmetingen aangenomen. Serge had koeltjes geantwoord dat het een stuk beter ging, maar dat hij zich zijn verblijf aan het Kivumeer anders had voorgesteld. Daarop had Chenge minzaam geglimlacht en hen uitgenodigd voor het avondmaal. In de hoek van de kamer stond een tafel, netjes gedekt voor drie personen, zelfs aan een wit tafellaken was gedacht. Er werd al van uitgegaan dat ze zouden instemmen.

Tijdens de maaltijd werd er niet veel gezegd, tenzij wat gemeenplaatsen over de *moambe*, de rijst, de gebakken bananen, en het Primusbier. Dat werd gebrouwen in de brouwerij bij het Kivumeer waar ze, zonder het te weten, heel dichtbij hadden gelogeerd.

Chenge veegde het vet van zijn mond en kinnen met een rijkelijk geborduurd servet, onderdrukte een oprisping en zei hees als altijd: 'Dus u hebt de boot van uw broer gevonden aan het Kivumeer?'

Serge en Mireille keken verrast op. Ze hadden deze plotse opening niet verwacht. Chenge deed of hij hun verbazing niet zag en vulde hun glazen bier aan uit een literfles.

'Ja.' Serge was de eerste die zich herstelde. 'Tenminste, dat denk ik toch.'

'U hoeft er niet aan te twijfelen, het was de boot van Dirk. Mijn mensen vonden hem na het ongeval. Zij hebben hem naar de jachthaven gesleept. Het lichaam van uw broer werd door vissers gevonden, de rest van het verhaal kent u, mag ik veronderstellen.'

Serge keek Mireille enkele ogenblikken in de ogen, als om een stilzwijgende overeenkomst te checken. Hij richtte zich opnieuw tot Chenge.

'Het was geen ongeval, mijnheer Chenge. Mijn broer werd vermoord.'

De Afrikaan vertrok geen spier. Hij vouwde traag zijn servet op, legde het naast zijn bord en knikte toen traag en bedachtzaam. Hij wachtte nog enkele ogenblikken voor hij antwoordde. 'Dat denk ik ook, ja.' Hij leek niet van plan er nog iets aan toe te voegen. Hij had net zo goed commentaar kunnen geven op de malsheid van de kippenbout die hij net achter zijn kiezen had gestopt.

'En weet u ook door wie en waarom?' Serge voelde hoe de weerzin tegenover de gezette Congolees opnieuw bezit van hem nam. Hij vroeg zich af waarom Chenge hen had ontboden en waarom hij hen een maaltijd had aangeboden. Alleen om een kat-en-muisspelletje met hen te spelen? Wou hij checken hoeveel Serge wist? Of wou hij zich vergewissen van het feit dat hij degelijk in elkaar was geslagen?

Chenge nam opnieuw uitgebreid de tijd vooraleer hij antwoordde. Hij had zijn handen voor zich gevouwen op tafel en draaide aan een van zijn ringen. 'Mijnheer Verbeek, ik begrijp dat dit alles heel erg moeilijk voor u ligt. Ik betreur ten zeerste wat er uw broer is overkomen, en ook wat u is overkomen, maar ik dien u er toch op te wijzen dat ik u had afgeraden naar het Kivumeer te reizen. U hebt er de voorkeur aan gegeven mijn advies te negeren.'

'En hebt u me daarom in elkaar laten slaan?'

Chenge's gezicht vertrok bij deze rechtstreekse aanval. Het vertoonde een gepijnigde uitdrukking, niet zozeer om de beschuldiging, zo leek het, maar eerder om de brutaliteit waarmee Serge ze had geuit.

'U vergist zich, mijnheer Verbeek. Uw broer was mijn vriend. Hoe zou ik het in mijn hoofd halen een vinger uit te steken naar de familie van een vriend? Indien u dit land en zijn inwoners iets beter zou begrijpen, zou u weten dat dit niet alleen ongepast zou zijn, maar tevens een belediging voor u, voor uw ouders en voor uw voorouders. Ik heb het beste met u voor, mijnheer Verbeek, met u en uw gezelschap, het is alleen jammer dat u mijn advies niet ter harte wilt nemen.'

Het bleef even stil. Chenge leek niet onmiddellijk antwoord te verwachten. Hij nam een belletje dat naast zijn bord stond en rinkelde. Bijna ogenblikkelijk verscheen een dienstmeisje dat zwijgend de borden stapelde en ermee naar het belendende vertrek verdween.

Serge keek naar Mireille. Opnieuw las hij in haar ogen hun zwijgende overeenkomst: ze wilden vanavond te weten komen wat er was gebeurd, koste wat het kost.

Hij wist alleen niet hoe. Serge voelde zich onmachtig tegenover de Congolees, tegenover zijn ogenschijnlijke rust, zijn klaarblijkelijke macht, zijn fysieke overwicht. Serge voelde zich opnieuw zenuwachtig worden, ondanks Chenge's woorden. Maar hij wou duidelijkheid, niet nog een rondje om de pot draaien. Dat was de reden waarom hij was teruggekeerd naar Mambasa, niet om zich de les te laten spellen door een Afrikaan.

'Goed. Laat ons aannemen dat u niet achter die overval zat. Laat ons aannemen dat u ook niets te maken hebt met de dood van mijn broer. Kunt u me dan vertellen wie er wel achter zit? Of moet ik het normaal vinden dat mensen in dit land voortijdig aan hun einde komen en dat ik zonder reden in elkaar word geslagen?'

Chenge schudde zacht met zijn hoofd. Uit zijn gezicht bleek bijna medelijden. 'Mijnheer Verbeek, uw broer vertoefde lang

in dit land. Ik zou bijna zeggen dat dit land zijn tweede vader-
land was, indien dit niet een ietwat beladen term was voor een
Belg. Hij heeft hier lange tijd rondgezworven, hij kende elk
dorp in Ituri, hij kende de rijkdommen van deze regio beter
dan sommigen die hier geboren zijn. Biologische rijkdommen,
uiteraard, daarmee heeft hij zijn academische carrière gemaakt, maar ook de rijkdommen waarin u en uw landgenoten
al van oudsher geïnteresseerd zijn en die makkelijker om te
zetten zijn in geld.' Chenge pauzeerde even zijn betoog, en
speelde opnieuw met de diamanten aan zijn vingers. 'Mag ik
jullie een kopje koffie aanbieden?'

Serge kon nauwelijks zijn wrevel onderdrukken. Wanneer
ging deze praatjesmaker eindelijk zeggen wat hij wilde zeggen? Wanneer ging hij op de proppen komen met de reden
waarom hij hen had laten contacteren?

'Graag, mijnheer Chenge, maar u hebt nog altijd niet op
mijn vraag geantwoord. Wie heeft dan wel mijn broer vermoord?'

Chenge negeerde zijn opmerking en rinkelde het belletje.
Opnieuw kwam het dienstmeisje binnen, nu met een roltafeltje
waarop de attributen stonden voor de koffie. Ze moest achter
de deur hebben staan wachten. Toen ze de kopjes ronddeelde,
trok Chenge haar even naar zich toe en fluisterde iets in haar
oor. Nadat ze iedereen had bediend, verdween ze opnieuw, het
tafeltje liet ze achter.

Chenge bediende zich royaal van suiker en schraapte zijn
keel. 'U begrijpt dat we deze delicate zaken beter niet bespreken wanneer er derden aanwezig zijn. En daarmee bedoel ik
uiteraard niet deze mooie dame.' Hij knikte hoofs in de richting van Mireille, die hem onbewogen aankeek.

'De reden, mijnheer Verbeek, waarom uw broer werd vermoord zoals u beweert, ken ik niet. Ik heb weinig zegging-

schap over Zuid-Kivu, ik ben een Lendu, en het gebied rond het meer is vooral bevolkt met Bahema. Het is een gebied dat lange tijd onveilig is geweest, en misschien nog wel is. Dat is de laatste tijd verbeterd, vooral omdat er zich een aantal vreemdelingen hebben teruggetrokken.

'Vreemdelingen?'

'Ja. Ugandezen bijvoorbeeld, zij voelen zich verwant met sommige plaatselijke volkeren, zoals de Bahema. Rwandezen ook, Hutu's die hun land zijn ontvlucht en hier een onderkomen hebben gevonden. En niet meer terug kunnen uit vrees voor vergelding. Mensen die beweerden dat ze ons te hulp kwamen maar die alleen geïnteresseerd waren in macht en makkelijk geldgewin. Generaal Kalizi bijvoorbeeld.' Hij pauzeerde even. 'Het is niet uitgesloten dat uw broer Dirk slachtoffer is geworden van een van die groepen.'

'Hoe goed kende u mijn broer?' Serge roerde in zijn kop koffie, maar verloor Chenge geen moment uit het oog.

Chenge's gezicht plooide zich in een glimlach, hij staarde voor zich uit alsof hij overweldigd werd door niets dan goede herinneringen. 'Heel goed, hij was hier kind aan huis, altijd welkom, om het even wanneer.'

Serge knikte in de richting van de kast met de foto die er nog stond. 'Van wanneer dateert die foto?'

Chenge volgde zijn blik. 'Oh die? Van heel lang geleden. Toen het ook hier nog onveilig was. Gelukkig zijn de tijden veranderd.' Hij aarzelde even en ging toen verder: 'Dirk was erg geïntegreerd in de gemeenschap van Ituri, hij wou mijn mensen op alle mogelijke manieren vooruit helpen. Net zoals ik trouwens, zo hebben we elkaar gevonden. En uiteraard had hij mijn toestemming en bescherming nodig voor zijn wetenschappelijke, en later toeristische activiteiten.'

Serge haalde de diamantairsloep uit zijn broekzak.

'Is dit de reden waarom jullie het goed met elkaar konden vinden?'

Op hetzelfde moment kwam het diensmeisje opnieuw binnen. Ze plaatste een ondiepe schotel op tafel, met daarop stukjes van wat op het eerste zicht gefrituurde hapjes leken. Chenge had even naar de loep gekeken, maar toonde geen enkel teken van herkenning. Hij concentreerde zich op de schotel. Hij wendde zich tot Mireille.

'Mag ik u een delicatesse van de streek aanbieden mevrouw?' Mireille keek even naar Serge. Die zuchtte hoorbaar en haalde zijn schouders op. Ze namen beiden een stukje van de goudgeel gebakken hapjes.

'Vis?'

'Slang.' Chenge plooide zijn kwabbige gezicht opnieuw in een minzame glimlach. 'Slang, en ook wel een paar stukjes krokodillenstaart. De grotere stukken denk ik.' Hij nam zelf een stuk, smakte met zijn lippen en knikte. 'Krokodil. Van een jonge krokodil uiteraard, uit de Ituri rivier. Die stroom brengt niets dan goede dingen voort.'

Mireille en Serge keken elkaar vol afgrijzen aan. Mireille nam een servet en bracht het kokhalzend naar haar mond. Serge voelde woede in zich opkomen. Waarom had hij haar teruggebracht naar deze verdoemde plek? Wat deden ze hier bij deze gluiperige Afrikaan die er plezier leek in te scheppen hen te vernederen en te verwarren?

'Gaat het mevrouw?' Chenge keek met oprechte belangstelling naar Mireille, die met tranen in de ogen trachtte zich te herstellen. 'Het is nochtans een delicatesse, als toeriste moet u toch de plaatselijke cultuur appreciëren.' Mireille maakte een verontschuldigend gebaar, stond op en ging naar het belendende vertrek, in de hoop daar een toilet te vinden.

Serge keek haar na en zei kort. 'Mijnheer Chenge, het had

geen kwaad gekund ons eerst te zeggen waarvan die dingen waren bereid.' Hij verhief zijn stem terwijl hij verder sprak. 'En nu wil ik weten wat mijn broer hier deed. Dit is een diamantairsloep, dat weet u best. We hebben die gevonden bij de bezittingen van Dirk. Als u toch zo close was, weet u best waarvoor hij dat gereedschap gebruikte. Het wordt tijd dat ik dat ook weet. Ik weet niet hoe het zit in uw fantastische cultuur, maar wij houden van de waarheid, zonder er al te veel doekjes om te winden.' Serge keek Chenge strak aan. Als die vetzak nu niet onmiddellijk een bevredigend antwoord gaf verliet hij deze plek. Hij zou wel zien wat voor gevolgen dat dan verder nog had.

Chenge's gezicht nam een van de vele poses aan die hij schijnbaar naar willekeur tevoorschijn kon halen. Nu drukte het verwondering uit, oprechte verwondering over de brutale toon waarop Serge had gesproken. 'Zoals ik al zei: de Ituristroom brengt vele goede dingen voort.' Serge wou hem korzelig onderbreken toen hij eraan toevoegde: 'Ook diamanten. Diamanten, uitgespuwd door de Nyiragongo-vulkaan, die u hebt kunnen zien rond het Kivumeer. Tenminste dat hebben uw stamgenoten ons wijsgemaakt, na langdurig en grondig onderzoek. Het is prettig om weten dat de diamanten die mijn volk, de Walendu, hier opdelft eigenlijk afkomstig zijn van de gronden van de Bahema.' Hij grinnikte even, maar hield op toen hij zag dat Serge hem met een donkere blik bleef aankijken. Mireille kwam terug de kamer binnen en nam plaats, wat bleekjes. Hij knikte haar even bemoedigend toe en schonk haar een glas water in.

'Maar goed, u wilt weten wat Dirk hiermee te maken heeft? Heel eenvoudig, de ruwe diamanten die door mijn mensen werden opgedolven, werden door Dirk naar Antwerpen gebracht, om ze te bewerken en te verkopen.'

'Naar Antwerpen gesmokkeld, bedoelt u.'

Chenge verstrakte. De welwillende uitdrukking verdween van zijn gezicht en maakte plaats voor de kilte die Serge kende van zijn eerste bezoek. Deze keer was hij minder onder de indruk. 'U bedoelt dat mijn broer Dirk de reizen gebruikte als dekmantel om uw handelswaar het land uit te werken, zonder dat daar een haan naar kraaide en zonder dat er een frank naar de staatskas of het Congolese volk terugvloeide.'

'Welke staat?'

'Uw staat, de Democratische Republiek Congo.'

'U bent in Ituri. De staat in Ituri, dat ben ik. Chief Chenge. Of hebt u daar een andere mening over? Hebt u het bewijs gezien van het tegendeel? Was u het niet die zei dat je nergens een teken zag van wat je een overheid kunt noemen?' Chenge had zijn stem niet verheven, maar er lag een dreigende klank in de zinnen die hij traag en duidelijk uitsprak, bijna scandeerde. 'U zegt dat er geen geld terugvloeide naar het Congolese volk, wat weet u daarvan, een vreemdeling die hier twee weken komt rondneuzen? En mocht u het willen weten, Dirk vertikte het ook de ruwe diamanten aan te geven in België, heeft dat uw land geruïneerd?'

Serge was even van zijn stuk gebracht. Chenge ging verder zonder zijn antwoord af te wachten. 'Ik heb uw broer ten zeerste geapprecieerd, en ik was diep getroffen door zijn dood. Ik had liever niet dat u te weten kwam hoe hij aan zijn einde is gekomen en wat hij heeft betekend voor het volk van Ituri. Ik had liever niet dat u wist dat hij met me samenwerkte. U zou het niet begrijpen. Maar u blijkt al even koppig te zijn als Dirk, anders had u hier niet opnieuw gezeten. Tenminste toch één eigenschap die u gemeenschappelijk hebt met hem.' Hij snoof verachtelijk. Met een beslist gebaar trok hij de schotel naar zich toe en viste er een aantal stukken uit waarop hij omstandig begon te kauwen. Buiten zijn gesmak bleef het stil. Serge wist niet wat hij ervan moest denken. Chenge's tirade verklaarde veel, maar hij wist niet in hoeverre hij hem kon vertrouwen, of hij niet weer een spelletje met de domme blanken aan het spelen was. Mireille was stil, maar ze had geen woord van Chenge's monoloog gemist.

Plots wendde Chenge zich tot haar. 'Zeg uw vriend dat als hij werkelijk om zijn broer geeft, als hij werkelijk wil dat zijn dood niet tevergeefs was, hij dezelfde houding dient aan te nemen tegenover het Congolese volk als Dirk zelf.'

'Waarom denkt u dat wij niet om het Congolese volk zouden geven. Is het feit dat wij hier zijn niet voldoende bewijs?'

Chenge's trekken ontspanden zich. Hij glimlachte. 'Mevrouw, u hebt een paar weken in een Landcruiser ons prachtige land doorkruist, met uw zakken vol euro's en dollars. U hebt hier en daar wat snuisterijen en tomaten gekocht en af en toe in onze hotels overnacht. Wat betekent dat? U kon net zo goed een documentaire op National Geographic hebben bekeken.' Hij schudde zijn hoofd. 'Nee, Dirk voelde zich een van ons, hij wilde het volk van Ituri daadwerkelijk helpen. Hij wilde meer doen dan zijn neus aan het venster steken.' Hij wendde zich opnieuw tot Serge en vervolgde zacht. 'U zou dat ook kunnen, mijnheer Verbeek. U zou Dirks werk kunnen overnemen. Niet alleen als reisleider, ook als bemiddelaar in de diamanthandel.'

Dirk keek hem ongelovig aan. 'Als smokkelaar bedoelt u.'

Chenge schudde met een gepijnigd gezicht zijn hoofd. Opnieuw sprak hij tot Mireille. 'Uw vriends gedachten zijn rechtlijnig als de vlucht van de kraanvogel. Alleen beseft hij niet dat de kraanvogel wordt gestuurd door winden die hij zelf niet controleert.' Hij keek even peinzend naar een punt in de verte vooraleer hij op zakelijke toon verderging: 'Denk na over mijn voorstel, mijnheer Verbeek. Ik zal u verder met rust laten. Maar neem opnieuw contact met me op vooraleer u verder reist naar Kisangani. Ik zal u mijn gsm-nummer geven, geeft u ook het uwe. Of u kan me opzoeken in *Ile Afrique*, het hotel waar u hebt overnacht met de groep.' Dirk keek hem verwonderd aan. Deze man wist alles. Chenge ging onverstoorbaar verder. 'Ik kom regelmatig in het hotel, het is een perfecte plaats om zaken te doen. De plaatselijke diamantbeurs als het ware.' Hij grinnikte even en wendde zich opnieuw tot Mireille. 'U houdt van cultuur, mevrouw? Behalve het hotel kan ik u ten zeerste aanraden een bezoek te brengen aan de kraal van mijn neef, Chitambo. Misschien kan het helpen uw vriend te overtuigen de nagedachtenis van zijn broer op een meer gepaste manier te eren dan wat hij tot nu toe heeft gedaan.'

La casquette

'De kraal van Chitambo dus. Jezus, wat een engerd. Leuke vrienden hield Dirk erop na.' Mireille schudde haar hoofd en zette zich wat makkelijker tussen de bagage op de zitbanken van de Landcruiser. Serge gordde de veiligheidsgordel om en keek naar Geoffrey, die aan het stuur zat. Hij was er niet bij geweest bij Chenge, hij had kennissen in Mambasa bij wie hij had gegeten. 'Ken jij Chitambo?'

Geoffrey knikte. Hij startte de motor en keek Serge aan. 'Willen jullie niet onmiddellijk naar Kisangani? Chitambo woont een eind van de weg af, een twintigtal kilometer, maar er is nagenoeg geen weg. Of toch niet wat jullie daaronder verstaan.'

Serge keek om naar Mireille. 'Wat doen we?'

'Ik veronderstel dat je het antwoord al kent? Je wou Chenge bezoeken om meer te weten te komen. Ik denk dat hij je niet teleurgesteld heeft, ook al kotste ik bijna zijn mooie tafellaken onder.'

Serge schoot in een lach, maar vertrok onmiddellijk zijn gezicht bij de pijnscheut die dat in zijn borstkas veroorzaakte. 'Nee, je hebt gelijk', zei hij ernstig, 'voor zover we hem mogen geloven. Chenge is een gevaarlijk man. Ook al heeft hij misschien niets te maken met de dood van Dirk of de aanslag op mij. Maar de slang in de missie was zijn werk, daar hoef je niet aan te twijfelen. Indien het daar mis was gegaan, zat ik nu niet met enkele gebarsten ribben maar was ik halfblind. En dat was dus het soort mensen waar Dirk op vriendschappelijke voet mee stond.' Hij ging verder alsof hij het tegen zichzelf had: 'Onbegrijpelijk; en dat allemaal voor wat geld. Diamantsmokkel is het laatste waar ik Dirk toe in staat zag, hij heeft geen diamant meer bekeken toen hij op kamers was gegaan.' Hij schudde zijn hoofd. 'Het blijft allemaal erg onwaarschijnlijk.' Serge richtte zich weer tot Mireille. 'Ik wil inderdaad bij Chitambo langsgaan, ik ben nog niet overtuigd dat het gegaan is zoals Chenge ons wou laten geloven. Kwestie van een *second opinion*. Zo noemen jullie dat toch in het doktersjargon?'

'Klopt. Maar dan moet er wel een duidelijke vraag zijn. Overweeg je voor Chenge te gaan werken?' Serge keek haar verontwaardigd aan.

'Geen sprake van. Laat hem zelf maar naar Antwerpen gaan om zijn zaakjes te regelen. Nee, al wat ik wil is een Congolees dorp bezoeken.'

'Je wilt weten waarom Chenge je daar wil hebben. En hoe Dirk ertoe kwam met een figuur als Chenge samen te werken.'

'Inderdaad. En ik ben nog steeds de zaakvoerder van een reisorganisatie. Misschien is het een interessante plek.'

'Er is nog iets.'

'Wat?' Serge keek opnieuw over zijn schouder naar Mireille. Er lag een peinzende uitdrukking op haar gezicht. Hij zag opnieuw het adertje tussen haar gefronste wenkbrauwen. 'Toen ik onwel was ging ik op zoek naar het toilet. Aan een kapstokje in de gang hing een honkbalpet. Ik sloeg er eerst geen acht op, ik was te ziek, maar toen ik terugkwam viel het me opnieuw op. Op de klep stond het logo van een Belgische bank. Het was een van de petjes die Karel heeft achtergelaten bij de directeur van het schooltje waar we hebben overnacht.'

Serge keek Mireille verwonderd aan.

'Hoe kwam dat daar terecht? Karel was degene die ermee leurde. Hij kan het hier toch niet zijn komen afgeven? Wie droeg er nog een dergelijke honkbalpet?'

'Robert,' zei Mireille.

'Als Robert of Karel deze pet hier hebben achtergelaten, zijn ze hier nog geweest nadat we uit elkaar zijn gegaan. De groep is pas opgesplitst in Komanda, twee dagen na onze overnachting in het schooltje, tijdens het onweer.' Serge draaide zich plots naar Mireille. 'En als je het mij vraagt gok ik op Robert. Die man heeft ons ook nooit de hele waarheid verteld. Herinner je zijn gesjoemel in de diamantmijn. Ik durf er iets op te wedden dat hij ook in het zaakje zat.'

'En waarom heeft hij je dat dan nooit verteld?'

'Jezus, Mireille, het gaat hier nog altijd om een onwettige activiteit. Een criminele activiteit als je het mij vraagt, mijn broer is erom vermoord. Waarom zou Robert mij op de hoogte brengen van zijn duistere praktijken, ook al spelen die zich af in Congo? Waarom wou Chenge niet dat wij wisten wat Dirk deed? Waarom wilden de Ugandezen mij uit de weg ruimen? Allemaal om dezelfde reden: omdat ze stuk voor stuk niet houden van pottenkijkers, omdat ze hun zaakjes alleen willen beredderen, omdat ze hun handeltje gedekt willen houden. Goed, hier kan ik hen misschien niet laten vervolgen, maar ik kan alles aan de grote klok hangen in België.'

'Uganda is al veroordeeld. Door het internationaal strafhof van Den Haag. Wegens inmenging in Congo's aangelegenheden en het leegplunderen van zijn natuurlijke rijkdommen.' Mireille zei het peinzend, voor zich uit, het was alsof ze een krantenbericht voorlas. 'Als Uganda hier nog zo sterk betrokken is als Chenge beweert, heeft ook dat niet veel uitgehaald.'

'Kan zijn. Wat Den Haag heeft beslist, interesseert me niet zo erg. Wat was Dirks rol? Waarom deed hij dit alles, dat wil ik weten. Ik dacht dat hij alleen geïnteresseerd was in aardwormen en vleermuizen.' Ze zwegen alle drie en luisterden naar het gelijkmatige geronk van de dieselmotor. Ze stonden nog op dezelfde plaats, langs de hoofdweg van Mambasa.

'We kunnen ook gewoon terugkeren naar Chenge en het hem vragen,' zei Mireille eindelijk. Serge schudde beslist zijn hoofd. 'Nee, hij hoeft niet te weten wat wij weten.' Plots haalde hij zijn gsm boven en tikte een nummer in.

'Wie bel je?'

'Daphne.'

'Daphne?'

Serge gaf haar een teken stil te zijn. Hij had blijkbaar onmiddellijk succes.

'Daphne? Met Serge. Kan je dringend iets doen? Kan je checken of Robert Vermeer, en Karel en Rosa Tielemans op een vlucht Kampala – Brussel zaten? Via Nairobi of Lusaka, weet ik veel, je kent dat beter dan ik. Bel me terug binnen het half uur, daarna heb ik geen ontvangst meer.'

Minder dan tien minuten later ging Serges gsm. Hij knikte een paar maal en zei toen. 'Bedankt, Daphne, ik bel je nog wel.'

Opnieuw klikte hij het toestelletje uit en wendde zich tot Mireille.

'Karel en Rosa zijn alleen teruggekeerd, Robert zat niet op hun vlucht.'

Le village typique (2)

Chitambo wachtte hen op bij de ingang van zijn 'kraal': een afsluiting van houten palen die een modderig soort weide omgaf waarbinnen een kudde van een tweehonderdtal koeien drentelde. Ze waren net naar binnen gedreven toen ze aankwamen, tegen zonsondergang, na een afmattende tocht door de brousse. Ze reden letterlijk door de brousse, alleen Geoffrey wist welke richting ze moesten aanhouden. Mireille noch Serge hadden iets van een weg kunnen bespeuren. Serge had de pijn verbeten die elke bruuske schok in zijn borstkas veroorzaakte, ook al had hij zich, bij wijze van airbags, omringd met slaapzakken en matrasjes.

Chitambo kwam hen met uitgestoken handen tegemoet, een knokige grijsaard gekleed in een blauw verschoten vest en een al even verschoten groene broek. Hij was blootsvoets en zag er wat grotesk uit. Over zijn onderarm bengelde een stok met een prachtig bewerkt handvat.

'Welkom in het dorp van Chitambo, meneer en mevrouw Verbeek, hoe maakt u het, u moet wel vermoeid zijn na die lange trip door de brousse.' Hij keek hen vriendelijk lachend aan, door een zware bril met zwart hoornen montuur. Eén glas was overlangs gebroken. Zijn gezicht was een en al rimpel, in zijn mond ontbraken enkele tanden, maar zijn ogen achter de brillenglazen stonden alert en belangstellend. Serge en Mireille schudden de uitgestoken hand. Ze wisten niet goed of ze ernstig moesten blijven of mochten lachen. Geoffrey hield zich op de achtergrond, hij sloeg het tafereel glimlachend gade.

'Ik ben inderdaad Serge Verbeek, maar dit is Mireille Vervecken, een vriendin. U lijkt ons te kennen?'

'Niet u, mijnheer Verbeek, maar uw broer, Dirk. Dirk heeft veel betekend voor ons, hij was als een zoon voor mij. Zijn familie is mijn familie. Ik zag onmiddellijk dat u zijn broer was. Antilopen die op dezelfde savanne hebben gegraasd, herken je van ver, u bent welkom in mijn dorp.' De grijsaard had hen al pratend meegetroond naar een plek van aangeveegde aarde onder een reusachtige parapluboom, waar enkele banken opgesteld stonden.

'Hoe komt het dat u Dirk zo goed kende?' vroeg Serge toen ze zich hadden neergezet. De grijsaard antwoordde niet maar knikte naar een jonge vrouw die voor hem knielde en hem een teil water voorhield. Hij waste zijn handen en gebaarde dat ze verder moest gaan. De vrouw stond op en knielde nu voor Serge. Serge keek even naar Mireille, haalde zijn schouders op en stak zijn handen in de teil. De vrouw keek niet op. Ze was traditioneel gekleed in een panje. Daarboven droeg ze een geruit hemdje dat nauw aansloot rond haar boezem. Serge kon niet anders dan met zijn ogen de v-vormige halsinsnijding volgen tot de aanzet van haar borsten. Ze droeg een koordje rond haar hals met daaraan een sieraad dat precies hing waar het moest hangen om Serges blik te rechtvaardigen. Er ging een schok door hem heen. Hij hield plots op zijn handen af te drogen en hing de handdoek over de arm van de vrouw. Terwijl ze zich oprichtte keek ze hem even schichtig in de ogen. Ze zag dat hij het sieraad had herkend.

'Dirk kwam hier jaren, hij was als een olifant die altijd terugkeert naar dezelfde poel om zich te laven, ook al heeft hij maanden rondgezworven. Hij had een goed hart. Zijn dood betekent een groot verlies voor mij en mijn volk.' Serge antwoordde niet direct, hij keek nog naar de vrouw terwijl ze voor Mireille geknield zat. Mireille zag zijn verwarring en antwoordde in zijn plaats. 'We hebben van Chief Chenge gehoord dat Dirk hier graag was. Maar waren het niet vooral de okapi's die hem naar hier hebben gebracht?'

'Ook, mevrouw, zo hebben we elkaar leren kennen. Hij bestudeerde hun gedrag, maar ik was het die hem daartoe de toestemming moest geven. De okapi's huizen op de voorvaderlijke gronden die sinds mensenheugenis de Walendu toebehoren. De okapi heeft voor ons een bijzondere betekenis, hij is, hoe noemen jullie dat, onze totem. De okapi beschermt mijn volk, en wij beschermen hem, al generaties lang wordt er niet op hem gejaagd. Dirk wou ons helpen die bescherming in stand te houden.'

De oude man sprak rustig, in trage Franse zinnen, genietend van hun aandacht. Serge luisterde opnieuw mee, maar het was Mireille niet ontgaan dat hij ergens mee zat. Opnieuw kwam de vrouw langs, nu vergezeld van een tweede vrouw, die enkele olielantaarnen mee had. Serge zag nu hoe mooi ze was. Ze had een ovalen gezicht, met schuinstaande ogen en hoge jukbeenderen, die het iets oosters gaven. Ze bracht een dienblad met daarop een geëmailleerde theepot en enkele bekers. Ze schonk hun ongevraagd in en liet alles achter op een houten bankje. Ze bedienden zich van melk en suiker en slurpten van de thee zonder iets te zeggen. De schemering had plaatsgemaakt voor de tropennacht. Er klonken stemmen en gelach uit de hutten die enkele tientallen meters verder bij elkaar stonden, in schijnbare wanorde, hoewel er toch iets van een binnenplaats leek te bestaan, een open plek van aangeveegde aarde waarover schaduwen zich bewogen.

Hoewel het pas zes uur was, leek de plots ingevallen duisternis en het totale gebrek aan kunstverlichting de nacht te hebben ingeluid. Serge dacht eraan dat ze nog niets hadden gevraagd over overnachten, maar hij vertrouwde op de rustige grijsaard. Waarschijnlijk was ook dat geregeld op dezelfde vanzelfsprekende manier waarop ze nu thee zaten te drinken.

Chitambo schraapte zijn keel en richtte zich opnieuw tot Serge: 'Dus jij verkoopt reizen? Nieuwsgierigheid is wat de Europeaan over de zeven zeeën heeft gedreven. Nieuwsgierig als een kind, zo blijft de blanke, zijn hele leven lang. Dirk heeft me verteld dat jij hen daarbij tracht te helpen, dat jij ervoor zorgt dat mensen andere landen kunnen zien en daar ook nog aan onderdak en voedsel geraken?'

'Ja, zoiets ja, als ze daarvoor betalen.'

'Hier krijg je hetzelfde, zonder te betalen.'

Serge schrok even en besefte hoe hard zijn woorden moesten hebben geklonken.

Chitambo zag het en lachte oprecht. 'Wees gerust Serge, ik bedoelde het niet als kritiek, elke cultuur heeft zijn gewoontes. Wij passen ons aan, dat is precies wat Dirk ons heeft geleerd: gebruik maken van jullie gewoontes om onze levens te verbeteren.' Hij zweeg even en concentreerde zich opnieuw op zijn thee. Serge en Mireille wachtten af wat hij hiermee bedoelde. Ze hadden niet de behoefte om veel vragen te stellen, de man leek precies te weten wat ze wilden horen.

'We waren van plan van dit dorp een trekpleister te maken voor toeristen. Een dorp waar ze enkele dagen konden logeren en zien hoe wij, Walendu leven. Ze zouden actief deelnemen aan het dorpsleven, koken, water halen, wassen, vuur maken, zelfs op jacht gaan. Mee-eten met ons, 's avonds rond het vuur zitten, zelfgebrouwen bier en palmwijn drinken, dansen en overnachten in hutten die we speciaal voor hen hebben gebouwd. Jullie zullen in een van de drie hutten slapen die al zijn afgewerkt. Gebouwd naar het model van onze hutten, maar iets comfortabeler ingericht.' Hij lachte: 'Je kunt een koe niet in één dag leren hoe zij opnieuw een buffel wordt.' Serge en Mireille lachten mee; heel de houding van Chitambo straalde een soort zachte ironie uit die hen geruststelde. Hij was heel anders dan de raadselachtige Chenge met zijn nauwelijks verborgen misprijzen. De oude man leek hen met zijn uitdrukkingen niet in de war te willen brengen maar veeleer te willen geruststellen. Hij leek doordrenkt van een soort mildheid die hen op hun gemak stelde.

Ecotoerisme dus. Serge kende de term maar al te goed. Ze hadden het er een paar maal over gehad toen Dirk laatst in België was, maar Serge was niet enthousiast geweest. Het leek hem allemaal te ingewikkeld, te ver van zijn bed, te moeilijk. Een idee van een dwaze dromer zoals Dirk, niet realistisch en niet rendabel. Maar hier bij Chitambo leek het de logica zelf.

'Hielp Dirk jullie bij de financiering van dit initiatief?' vroeg hij.

'Ja', zei Chitambo zonder aarzelen, 'hij betaalde alles. Hij vertrouwde erop dat het zou lukken, hij zei dat jij wel zou zorgen voor de klanten, hij zou ze hier brengen, wij zouden voor een onvergetelijke ervaring zorgen. Als het project eenmaal liep, zou het zelfbedruipend zijn, zelfs geld opbrengen. Maar eerst diende er geïnvesteerd te worden. Hij wou twee wagens kopen: één voor de bevoorrading, één voor het rondvoeren van de toeristen in de brousse. Eén ervan hebben we al, daarmee brengen we het bouwmateriaal voor de hutten aan. Er moesten ook nog uitkijkposten gebouwd worden om het wild te observeren, en er waren zelfs plannen voor een kampplaats in het woud van de okapi's, dertig kilometer hier vandaan.' Serge knikte bedachtzaam en keek naar Mireille. Ze zat met haar ellebogen op haar knieën, haar handen rond de warme beker. Ze had geen woord gemist van Chitambo's relaas en knikte terug. Ook zij had het begrepen.

'Weet u waar Dirk het geld vandaan haalde?' vroeg Serge zacht.

Chitambo's gezicht stond ernstig. Hij zette zijn beker op het dienblad en omvatte met beide handen het handvat van zijn wandelstok. Hij liet zijn kin op zijn handen rusten en keek in de duisternis van de Afrikaanse nacht. 'Ja', zei hij uiteindelijk, 'ik weet waar hij het geld vandaan haalde.' Hij zweeg even vooraleer hij verder ging. 'Het vette beest heeft een glanzende huid omdat het een ander beest heeft opgegeten.' Hij lachte opnieuw tot zijn ogen nog nauwelijks zichtbaar waren tussen zijn vele rimpels en stond moeizaam op. 'Kom, genoeg gepraat. Er valt nog veel te vertellen, maar niet meer met een lege maag. We zullen jullie tonen waar jullie de nacht kunnen doorbrengen, daarna zien we elkaar rond het vuur. Het stof van de weg kan je van je afspoelen, maar niet de honger die knaagt aan de maag. De nacht is nog jong.' Hij stond op en zei, met één vinger in de lucht: 'De vrouwen hebben bier gebrouwen. Dik en voedzaam, precies zoals het hoort. Jullie Belgen kunnen hier nog wat van leren.' Hij grijnsde, nam een lantaarn en gebaarde hem te volgen.

La 4 x 4

De geluiden van de nachtelijke bush klonken vertrouwd. Af en toe hoorde hij het fladderen van een opgeschrokken vogel of geritsel van een nachtdier in het struikgewas. Robert besteedde er geen aandacht aan. Hij voelde zich thuis, alleen in de natuur, hij herkende het gevoel van toen hij kind was en tiener, toen hij nog bij zijn ouders woonde en zijn vader vergezelde tijdens nachtelijke tochten door de bossen van het Waasland waar die boswachter was. Overdag tenminste. 's Nachts was hij stroper die de stroppen controleerde op de hazen en konijnen die hij overdag naarstig beschermde.

Robert zelf maakte nauwelijks geluid. Hij had het Suzuki-jeepje dat hij had gehuurd achtergelaten in het woud, een paar kilometer voor het dorp van Chitambo. Het laatste halve uur had hij de koplampen uitgedraaid en was hij alleen bij het licht van de halve maan verder gereden. Hij wist dat een wagen van ver kon worden opgemerkt. Chitambo's kraal bevond zich op een heuvel die uitzag over de savanne van Ituri. Mooi gelegen, dat klopte, maar hij liet het bewonderen van het landschap over aan Serge en Mireille. Als het aan hem lag, werd het wel het laatste landschap dat ze nog te bewonderen kregen.

Robert veegde met een driftig gebaar het zweet van zijn voorhoofd. Deze keer was het zijn beurt. Hij zou niet nog eens in een bijrol geduwd worden. Hij wist wat Dirk had verdiend aan de diamantsmokkel met Chenge, hij zou ervoor zorgen dat er niet opnieuw een Verbeek in zijn weg zou staan. Hij had Karel en Rosa netjes afgeleverd in Kampala, en daar had hij Van Heerde gecontacteerd. Het vooruitzicht van een samenwerking met een van de machtigste industriëlen van het zuidelijke halfrond was wat anders dan het amateuristische gedoe van de Chenge's en konsoorten. Hij kende Van Heerde, of tenminste zijn naam, van vroeger. Robert was privéchauffeur geweest voor Collin Campbell, een zakenman die voor Van Heerde werkte in de Antwerpse diamantsector. Robert had Van Heerde nooit ontmoet, maar hij kende zijn optrekje in Brasschaat, een pompeuze villa verscholen tussen het groen. Naar verluidt bezat hij ook een villa in Londen, Johannesburg en uiteraard zijn thuisbasis, Harare. Dat alles wist hij van Collin, via wie hij ook het telefoonnummer van zijn kantoren in Harare had verkregen, je wist maar nooit dat het van pas kon komen. Zeker voor iemand die regelmatig in Congo kwam kon het nooit kwaad enkele nuttige contacten op te doen. Nu was het van pas gekomen. Hij vroeg zich af waarom hij Van Heerde niet vroeger had gecontacteerd, in plaats van verder te werken met klungelaars als Chenge, die er nu ook nog een nietsnut als Serge bij wilde betrekken. Die man was niet eens in staat een groepje toeristen bij elkaar te houden of een wiel te vervangen.

Robert hoorde het dorp voor hij het zag. Het moest nu ver na middernacht zijn, maar er weerklonken tamtamgeroffel en zingende stemmen. Zozo, dacht Robert, de stemming zit er goed in. Feestje gebouwd voor de vereerde bezoekers, waarschijnlijk. Des te beter, geen mens die de auto in het oog zal houden.

Hij sloop nu meer dan hij liep. Geholpen door het maanlicht, bepaalde hij zijn richting, daarbij zorgvuldig vermijdend al te veel gerucht te maken. Hij oriënteerde zich rechts van het lawaai. Daar moest de Landcruiser geparkeerd staan. Hij kende het dorp van een vroeger bezoek. Hij was er eenmaal geweest met Dirk, om te zien hoe ver ze gevorderd waren met het project. Het verwonderde hem niet dat Chenge Serge naar hier had gestuurd, het paste perfect in zijn strategie. Chenge had hem onmiddellijk op de hoogte gebracht van het etentje met Serge en Mireille. Om Robert te melden dat hij bedankt was voor bewezen diensten: hij had er goede hoop op dat Serge het handeltje ging overnemen.

Robert hield even halt en hurkte neer. Hij ademde zwaar. Rotzak, dacht hij voor de zoveelste keer. Er had onverholen triomf in Chenge's stem geklonken toen hij hem zei dat alles naar wens verliep. En Serge zou het spel meespelen, zeker na het bezoek aan Chitambo. Als hij nog twijfelde, zou Mireille hem wel overhalen. Enkele Afrikaanse kindertjes rond haar hals en ze zou verkocht zijn.

Robert checkte of hij de tang en de sleutels in zijn safari-vest voelde en begon aan het laatste eind. Links in de verte zag hij tussen de bomen de rosse gloed van het kampvuur. Alle volk zou daar verzameld zijn. De woonhutten bevonden zich voornamelijk achter de grote vuurplaats. Wie niet bij het feest was, zou in de slaaphutten liggen, aan deze kant stonden alleen voorraadhutten en een vijftal paalconstructies waarin maïs werd opgeslagen. Hij sloop nog enkele meters verder en zag toen eindelijk de Landcruiser, nog een vijftigtal meter verwijderd. Hij stond geparkeerd met de neus in een open plek waar de bomen wat uiteen weken en plaats gaven aan de savanne. Precies op dezelfde plek als bij zijn vorige bezoek.

Robert keek nog een laatste maal rond en rende toen de laatste meters gebukt naar de wagen. Hij liet zich vallen aan de voorkant, zodat de Landcruiser bescherming bood tussen hem en het kampvuur, nu nog een zestigtal meter verwijderd. Hij keek voorzichtig langs de wagen en zag nu duidelijk gestalten heen en weer lopen. Het gelach en gezang werd in flarden aangevoerd. Robert voelde zijn hart in zijn keel kloppen, maar hij vermande zich. Zolang er niemand deze richting uit kwam, was hij veilig. Niemand kon hem zien, zelfs als ze deze kant uitkeken zouden ze alleen de donkere brousse zien, het vuur verblindde hun gezicht, ze konden alleen iets zien binnen de lichtcirkel.

Robert haalde de sleutels uit zijn safarivest en opende het zijportier. Hij had de reservesleutels van de Landcruiser gehouden. Half uit vergetelheid, half met het vage idee dat die nog van pas zouden kunnen komen.

Hij tastte naar de ontgrendelingshendel van de motorkap en trok eraan. Er klonk een metalige klik en hij zag hoe de motorkap omhoog sprong. Hij sloot het portier opnieuw af en kroop naar de neus van de wagen. Hij opende de motorkap enkele centimeters, trok aan de veiligheidshaak en opende de kap ver genoeg om er een stok van een twintigtal centimer tussen te plaatsen. Verder durfde hij niet. Hij tastte met zijn linkerhand over het motorblok tot hij voelde wat hij zocht: het reservoir van de remvloeistof. Hij haalde met enige moeite de metaaltang uit zijn vest, en plaatste ze op de metalen leiding die vertrok uit het reservoir, zo ver mogelijk ervan verwijderd.

Hij hijgde zwaar door de onhandige positie waarin hij zich bevond, gebukt, met beide armen tussen de smalle spleet. Hij nam het risico dat er iemand deze richting zou uitkijken en zien dat de motorkap van de Landruiser halfopen stond. Het risico was klein, maar voldoende om het zweet in straatjes van zijn voorhoofd te laten lopen. Hij diende de klus zo snel mogelijk te klaren. Hij kneep. Na enig wrikken hoorde hij een metalige klik. Hij boog een van de afgeknipte einden lichtjes om en hield er zijn wijsvinger tegen. Hij haalde zijn armen onder de motorkap vandaan en rook aan de kleverige vloeistof. Remolie. Hij kroop opnieuw naar voren, ondersteunde de motorkap met één hand en verwijderde de tak. Hij trok aan de veiligheidshaak en sloot zacht de motorkap zonder dat die in het slot viel. Hij richtte zich half op, hield zijn adem in en duwde met beide handen op het deksel. Het geluid dat weerklonk leek in de oren van Robert luider dan een geweerschot. Het moest kilometers rondom te horen zijn. Hij liet zich onmiddellijk vallen en kroop opnieuw naar de kant die minst zichtbaar was van bij het kampvuur. Hij wachtte even tot het wilde bonzen van zijn hart bedaarde en sloop dan naar de achterkant van de wagen. Hij tuurde naar het kampvuur maar zag nog geen enkele figuur die zich losmaakte uit de kring of deze richting uitkwam. Hij bleef nog enkele minuten liggen en kroop toen opnieuw achteruit. Hij kwam half overeind, wierp nog een laatste blik in de richting van het feest en liep toen gebukt naar de bomen, met de auto als dekking tussen hemzelf en het kampvuur.

Pas toen hij een honderdtal meter verwijderd was van de auto, kwam hij rechtop en bleef hijgend staan. Hij keek nog een laatste maal naar het dorp, grijnsde, en zette er vervolgens stevig de pas in. In de verte hoorde hij het gelach van een hyena. Daar ergens wachtte zijn Suzuki.

Chambre d'hôte

Het flakkerende licht van de olielamp verlichtte het inwendige van de slaaphut die nog rook naar vers broussegras en het teer van de palen. Serge en Mireille zaten in rieten zeteltjes bij een eenvoudig tafeltje. Er was nog net genoeg ruimte voor twee tegen elkaar geschoven bedden van bamboestokken, een tiental centimeter hoog. Daarop lagen hun matjes en slaapzakken. De vloer was van cement en niet van aarde, maar verder verschilde de hut in niets van de hutten die ze eerder op de avond hadden gezien, tijdens een rondleiding in het dorp. Ze hadden uitgebreid gegeten rond het vuur, er was van alles in overvloed, een stamppot van geitenvlees, geroosterde brochettes, kip uiteraard, maniok, rijst, gebakken bananen en verschillende soorten groenten die ze geen van alle kenden. Tijdens het eten werden ze voorgesteld aan steeds nieuwe gezichten, er werd gezongen. Er was bier in grote kalebassen die werden rondgegeven met daarin een pollepel waaruit de een na de ander naar believen slurpte. En er was muziek, traditionele muziek met tamtams en cimbalen, vreemde snaarinstrumenten en meerstemmige gezangen. Ze hadden genoten, maar besloten uiteindelijk toch hun slaaphut op te zoeken, ook al was het feest nog lang niet ten einde.

Serge zuchtte en knoopte zijn hemd los. 'Dat was prachtig.'

'Ja, heel wat anders dan die griezel van een Chenge. Het is onbegrijpelijk dat die twee samenwerken, totale tegengestelden.'

'Maar beiden Walendu.'

'Ja. De chief zorgt voor zijn clan.'

'En Dirk was de tussenpersoon, die de diamanten in geld omzette en het geld liet terugvloeien naar de Walendu.'

Ze waren even stil. Mireille trok haar T-shirt over haar hoofd en maakte haar haar los. Ze stond op en ging voor Serge zitten, geknield zoals de Congolese vrouw bij het begin van de avond. Ze keek Serge aan. Hij leunde voorover, zocht haar mond met zijn mond en klikte haar bh los.

'Even mooi als wat je daarnet zag?' fluisterde ze in Serges oor terwijl ze op zijn schoot kroop. Serge lachte en kuste haar oor en hals. Hij bevrijdde haar borsten uit de bh en streelde zacht een van de tepels. 'Ik keek niet naar haar borsten, Mireille,' fluisterde hij. 'Of toch niet zo heel erg. Ik keek naar haar halssnoer.' Mireille nam zijn hoofd tussen haar handen en keek hem aan. 'En wat was er zo speciaal aan haar halssnoer? Er hing een stukje metaal aan of zoiets.'

Serge liet haar los en tastte naar zijn portefeuille. Hij haalde er een muntstuk uit. Mireille bekeek het verwonderd. Het was een oud stuk van 10 centiem, met een gaatje in het midden.

'Waar komt dat vandaan?' vroeg Mireille.

Serge antwoordde niet op haar vraag. 'Die vrouw droeg net

hetzelfde muntstuk aan haar halssnoer. Dat muntstuk kan alleen afkomstig geweest zijn van Dirk. Die vrouw moet zijn minnares geweest zijn.'

Mireille keek Serge enkele tellen verbaasd aan. Toen schudde ze langzaam haar hoofd, trok haar wenkbrauwen op alsof ze was opgehouden zich nog over de dingen te verwonderen en trok Serge opnieuw tegen zich aan. Hopelijk was één bamboebed voldoende stevig voor één nacht.

Ze werden gewekt door enkele bescheiden klopjes op de houten deur van hun hut. Serge was de eerste die reageerde. Het bamboebed had het liefdesspel overleefd maar ze hadden toch het zekere voor het onzekere genomen en waren elk op hun bed ingeslapen. Serge trok een boxershort aan en opende de deur op een kier. Op de cementen drempel stond een teil dampend heet water met ernaast een emmer, een stuk zeep en een versleten handdoek. Toen hij opkeek, zag hij nog net een vrouw verdwijnen tussen de bomen. Hij glimlachte. De mobiele badkamer was afgeleverd, waarschijnlijk werd er nu aan het ontbijt gewerkt.

Het was nog vroeg, de zon stond laag boven de horizon, maar de warmte voelde al weldadig aan op zijn blote torso. Hij keek even om naar Mireille. Hij zag alleen haar krullen uitsteken boven het blauw van haar slaapzak, ze was nog vast in slaap. Uiteraard, dacht hij, zij had gisteravond het meest initiatief aan de dag gelegd. Hij was nog beperkt in zijn bewegingen door de gebarsten ribben. Maar hij had zich toch aardig uit de slag getrokken.

Serge nam de teil en de emmer en verwijderde zich een tiental meter van de hut. De drie spiksplinternieuwe slaaphutten die bedoeld waren voor bezoekers stonden wat apart, aan de rand van het dorp, daar waar de glooiing naar het oosten begon, naar de vlakte van de Ituri rivier. Hoewel het uitzicht werd belemmerd door het struikgewas, kon Serge een deel van de savanne zien, met heel in de verte de schittering van de rivier. Alles leek pas geschilderd in zachte pastelkleuren, kleuren die langzaam zouden verharden naarmate de zon aan kracht zou winnen. Voor de rivier zag hij enkele stippen die donker afstaken tegen de lichtere achtergrond van het broussegras. Antilopen, dacht Serge, misschien wel okapi's. Hij hurkte en plensde handenvol water over zijn hoofd. Dus hierom was Dirk diamantsmokkelaar geworden. Om dit dorp te helpen overleven, dit dorp en zijn okapi's. En om meteen de diamantwerkers aan een menswaardig loon te helpen, ook al betekende dat samenwerken met figuren als Chenge. Misschien was dat wat Dirk had geleerd, dat het geen zin had de dingen met de grond gelijk te maken. Het was beter te laten bestaan wat bestond en dan later hier en daar wat te wrikken tot het beter paste. Later, als de stugge blanke geest iets van de samenhang begon te begrijpen.

Hij hoorde een klik achter zich en draaide zich om. Mireille staarde lachend op het LCD schermpje van haar toestelletje. 'Prachtige foto. Echt waar. Niet omdat jij erop staat, maar omwille van het opspattende water, het tegenlicht, de savanne heel in de verte. Dit is'm. De foto die mijn screensaver wordt.' Ze gooide haar ongekamde krullen naar achter en lachte vrolijk. Serge richtte zich op en lachte mee. Hij was naakt, maar het leek alsof het zo hoorde, alsof in deze omgeving al het andere afbreuk zou doen aan de zuiverheid van het moment. Mireille droeg een panje die ze gisteren had gekregen van een van de vrouwen. Ze had hem hoog opgeknoopt, net boven haar borsten, zodat haar bruinverbrande benen prachtig werden belicht. Ze was goddelijk.

Serge sloeg de handdoek om zijn middel en nam haar in

zijn armen. Toen Mireille zich eindelijk had bevrijd uit zijn omhelzing vroeg ze zacht: 'En, wat doen we?'

'Trouwen natuurlijk,' antwoordde Serge al even zacht, 'trouwen en honderd jaar worden, vierendertig kinderen maken en een huisje bouwen met een kabouter in de voortuin en VTM op tv.' Ze lachten allebei en gingen hand in hand de hut binnen.

'Nee serieus, wat doen we, we weten nu toch alles?' Mireille ging in een van de rieten zeteltjes zitten. Serge zocht zijn kleren bij elkaar en draaide zich om. 'Alles?'

'Ja, we weten waarom Dirk hier verzeild is geraakt, wat de rol van Chenge was en wie Dirk heeft vermoord. Is je missie nu niet volbracht?'

Serge was half aangekleed en ging naast Mireille zitten. 'Ik weet vooral wie Dirk werkelijk was, ik weet waar hij mee bezig was, en ik weet wat hij bedoelde wanneer hij het had over ecotoerisme en wat hij ermee hoopte te bereiken.'

'En, wil jij hetzelfde bereiken? Wil je verdergaan met dit project? Op dezelfde manier als Dirk, door dit dorp op te nemen in een reisprogramma? Denk je dat er een markt voor bestaat?'

Serge keek Mireille aan. 'Dat zijn veel vragen tegelijk. Ik ben ervoor gewonnen, ja. Omdat ik denk dat het belangrijk is. Voor dit volk, voor deze manier van leven.' Hij zweeg even voordat hij verder ging: 'Of er een markt voor bestaat, weet ik niet. Nog niet, die markt kan ik nog altijd creëren. Nee, ik wil ermee doorgaan omdat ik erin geloof.'

Ze bleven elkaar enkele ogenblikken aankijken.

'Ik ook,' zei Mireille eenvoudig.

Nog altijd keken ze elkaar aan, alsof ze bij elkaar wilden meten hoe ernstig ze het meenden.

'Bon,' zei Serge plots, 'dat is dan geregeld.' Hij reikte naar een kledingstuk en ging resoluut verder terwijl hij een t-shirt aantrok: 'Het enige wat me nog dwars zit, is het feit dat die Robert hier nog rondhangt.' Hij leunde achterover en keek peinzend voor zich uit. 'Ik vertrouw die vent voor geen haar. Het zou me niet verbazen dat hij iets te maken heeft met de aanslag aan het Kivumeer. Wat weten we tenslotte over hem?' Hij begon op zijn vingers te tellen: 'Eén: Robert was de rechterhand van Dirk, hij hielp hem bij het organiseren van de reizen.'

'Twee:' ging Mireille verder, 'hij hielp Serge bij het voorbereiden en de uitvoering van deze reis.' Serge trok even zijn wenkbrauwen op en nam weer over. 'Klopt ook, maar is minder belangrijk. Drie: Robert wou niet dat we naar het Kivumeer gingen.'

'Uiteraard,' zei Mireille, 'hij speelt onder één hoedje met Chenge en wil niet dat de diamantsmokkel van Dirk ontdekt wordt.' Serge knikte en telde verder. 'Vier: Chenge repte met geen woord over Robert, maar stelde mij zo ongeveer voor de zaakjes van Dirk over te nemen.'

'Vijf,' zei Mireille, 'Robert hangt nog rond in Afrika, misschien wel hier in Ituri.'

'En zes,' zei Serge opnieuw. 'Hij zoekt geen contact meer met ons.'

'Je vergeet nog dat we Robert actief bezig zagen in de diamantmijn. Zonder Dirk.'

'Dus hij heeft zijn eigen handel.'

'Of hij wil proberen zijn eigen handel op te zetten, zonder jou of Chenge.'

'Zonder Chenge? Hij was degene die ons met Chenge in contact heeft gebracht,' zei Serge. 'Hoe kan je hier iets in de diamantsector doen zonder medeweten van Chenge? Dan kan je net zo goed je houweel gebruiken om je eigen graf te delven in plaats van naar diamanten te zoeken, zoveel heb ik er intussen wel van begrepen.'

Ze zwegen en zaten even in gedachten verzonken.

'Er zit niks anders op,' zei Serge peinzend.

'Wat?' vroeg Mireille.

'We gaan terug naar Chenge.'

Mireille zweeg.

'We gaan terug naar Chenge,' herhaalde Serge. 'We vragen het hem gewoon. Als ik Dirks project wil verder zetten, moet ik ook zijn plaats innemen in de diamanthandel. Ik moet Chenge opzoeken, om zijn toestemming en om de details van de handel te regelen. Ik neem aan dat ik dat niet met onze vriend Chitambo kan doen. Als ik zeg dat ik akkoord ga om de smokkelroute in stand te houden, zal Chenge misschien ook wat inschikkelijker worden en kan hij ons uitleggen of er nog plaats is voor Robert. Misschien weet hij wel waar die uithangt.'

Mireille streek haar krullen uit haar gezicht en schudde haar hoofd. 'Of we rijden van hier naar Kisangani, nemen het vliegtuig naar België en vergeten de hele zaak.'

'Nee', zei Serge onmiddellijk, 'Chenge zal ons nooit simpelweg laten terugkeren. We weten te veel. Als hij gifslangen gebruikt om ons schrik aan te jagen, is hij tot nog veel andere dingen in staat. Misschien zelfs ons het zwijgen opleggen.' Het was even stil. 'Bovendien is Dirk dan voor niks gestorven. Dan valt alles wat hij hier heeft proberen op te zetten in duigen. Nee, ik zet zijn werk verder. Volledig. Met de opbrengst van de diamanten kunnen we nog heel wat meer doen dan hutten bouwen. De arbeidsomstandigheden in de mijn verbeteren, om maar iets te noemen. Nee, we beginnen eerst op Dirks en Chenge's manier, we zullen later wel zien hoe we dit op een meer ordentelijke manier kunnen aanpakken.'

'We?' vroeg Mireille.

'Ja. We. Jij wil dit even erg als ik.'
Ze keken elkaar aan en glimlachten.

La descente

Het halve dorp stond verzameld rond de Landcruiser toen ze enkele uren later klaar waren om te vertrekken. Chitambo was verontwaardigd dat ze slechts zo kort van zijn gastvrijheid gebruik wilden maken maar hij draaide bij toen ze hem de reden van hun haastige vertrek meedeelden. Ze wilden met Chief Chenge bespreken hoe ze de financiële steun aan het dorp konden verderzetten. Chitambo mompelde nog iets over de blanke man die alles kon vervaardigen behalve tijd, maar hij ging toch mee om hen uit te wuiven. Ze verzekerden hem dat ze snel zouden terugkomen en dat ze dan langer zouden blijven, misschien al samen met een groep bezoekers.

Geoffrey zat weer achter het stuur. Net zoals in Mambasa, had hij ook hier kennissen gevonden, verre familieleden bij wie hij de nacht had doorgebracht. Hij leek even erg van het verblijf bij Chitambo te hebben genoten als Serge en Mireille. Maar zodra Serge hem had ingelicht dat ze vandaag nog terug naar Chenge wilden, nam hij opnieuw zijn taak op als trouwe bediende. Op zijn eigen rustige, efficiënte manier laadde hij de Landcruiser, dook onder de motorkap om olie en koelwater te controleren en installeerde zich op de chauffeurszetel. Serge nam plaats naast hem, ze gordden beiden hun veiligheidsgordel om. Mireille zat achteraan. Ze nam nog een laatste kiekje van Chitambo te midden van zijn clan. Chitambo, met zijn bijziende ogen en zijn gebarsten bril, zwaaide met zijn wandelstok hoog in de lucht ten teken van afscheid.

Geoffrey herinnerde zich later niet meer precies wanneer hij had gevoeld dat er iets mis was met de wagen. Was het nog op het plateau, toen ze langzaam tussen de acacia's laveerden en hij af en toe moest remmen om van richting te veranderen? Of was het pas toen ze al aan de lange afdaling begonnen die naar Mambasa leidde. Toen kreeg hij meer snelheid op het zand-pad dat zich naar beneden slingerde, nu eens tussen lage dorenstruiken, dan weer tussen de knoestige stammen van de *masasa* bomen. In alle geval had hij onherroepelijk geweten dat er iets grondig fout was toen ze een zanderig stuk oversta-ken en hij naar derde versnelling ging, maar moest remmen voor een bocht. Hij duwde het rempedaal in maar het leek alsof hij in een spons trapte. Het pedaal bood nauwelijks weerstand, en de wagen verminderde geen snelheid. Nog had hij de wa-gen onder controle, maar hij voelde van opzij de vragende blik van Serge. Hij had geen tijd om zijn bezorgdheid te uiten, de afdaling ging onverminderd verder. Ook Serge zei niets, hij staarde met schrikogen voor zich uit en greep het dashboard voor zich.

De flauwe bocht werd gevolgd door opnieuw een strook van los zand, die nog steiler naar beneden ging. Hij trachtte naar tweede versnelling terug te schakelen maar de wagen had al te veel snelheid. De motor gierde, hij hield zijn rechtervoet nu continu op het rempedaal maar in plaats van vaart te min-deren ging het steeds sneller. Ze raakten van de weg af, Mireille gilde, Geoffrey slaagde er nauwelijks in om de Landcruiser rechtop te houden op het oneffen terrein. Ze hotsten en bonk-ten de helling af. Geoffrey trachtte met zijn rechterhand de handrem aan te trekken, maar moest daarvoor het stuurwiel met één hand lossen. Ze bonkten met het rechtervoorwiel te-gen een rotsblok dat hij niet meer kon ontwijken. De rechter-kant van de Landcruiser werd naar boven gekatapulteerd als een skiër op een schans. De wagen belandde op zijn linkerzij en tolde om zijn lengteas, bonkte op de andere zij en gleed verder de helling af. In zijn vaart sleurde hij struiken en boompjes mee, tot hij met het achterste deel tegen een robuuste *masasa* van een halve meter doorsnede aanknalde, die er zich doorheen boorde als een blikopener door een sardienenblik. Het voorste deel maakte nog een halve cirkel tot ook de cabine tegen een boom aanklapte, twee meter verderop.

De stilte die volgde op het snerpende krijsen van metaal op metaal werd alleen nog uit elkaar gereten door de masasa boom die krakend omviel, afgeknapt net boven het niveau waarop de Landcruiser was ingeslagen.

Toen werd het helemaal stil.

Ile Afrique (2)

Robert nipte van zijn Primus en staarde verveeld naar het podium. De rastaman leek opnieuw zijn best te doen om zijn ledematen los te schroeven van zijn onderlichaam. Gelukkig bleven de details hem bespaard, de verbindingen zaten verborgen achter zijn gitaar.

Het binnenplein van het hotelletje was afgeladen vol. De meute leek maar niet genoeg te krijgen van de *kwasa-kwasa* die alweer de hele avond door de luidsprekers galmde. Of gonsde, of blèrde, in alle geval voor lawaai zorgde.

Robert boog zich naar de Afrikaanse die aan zijn tafeltje zat en schreeuwde in haar oor: 'Vind je dit nog leuk, Kate? Ik wil hier weg, naar de bar, ik heb het wel gehad voor vanavond.'

Kate lachte alsof hij een kostelijke grap had verteld en stond op. Robert had een prachtig zicht op de peilloze diepten van haar navel, netjes gecentreerd tussen haar vuurrode ceintuur en de onderrand van haar truitje. Hij stond ook op, sloeg een arm om haar middel en troonde haar mee langs de paviljoentjes, in de richting van de bar. Er was iets minder lawaai, maar het was er minstens even druk. De *Lubumbashi stars* hadden hun reputatie gevestigd. Elke week leek het hotelletje iets meer uit zijn voegen te barsten. Robert gebaarde Kate te wachten onder een shelter waar het wat rustiger was en wurmde zich naar de bar om twee Primus. Toen hij zwetend terug kwam, toastten ze elkaar toe en dronken gulzig van hun flesje.

'Dus je denkt dat het mogelijk is?' Robert keek Kate vragend aan. Hij verplichtte zichzelf ter zake te komen. Kate was onweerstaanbaar met de dikke vlechten die ze plat tegen haar hoofd droeg en die haar gave gezicht iets voornaams gaven, iets uitermate verzorgds. Heel anders dan wanneer ze lange loshangende kunstvlechten had, zoals de meeste prostituees en zoals vorige week toen ze hier waren met de groep, net voor die uit elkaar was gegaan. Ze had aangenaam verrast geklonken toen hij haar deze morgen had opgebeld om een afspraak te regelen voor vanavond. Ze had hem pas over zes maanden terug verwacht. Ze hadden al een aantal leuke avondjes met elkaar doorgebracht. Daarom wou hij eerst de zaken afhandelen, daarna konden ze zich aan elkaar wijden.

'Ja, natuurlijk is het mogelijk. Ik ken Chenge toch. Hij neemt hier altijd dezelfde kamer.'

'En jij kent die kamer?'

Kate sloeg haar armen rond Roberts hals en fluisterde in zijn oor: 'Ik ken hier elke kamer, schatje, dat zou jij toch moeten weten.'

Robert drukte haar even tegen zich aan, maar voordat hij zich liet bedwelmen door haar indringende parfum vermengd met die flauwe zweetgeur die hij alleen van Congo kende, duwde hij haar weer van zich af. 'Als je Chenge op die manier probeert te verleiden zal het niet lukken Kate. Je zult iets omzichtiger te werk moeten gaan.'

Kate keek hem eerst quasi beledigd aan maar plooide dan haar lippen in een glimlach. 'Wees gerust liefje, ik ken mijn vak. Chenge komt zijn kamer niet meer uit, ik hou hem wel bezig. Zorg jij maar voor de rest.'

Robert dronk zijn flesje leeg en keek Kate aan. Hij twijfelde niet aan haar woorden. Het had hem weinig moeite gekost haar te overtuigen mee te werken. Het was niet de eerste maal dat ze tijdelijk een samenwerkende vennootschap vormden. Het hotelletje was een van de weinige oorden van vertier waar meer te krijgen was dan palmwijn en een bord maniok. Dat wisten ook de *comptoirs* en de *négocieurs* van de omgevende diamantmijntjes. Kate wist altijd precies wie een grote slag had geslagen. Indien zij er al niet zelf van meeprofiteerde, dan wist ze wel via haar netwerk wie geld te spenderen had. Of wie nog op zoek was naar een koper van ruw materiaal. Robert had al een paar maal de rol van *négocieur* op zich genomen en het ruwe diamant toegevoegd aan het materiaal dat hij met Dirk het land uitsmokkelde.

Kate tikte met haar lege flesje tegen het zijne. 'Dus je blijft bij je eerste voorstel? Tweehonderd dollar?'

Robert schoot in een lach. 'Kate, ik ken de tarieven. Tweehonderd dollar voor een avond is zeer ruim betaald. Zelfs voor topklasse zoals jij. En je zult ongetwijfeld nog wat aan Chenge ontfutselen.'

Kate vlijde zich opnieuw tegen hem aan. 'En wat vang jij?' Ze streelde zijn hals en daalde af naar zijn openstaande hemd. Robert voelde de begeerte in zich opkomen maar plaatste haar hand op zijn heup, dat leek hem voorlopig een veiliger plaats. Ze keek hem aan met ogen die hem deden denken aan impala's, donker en groot en te onschuldig om echt te zijn. 'Dat weet ik nog niet liefje, maar wees gerust, als alles goed verloopt zorg ik dat jij er ook je deel van krijgt. Maar niets voor niets.' Nu was het zijn beurt om het satijn te beroeren van haar wang, langs de volmaakte curve van haar hals en de beginnende welving van haar borst, tot ze zijn hand pakte en die op haar heup plaatste. 'Niets voor niets Robby, en wordt het geen tijd voor nog een Primus?' Robert grijnsde en knikte. Hij nam haar lege flesje aan en wrong zich opnieuw tussen de menigte in de richting van de bar.

Na zijn nachtelijke tocht naar Chitambo's dorp was hij hierheen gekomen en had zijn plan vorm gekregen. De hoteluitbater had hem verwonderd aangekeken toen hij hem terugzag, ook hij had hem pas over enkele maanden terugverwacht. Hij had hem gevraagd of hij Chenge misschien wou spreken, want die was net ingecheckt. Robert had gedaan alsof hij dat wel wist, maar hij had een kamer gevraagd aan de andere kant van het hotel. Hij wist wat het betekende als Chenge zijn intrek nam in *Ile Afrique*. Hij kwam zaken doen, zien of er ruwe diamanten te rapen vielen. Robert had onmiddellijk aan de mogelijkheden gedacht nu hij was afgewezen door Chenge. Misschien kon hij de smeerlap een en ander betaald zetten. Maar hij moest voorzichtig zijn. Kate was de perfecte handlanger om enige voorzichtigheid te garanderen. Chenge bleef nog twee nachten, dat wist hij van de hoteluitbater. Morgenavond wou hij doen wat hij zich had voorgenomen, dan zou Chenge's kluis bij de balie het resultaat bevatten van twee dagen onderhandelen, makkelijker kon niet. In die tussentijd moest hij ervoor zorgen dat Chenge hem niet in het vizier kreeg.

Hij rekende af, royaal te veel. Hij gaf de barman een teken dat hij het wisselgeld kon houden.

Hij kon nu maar beter verdwijnen in zijn kamer. Met enkele flessen Primus en met Kate, om de details te regelen.

Kate

Kate wachtte tot Chenge zijn servet naast zijn bord legde, behaaglijk achteroverleunde, boerde, en op zijn gemak de gelagkamer rondkeek. Toen zijn ogen even op haar bleven rusten, wandelde ze quasi nonchalant naar zijn tafeltje en nam ongevraagd plaats. Ze droeg een strakke jeans en een roodleren jasje dat nauw aansloot rond haar taille maar dat verder vooral bedoeld was om haar boezem te accentueren. Daar slaagde het moeiteloos in. Chenge keek haar zonder verpinken aan. Kate keek zonder verpinken terug.

'Dag meneer Chenge, dat is lang geleden.' Chenge antwoordde niet. Hij trommelde met zijn vlezige vingers op tafel en keek haar nog altijd onbewogen aan.

'In de *Ile Afrique* valt er nochtans altijd wel iets te beleven, dat weet u beter dan wie ook, nietwaar? Gisteren was er een fantastisch concert van de *Lubumbashi Stars*. Ik heb u niet gezien, maar ik ben er zeker van dat u ervan genoten hebt. Of was u te druk bezig met zakendoen?' Ze lachte haar meest verleidelijke lach, haar hoofd een beetje schuin, ze tuitte haar mond, bracht haar lippen naar binnen als om haar lippenstift beter te verdelen en bracht tot slot het puntje van haar tong net zichtbaar naar buiten. Chenge kneep zijn krokodillenogen tot spleetjes en snoof even. 'Ik had inderdaad een en ander te regelen gisteren en vandaag. Maar vanavond heb ik besloten wat te relaxen.' Chenge sprak hees en traag, terwijl hij Kate bleef aankijken. 'Kan ik je iets aanbieden? Ik ben aan de koffie toe, misschien wil je ook wel een kopje?' Zonder haar antwoord af te wachten wenkte hij de kelner.

'Twee koffie en één whisky graag, tenzij de juffrouw meedrinkt?'

'Twee whisky graag,' zei Kate terwijl ze de kelner even aankeek.

Chenge's gezichtsuitdrukking veranderde. Hij glimlachte even en stopte met trommelen. Kate legde onbeschaamd haar hand op zijn handrug en streek met haar duim over de donkerrode robijn van zijn ring. Hij liet haar begaan.

'Prachtig juweel,' zei ze zacht. 'Misschien moest u ook maar eens aan mij denken wanneer u zaken doet. Ik heb gisteren nog met iemand gesproken die u zou kunnen interesseren.' Chenge leunde onmiddellijk voorover en vouwde zijn handen voor zijn kin. 'Een *négocieur*?'

Kate lachte schamper. 'Nee, die laat ik over aan mijn collega's, en ik wist niet dat u zich inliet met *négocieurs*.' Chenge draaide aan zijn ring en keek haar aan met zijn afwachtende krokodillenblik. Ze keken gelijktijdig op toen de kelner de bestelling bracht. 'Alleen de koffie,' zei Chenge. 'We zijn van idee veranderd, u mag onmiddellijk een fles whisky naar mijn kamer brengen, met ijs.' Kate glimlachte en nipte van de koffie terwijl ze Chenge aankeek boven de rand van haar kopje. Hij keek onverschillig terug en slurpte luidruchtig van het zwarte vocht.

Kate knipte het lampje aan boven het tweepersoonsbed en installeerde zich in een van de namaakleren zetels bij de toilettafel. Het interieur leek afkomstig uit een film uit de jaren zeventig. Alleen had alles ruim dertig jaar langer dienst gedaan. De meubels, de bedsprei, het vloerkleed, alles was verschoten en vaal, opgeleefd. Het plastic van de lampjes en de ene stoel was gekreukt en het eens helle oranje had alle glans verloren. Er hing een muffe geur, met een flauwe reuk van boenwas. Dit was de suite, de beste kamer van het hotel. Dat betekende dat er een tv stond, en dat de kamer enkele vierkante meters groter was dan de andere.

'Wat wou je me zeggen Kate?' Chenge installeerde zich wijdbeens in de andere zetel, knoopte zijn jasje los en liet zijn armen rusten op de afgesleten armleuningen. Zijn favoriete houding.

'Dingen die u kunnen interesseren.'

'Hoeveel wil je?'

'300 dollar.'

'Dan moet het me wel heel erg interesseren.'

'300 dollar, tenzij u een veelvoud wilt verliezen.' Chenge's gezichtsuitdrukking veranderde van hautain-onverschillig naar hautain-geïnteresseerd. Hij greep de whiskyfles en schonk twee glazen in. Hij gebaarde Kate een glas te nemen en toastte haar toe. Ze nipten zwijgend van de Black Label. Chenge smakte goedkeurend, knikte even en keek Kate opnieuw aan. Hij knoopte zijn das los maar liet hem rond zijn massieve nek hangen.

'Oké', zei hij, 'maar je blijft vannacht hier.'

'Ik weet niet of u dat nog zult zeggen als u hebt gehoord wat ik u wil vertellen.' Kate deed haar jasje uit en gooide het op het bed. Ze droeg een nauwsluitend zijdeachtig topje met een bestudeerd brede halsuitsnijding, zodat de bandjes van haar rode bh net zichtbaar waren rond haar schouders. Ze leunde achterover en plooide haar handen in haar nek. Chenge's ogen vernauwden zich opnieuw. Kate gooide haar benen over elkaar en bestudeerde nu zorgvuldig haar nagels, op haar gezicht lag al een halftriomfantelijk lachje. Chenge tastte naar de binnenzak van zijn vest en haalde zijn portefeuille tevoorschijn. Hij haalde er twee honderddollarbiljetten uit. 'Hier, de rest krijg je als ik je gehoord heb.' Kate bukte zich naar hem toe en griste de biljetten uit zijn hand. Ze bekeek ze even aandachtig, vouwde ze overlangs, liet ze tussen haar wijs- en middelvinger glijden, keek Chenge aan vanonder halfgeloken oogleden en stopte het geld in haar jeans.

'Er verblijft een blanke in het hotel,' zei ze neutraal. 'Robert is zijn naam.' Chenge zei niets. Hij liet de ijsblokjes zacht tikkende geluidjes maken tegen de rand van zijn glas. Hij begon met zijn vlezige vingers op de rand van de armleuning te trommelen en schudde bijna onmerkbaar zijn hoofd. Kate wist dat ze beet had.

'Hij is geïnteresseerd in diamanten.'

Chenge zuchtte diep. 'Dat zijn we allemaal.' Hij zei het bijna klagend, alsof het om een zware last ging die hij nauwelijks nog kon torsen. Kate knikte nadenkend.

'Dat zijn we allemaal, inderdaad. Alleen raken sommigen er makkelijker aan dan anderen.' Ook zij zuchtte. 'Deze Robert lijkt een makkelijke manier te hebben ontdekt.'

'Die wil ik dan wel horen. Ik ken geen makkelijke manieren, ik ken alleen hard werken, onderhandelen en risico's nemen. Alleen op die manier raak je ergens in deze business.'

'Of door te profiteren van het harde werk van anderen, de markt te monopoliseren en iedereen op te ruimen die in de weg loopt.' Chenge deed of hij haar niet had gehoord.

'Of door de stenen simpelweg te halen waar ze liggen opgestapeld. In een hotelkluis bijvoorbeeld,' ging Kate verder.

Chenge bracht zijn handen naar elkaar toe en draaide aan zijn ring.

'In een hotelkluis bijvoorbeeld,' herhaalde hij. 'En dat is die Robert van plan, mijn kluis leeg te roven? Wou je me daarvoor waarschuwen?'

'Niet waarschuwen, u alleen inlichten.'

'Wanneer?'

'Vannacht. Terwijl ik bij u ben.'

Chenge's blik werd koud als ijs. Hij nam zijn glas en goot het in één teug leeg in zijn mond. Hij schonk zich onmiddellijk opnieuw in.

'Hoe weet hij dat er diamanten in mijn kluis zitten?'

'Dat weet iedereen.'

'En hoe denkt hij die kluis open te maken?'

'Hij heeft geld. Veel geld. Hij is blank. En hij kent de hoteluitbater, het is niet de eerste keer dat hij hier komt. Ik weet niet hoe safe uw safe nog is als er iemand met harde dollars wappert.' Kate lachte een harde lach, haar mond wijd open, een donkerrode holte in haar fijnbesneden gezicht. Ze leek van haar machtspositie te genieten.

Chenge zweeg lange tijd. Hij draaide met zijn glas en keek voor zich uit. De kilheid in zijn ogen was nog niet geweken, maar zijn blik stond naar binnen gekeerd, hij leek de informatie die hij net had gekregen van alle kanten te bekijken en af te tasten om te zien wat hij ermee aan moest. Als een hond die een been toegeworpen kreeg en nog niet wist of hij er zijn tanden zou in zetten. Opnieuw dronk hij zijn glas leeg. Toen hij de schroefdop van de vierkante fles draaide was de uitdrukking op zijn gezicht veranderd. De kilheid had plaats gemaakt voor een zweem van tevredenheid. Hij leek bijna te glimlachen. Hij werd zich opnieuw bewust van Kate's aanwezigheid en keek haar aan. 'Drink je whisky op', zei hij, 'hij wordt warm.' Hij haalde zijn gsm uit zijn jaszak en begon verrassend snel op de toetsen te tokkelen. 'Ik ken nog een blanke', mompelde hij, opnieuw tot zichzelf, 'misschien is het beter dat we dit alles overlaten aan henzelf. Stamgenoten onder elkaar. Eens zien wat dat geeft.' Hij verdiepte zich opnieuw in zijn mobieltje.

Na een tijdje hield hij op, stak zijn gsm weg, haalde opnieuw zijn portefeuille boven en haalde er een honderddollarbiljet uit.

'Kleed je uit,' zei hij.

Wireless (4)

'Kom naar *Ile Afrique*. Wil je dringend spreken. Robert is hier.'

Serge staarde ongelovig naar zijn gsm. Hij zat op de rand van zijn bamboebed en was alleen.

Robert was in Mambasa, slechts enkele tientallen kilometers van het dorp van Chitambo. Als die schurk in zijn opzet was geslaagd had hij geen enkel bericht nog kunnen lezen. Hij dacht terug aan het ongeval. Hij en Geoffrey waren er vanaf gekomen met schrammen en builen, hun veiligheidsgordel had hen gered. Maar Mireille bloedde uit enkele diepe glassneden in haar bovenbenen en ze kon één arm niet bewegen. Geoffrey was naar het dorp van Chitambo gerend en was teruggekomen met de pick-up en enkele jonge kerels. De pick-up die Dirk had gefinancierd. Ze hadden Mireille zo goed en zo kwaad als mogelijk de eerste hulp toegediend en waren naar het dorp gereden.

Chitambo toonde zich opnieuw van zijn meest ondernemende kant. Hij zei weinig toen hij zag hoe ze eraan toe waren, hij schudde alleen maar zijn hoofd, zei voortdurend dat dit nu eenmaal gebeurde en gaf intussen in zijn eigen taal bevelen aan de dorpelingen die rond de pick-up waren samengestroomd. Mireille was bij bewustzijn, wat ze kortstondig had verloren onmiddellijk na het ongeval. Ze zag bleek, ze lag ineengedoken op de achterbank van de double-cab, haar hoofd op Serges schoot. Hij had geprobeerd zo goed en zo kwaad als dat ging haar arm tegen de hevigste stoten te beschermen tijdens het terugrijden. Daar was hij maar ten dele in geslaagd, zag hij aan de verbeten trek om haar mond en de tranen die in haar ogen stonden als ze die, van pijn vertrokken, af en toe opende.

In twee tellen stond er een geïmproviseerde brancard van bamboe naast de wagen, en werd Mireille door behulpzame handen ondersteund en uit de wagen getild. Ze liet zich gewillig toedekken, ze rilde als een riet toen ze op de brancard lag, ook al moest het dertig graden zijn in de schaduw. Serge wilde haar vergezellen, maar Chitambo hield hem tegen met zijn wandelstok.

'Er wordt voor haar gezorgd, jongen, wees gerust. Hoe is het met jullie, mankeren jullie niets?' Serge schudde zijn hoofd en keek naar Geoffrey. 'Hier en daar wat kneuzingen,' zei die, 'niks ergs.' Geoffrey keek langs Chitambo, pauzeerde even en zei toen snel, alsof hij er zich voor schaamde: 'De wagen was gesaboteerd. De remleiding was doorgeknipt.' Chitambo keek hem aan maar zei niets. Alleen leek de bezorgdheid uit zijn gezicht plaats te maken voor hardere trekken die ze nog niet bij hem hadden gezien. Hij gebaarde hem te volgen en ging hen voor naar de parapluboom. Ze namen plaats op de banken. Ze wachtten tot Chitambo zou spreken.

'Er is niemand van mijn volk die zo'n laaghartige streek zou uitvoeren. Je doodt de leeuw niet door de brousse in brand te steken, je doodt de leeuw door een speer door zijn hart te boren. Als je zeker bent van wat je zegt, Geoffrey, zul je de dader elders moeten zoeken, niet in de kraal van Chitambo.' Hij had zijn stem niet verheven. Zijn oude ogen stonden ernstig, hij keek geen van beiden aan terwijl hij sprak, in plaats daarvan keek hij uit over de vallei van de Ituri.

Geoffrey keek naar het zand onder zijn voeten. 'Ik beschuldig niemand, oude man, ik zeg alleen wat ik heb gezien. De remleiding onder de motorkap was doorgeknipt. De deursloten waren intact.'

Chitambo antwoordde niet, hij staarde nog altijd over de vlakte, in zichzelf gekeerd.

Serge ging nu verder: 'De man die de auto heeft gesaboteerd heeft dat gedaan tijdens de nacht van het feest. Hij heeft daarvoor de motorkap opengemaakt, waarschijnlijk zonder het slot te forceren. Hij heeft simpelweg de motorkap ontgrendeld van binnenuit.'

'Met andere woorden: hij had een sleutel,' zei Geoffrey.

'Er was maar één persoon die een reservesleutel had: Robert. Ik heb er niet aan gedacht hem terug te vragen toen we zijn opgesplitst.'

Ze zwegen alle drie. Serge en Geoffrey staarden naar de grond, Chitambo had niet opgehouden met in de verte te staren, zijn handen gevouwen op de kunstig bewerkte kop van zijn wandelstok. Toch was hij het die de stilte verbrak. Hij richtte zich tot Geoffrey: 'Je kunt de pick-up nemen, jongen. Als de vrouwen Mireille hebben geholpen, kun je haar naar Kisangani brengen, ze heeft doktershulp nodig. Leg matrassen op de achterbank, zodat ze comfortabel ligt, er zullen enkele vrouwen meerijden, om haar te ondersteunen. Dat is het beste wat we kunnen doen. Ze heeft pijn, maar ze overleeft het wel.' Hij wendde zich tot Serge: 'Je broer is gestorven omdat hij ons wou helpen. We weten niet door wie, we weten niet waarom, anders was zijn dood al lang gewroken. Jij weet wie jou trachtte te vermoorden. Een buffel die niet bang is om te vechten, herken je aan zijn littekens. Doe wat je moet doen.' Hij stond op en ging langzaam weg. Het helse tropenlicht dat hem bijna verpletterde toen hij uit de schaduw van de boom trad, leek hem absoluut niet te deren.

'Kom naar *Ile Afrique*. Wil je dringend spreken. Robert is hier.'
Serge staarde naar het bericht van Chenge. Hij haalde diep
adem en voelde nauwelijks de pijn van de ribfracturen. Zijn
ongeloof had plaats gemaakt voor kille woede. Hij hoefde zich
niet langer af te vragen waar Robert zich ophield, Chenge had
hem net het antwoord gegeven. Waarom hij hem dringend wou
spreken kon hem nu niet schelen, hij wist wat hem te doen
stond.

Hij drukte de gsm uit, stak hem in zijn zak en kleedde zich
aan.

Touch the wild (2)

Robert stond er zelf versteld van hoe makkelijk het gegaan was.
Dat met geld veel te bereiken was, wist het kleinste kind, maar
hier kreeg je niks gedaan zonder geld. En met geld alles. Cor-
ruptie werd dit genoemd. Hij kende er alles van. In de bossen
waar zijn vader de plak zwaaide, hingen de jachtvergunningen
vooral af van de dikte van de enveloppe die de jagers in de handen van de boswachter duwden. Hij had hetzelfde geprobeerd
in Congo en ontdekt dat het werkte. Dollarbiljetten maakten
dat deuren opengingen of, als dat beter uitkwam, gesloten bleven. Hij grinnikte toen hij aan Kate dacht. Die zou zich nu ongetwijfeld uitsloven om die vetzak alle hoeken van zijn kamer
te laten zien. In het beste geval kwam hij nooit meer uit zijn
bed, het zou een hoop dingen eenvoudiger maken. Even zag
hij het beeld voor zich van Chenge die naakt op zijn hotelbed
werd gevonden, op zijn rug; en Kate, die snotterend het verhaal deed hoe zij boven op hem zat, hoe hij plots naar adem
snakte, hoe zij dacht dat ze hem eindelijk had waar ze hem

hebben wou, hoe hij even later kreunde, dan niet meer kreunde en uiteindelijk ook niet meer bewoog.

Robert lachte zacht terwijl hij verder ging met het bijeen-zoeken van zijn spullen. Plots hield hij op en ging op de rand van het bed zitten. Hij nam een buideltje uit zijn broekzak en schudde enkele ruwe stukjes matglanzend materiaal in zijn handpalm. Hij bekeek ze aandachtig bij het licht van zijn nacht-lampje. Hij was geen expert, maar als deze steentjes in de kluis van Chenge zaten waren ze geld waard. Waar hij wel expert in was, was hoe ze dit land uit te smokkelen. In Antwerpen had hij nu een adres; het adres van Van Heerde. Het had hem veel geld gekost om via de hoteluitbater deze steentjes te bemach-tigen maar hij betrouwde op Van Heerde. Als eerste kennis-making kon dit tellen, hij zou wel zorgen dat de investering werd terugverdiend.

Hij liet de diamanten opnieuw in het zakje glijden en greep naar zijn Primus op het gekraste formica klaptafeltje dat als nachttafel dienst deed. Naast het bierflesje lag zijn glanzend zwarte .45. Robert stak het zakje met de diamanten in zijn safarivest en nam de revolver op. Hij bekeek hem bijna even aandachtig als de diamanten even voordien. Op zijn gezicht lag een uitdrukking die kon doorgaan voor vertedering. Even dacht hij aan zijn vader, het slaafje van de heren jagers. Hij zou niemands hielen likken. Niet die van Serge, en zeker niet die van Chenge.

Hij stond op en stopte het wapen tussen zijn broeksriem. Tijd om te vertrekken. Chenge zou het niet in zijn hoofd halen om midden in de nacht zijn kluis te controleren maar je wist maar nooit. Kate zou hij later wel vergoeden. Misschien in België.

Serge probeerde de mannen te volgen die hem voorgingen door de brousse. Daar had hij alle moeite mee, zijn longen leken nog altijd niet in staat te zijn de nodige hoeveelheid lucht te verwerken. Bovendien zag hij nauwelijks iets terwijl hun ogen elk sprankeltje licht dat door het gebladerte van het woud sijpelde, leken op te vangen. Serge probeerde zich te concentreren op de naakte voetzolen van zijn voorganger, die hij ritmisch zag oplichten enkele meters voor hem uit. Zelfs dat lukte niet. Af en toe moest hij hen aanmanen hun pas in te houden. Wat beide jongemannen telkens onmiddellijk deden, verwonderd omkijkend naar de blanke die achter hen aanstrompelde en die ze via de kortste weg naar hotel Ile Afrique moesten brengen, zo had Chitambo hen bevolen. Ze droegen alleen shorts en waren verder naakt.

Het zweet liep in straaltjes van Serges gezicht en rug. Hij dacht aan Mireille, zoals ze daar lag, hulpeloos in de pick-up waarmee Geoffrey haar naar Kisangani zou brengen, bijgestaan door de vrouw met de amulet. Hij had haar niets verteld van de sabotage van de wagen maar had beloofd haar achterna te reizen zodra hij Chenge had gesproken. Ze had in zijn ogen gekeken en niets meer gevraagd. Toen hij het bericht had gekregen waar Robert zich ophield was ze al vertrokken.

Ondanks de hevige inspanning van de geforceerde mars en het voortdurend zoeken naar het ademhalingsritme waar hij niet te veel pijn bij had, was hij inwendig rustig. Hij wist dat hij een gevaarlijke keuze had gemaakt, maar er was geen compromis mogelijk. Geen discussie meer, geen franjes. Zwart of wit, zoals de nacht die hem omgaf en de volle maan die pijn deed aan zijn ogen als ze een open stuk savanne overstaken. Dirk had hetzelfde gedaan. Voluit leven of helemaal niet.

Het pad werd eindelijk breder en begon steeds meer op een weg te lijken. Plots hielden zijn metgezellen halt en wezen in de diepte. Enkele honderden meters verder zag Serge de contouren van het hotel waar hij twee weken geleden had verbleven. Daar had hij Robert voor de laatste maal gezien. Vanuit dat hotel had hij nu de sabotage van de Landcruiser voorbereid. Serge voelde geen vermoeidheid en knikte naar de Congolezen ten teken van afscheid. De Afrikanen keerden zich om en vatten de terugweg aan. Ze hadden gedaan wat Chitambo hen had opgedragen. Serge stapte zonder nog om te zien in de richting van het hotel.

De deur bezweek bijna onmiddellijk onder de druk van de schouders van de man die binnenstruikelde, bijna binnenviel, zich omdraaide en in de loop van de revolver van Robert keek.

'Serge!?' Roberts mond viel open van verbazing, maar hij hield zijn wapen op Serges voorhoofd gericht terwijl hij de deur toetrapte.

Serge was bleek en afgemat, zijn haar plakte tegen zijn bezwete voorhoofd. Hij had gedacht Robert te verrassen in zijn slaap maar hij trof hem klaarwakker aan, en gewapend bovendien.

Ze keken elkaar enkele seconden verbijsterd in de ogen.

Serge was de eerste die zich min of meer herstelde. 'Leg dat wapen neer.'

'Waarom zou ik? Jij trapt de deur van mijn kamer in, je ziet eruit als een wildeman en ik zou me niet mogen verdedigen?'

'Het lijkt alsof je hier met je wapen klaarstond. Verwachtte je iemand anders?'

'Dat gaat je niet aan.'

'Leg je wapen neer. Ik weet alles.'

'Jij weet niets.'

'Je hebt de Landcruiser gesaboteerd.'

Robert zweeg maar gebaarde naar Serge dat hij moest gaan zitten. Hijzelf ging met zijn rug tegen de deur staan.

'Jij hebt de Landcruiser gesaboteerd,' herhaalde Serge. 'Je wou me dood, net als mijn broer. Was jij het die met de boot van Dirk heeft geknoeid?'

'Ik heb niks te maken met de dood van je broer. Dirk werd vermoord door de Ugandezen. Of de Rwandezen, of weet ik veel welke bandieten er nog rond het Kivumeer lopen. Hij mengde zich in te veel zaakjes. Dacht waarschijnlijk dat hij heel Congo uit het slop moest halen.'

'Dat je zijn boot hebt gesaboteerd, kan ik niet bewijzen, maar wel dat je de remleiding van de Landcruiser hebt doorgeknipt. Je was de enige die een sleutel had, het slot was niet geforceerd. En wat doe je nog in Congo?'

'Gaat je niks aan. Wie denk je nog iets te bewijzen? Je komt deze kamer niet meer uit.'

'En wat ga jij doen? Chenge's diamanten terugleggen waar je ze gestolen hebt?' Robert toonde voor het eerst tekenen van nervositeit.

'Wat weet jij over Chenge's diamanten?'

'Alles.'

'Wat heeft die schoft je wijsgemaakt?'

'Niets. Hij heeft me simpelweg een bericht gestuurd. Een telefoontje was voldoende om alles te weten te komen. Blijkbaar is het vriendinnetje dat je op hem had afgestuurd niet zo'n goed vriendinnetje.'

Robert werd bleek. Hij omknelde steviger de kolf van de revolver en kwam naderbij. 'Je kunt zeggen wat je wil vriend, deze keer deel ik de lakens uit. Chenge is een schurk. Je weet niet half waartoe hij in staat is. Hij heeft me opdracht gegeven je uit te schakelen, weet je dat?'

'En je bent daar niet in geslaagd. Bedoel je de slang in de missie? En wat ga je nu doen? Toch nog een kogel door mijn hoofd jagen zodat heel het hotel op stelten staat? Denk na man, of laat het denken aan mij over, dan kom je hier misschien nog levend weg.'

Hij zag de onzekerheid in Roberts ogen toenemen. Serge had er geen flauw idee van hoe hij hieruit moest raken. Al wat hij wist, was dat hij tijd moest winnen. Robert was gevaarlijk, dat wist hij sinds het ongeval met de Landcruiser. Voor diamanten, voor het alleenrecht van de diamantsmokkel. Ondanks zijn penibele situatie voelde hij zich vreemd alert. Het was alsof hij opnieuw zij aan zij met zijn broer streed, niet voor een ereplaats in een zeilwedstrijd, maar uit wraak voor Dirks dood en de aanslag op zijn leven en dat van Mireille. Zijn broer zou het niet anders hebben gewild, alle middelen waren goed om de eindstreep te halen.

Hij zag hoe Robert zijn greep rond de kolf van de revolver herstelde. Zijn handen moesten zweten, en er was de aarzeling geweest in zijn ogen. Robert was geen koelbloedige moordenaar. Hij was op zijn best als een gluiperige saboteur, die hem via omwegen had willen uitschakelen.

'Wat denk je te bereiken met me te vermoorden?' herhaalde Serge. 'Je zou je beter uit de voeten maken, voordat Chenge ontdekt dat je zijn kluis hebt leeggeroofd. Laat mij met rust, ik heb Congo gehad. Je mag je handeltje houden, van mij zul je geen last meer hebben. Ik wou je alleen...' Serge schoof in een plotse beweging vooruit, zette zich af op de armleuningen van zijn zetel en schopte met zijn rechtervoet met alle kracht tegen Roberts uitgestoken hand. Hij kreunde bij de pijnscheut die de beweging in zijn borstkas veroorzaakte, maar waar hij op had gehoopt gebeurde: de revolver keilde door de lucht en belandde op de vloer. Serge was sneller bij het wapen dan Robert, die eerst vloekend zijn rechterhand greep, daarna de revolver zocht en bovenop Serge sprong terwijl die naar het wapen grabbelde. Ze rolden worstelend over de vloer, in een strijd om de revolver; het kabaal van omvergetrokken meubelen mengde zich met het gehijg en gesteun van de vechtende lichamen. Serge was groter en fysiek beter getraind, maar zijn nauwelijks geheelde ribfractuur verhinderde dat hij voluit kon gaan. Robert vocht met de verbetenheid van de underdog.

Te midden van al het kabaal werd de deur opnieuw ingetrapt. In de deuropening verscheen een kolossale Afrikaan, in kaki uniform, een mitraillette in aanslag. Hij overzag de situatie, keek van Serge naar Robert die hun strijd enkele seconden hadden gestaakt, legde aan, en vuurde een salvo af.

Robert werd achteruit geslingerd onder de kogelinslagen, bloed gulpte uit zijn hals en een donkere vlek verspreidde zich over zijn T-shirt. Zijn lichaam maakte enkele spastische kronkelbewegingen, zijn ogen draaiden weg in hun kassen, uit zijn borstkas weerklonken enkele gorgelende geluiden en na nog enkele stuiptrekkingen viel zijn lichaam slap achterover.

Het werd stil.

De man nam zijn honkbalpet af en gooide ze met een gebaar vol minachting op het dode lichaam. Serge keek toe hoe het logo van de Belgische bank langzaam werd doordrenkt door Roberts bloed.

Met een van afschuw vertrokken gezicht wankelde hij recht en strompelde in de richting van de deur. De soldaat hield hem staande. 'Waar zijn de diamanten?' Er klonk geen enkele emotie in zijn stem.

Serge schudde zijn hoofd. 'Zo ver waren we nog niet,' zei hij schor, 'ergens in deze kamer, zoek het zelf maar uit.'

De kolos knikte. 'Chenge wacht op je. Ik kom zodra ik de diamanten heb.'

Chief Chenge (3)

Het was doodstil toen Serge uit de kamer kwam en het paviljoen verliet. Het salvo van de mitraillette moest door heel het hotel weerklonken hebben, maar niemand durfde het blijkbaar aan om zijn kamer te verlaten. Zelfs de nachtelijke geluiden klonken gedempter dan wat Serge zich herinnerde. Maar dat kon ook aan hemzelf liggen. Het geluid van de schoten leek als een gummibal rond te stuiteren aan de binnenkant van zijn schedel. Hij hield halt op het verlaten terras en voelde zijn middenrif samentrekken. Hij kokhalsde en probeerde vergeefs het klapperen van zijn tanden onder controle te krijgen. Hij was bezweet van de vechtpartij, maar hij beefde over zijn hele lichaam.

'Goedenavond meneer Verbeek.'

Serge was niet verbaasd. Hij herkende de hese stem onmiddellijk. De massieve gestalte van Chenge maakte zich los uit het duister. Hij kwam naderbij, in zijn ene hand een fles whisky, in zijn andere twee glazen.

'Jammer dat we elkaar onder deze omstandigheden moeten terugzien. Ik had het anders gewild. En u ook ongetwijfeld. Maar neemt u toch plaats, u ziet er niet uit. Ik wed dat u een stevige borrel kunt gebruiken.' Chenge wachtte Serges antwoord niet af, maar nam plaats in een rieten terrasstoeltje. Serge zei niets maar nam ook plaats. Het beven werd wat minder nu hij de steun voelde van de stoel en hij zijn uitgeputte lichaam eindelijk wat rust kon geven. Hij nam zijn hoofd in zijn handen en wreef in zijn ogen in een poging om het beeld van de vermoorde Robert van zijn netvlies te halen.

Chenge zette de whisky op tafel en goot de twee glazen halfvol. 'Hier, meneer Verbeek, drink, het zal u opkikkeren.' Zijn stem klonk bijna meelevend. Serge nam het glas aan en dronk. De vloeistof brandde in zijn slokdarm en verwarmde zijn verhitte lichaam nog meer, maar hij voelde hoe de alcohol geleidelijk zijn hersenen tot rust bracht.

'Ik denk dat we elkaar een dienst hebben bewezen', hernam Chenge, 'zoals toekomstige partners past trouwens. Want dat meen ik te mogen aannemen na wat er is gebeurd. We zijn beiden van een vervelend sujet af, een nogal dom exemplaar van de menselijke soort als u het mij vraagt. Bovendien heb ik mijn diamanten terug, die ik net op rechtmatige manier had verkregen na langdurig onderhandelen.'

'Hoe weet ik dat Robert niet in opdracht van u werkte?' Serge keek Chenge voor het eerst aan. Het beven was opgehouden en hij begon opnieuw normaal te horen. Hoewel zijn lichaam zich langzaam herstelde, voelde hij hoe hij werd overmand door een verschrikkelijke moeheid. Hij wou dat dit alles ophield.

Chenge keek hem verwonderd aan. 'Robert heeft nooit rechtstreeks voor mij gewerkt, ik werkte met Dirk. Hoe die twee overeenkwamen, was hun zaak. Maar Robert werd verschrikkelijk opdringerig na Dirks dood. Hij wou per se zijn plaats innemen, terwijl hij nog niet eens een diamant van een stuk glas kan onderscheiden. Hij kende niet eens Dirks contacten in Antwerpen. Bovendien was hij onbetrouwbaar, dat heeft hij ten overvloede bewezen door zijn onhandige diefstal. Ik denk dat u tot dezelfde conclusie bent gekomen, blijkbaar had u beiden een ernstig meningsverschil.'

'Hij heeft de Landcruiser gesaboteerd,' zei Serge mat. 'Als dat niet zo'n stevige wagen geweest was, dan had ik hier niet meer gezeten. Mireille is er erger aan toe, zij is naar Kisangani.'

Chenge keek opnieuw verwonderd op. 'Daar heb ik niets mee te maken, meneer Verbeek.' Hij schudde meewarig zijn hoofd, en floot tussen zijn tanden. 'Wat een schurk. De huid van het vette beest blinkt omdat het een ander heeft opgegeten.' Hij nipte van zijn whisky. 'Enfin, u zult het ongetwijfeld met mij eens zijn dat dit nog een reden was om hem op te ruimen, bovenop de diefstal van mijn diamanten.'

Op dat moment kwam de soldaat eraan en gaf hem een linnen zakje. Chenge maakte het onmiddellijk open, liet de ruwe diamanten in zijn hand rollen en bekeek ze aandachtig bij het licht van de maan. Hij knikte goedkeurend. 'Dit is prachtige handelswaar. Ze passen niet in de handen van iemand die kluizen rooft en auto's saboteert. Maar ze moeten wel nog opgeblonken worden tot de sierraden waar u en ik zoveel van houden. En u weet ongetwijfeld waar dat het best kan gebeuren.' Hij liet glimlachend de diamanten opnieuw in het buideltje glijden. 'Maar goed, Serge – als u me toestaat dat ik u als partner tutoyeer – ik denk dat je wat rust kunt gebruiken na alle emoties. Ik zal je niet langer meer storen. Mijn lijfwacht zal je een kamer tonen. Morgen spreken we verder. Je hoeft niet langs de receptie te gaan, ik denk niet dat er nog een hoteluitbater is die je zal kunnen helpen. Ik zei het al, ik hou niet van onbetrouwbare medewerkers.' De lijfwacht grinnikte.

Serge stond op. Hij had de moed niet meer om nog verdere vragen te stellen. Terwijl op het binnenplein de eerste schuchtere vogelgeluiden weerklonken, liep hij langzaam achter de Afrikaan aan. De camouflagekleuren die hij droeg, werden steeds duidelijker in het licht van de ochtend.

The Dutch Cape style (4)

Van Heerde zwaaide zijn club naar achter, plooide zijn linker-knie, bracht zijn gewicht op de bal van zijn voorvoet, zwaaide zijn hoog opgeheven handen in een volmaakte halve cirkel naar beneden, draaide tegelijkertijd een halve draai om zijn lengteas, raakte de bal vol op het onderste kwadrant, strekte zijn linker-been, plooide zijn rechterknie en liet de club uitzwaaien over zijn linkerschouder.

Hij keek de witte stip gespannen na, wachtte tot hij de grond had geraakt en bracht toen de club bij zijn lichaam. Hij keek Makura triomfantelijk aan.

Makura zei niets. Hij plaatste zijn balletje op de *tee*, concentreerde zich op zijn *stance* en herhaalde dezelfde beweging. De witte stip beschreef een wijde boog tegen de staalblauwe hemel, stuiterde op de grond en rolde verder tot net op de *green*. Makura keek breed lachend naar Van Heerde. Hij zou met een beetje geluk drie slagen nodig hebben, Van Heerde minstens vijf. Van Heerde keek Makura aan en knikte goedkeurend. Hij strekte zijn arm met de club en wachtte tot de *caddy* hem overnam. Makura deed hetzelfde. Alleen liet hij de club vallen net voor de *caddy* hem kon aannemen. Ze maakten zich op om de 200 meter te wandelen die hen scheidden van de *green*.

'Meesterlijke slag, Emmerson.'

'Dank je.'

Ze liepen enkele ogenblikken zwijgend over het grasveld, en genoten van de frisse ochtendlucht; de staalblauwe hemel, de rust van het golfterrein op dit vroege uur, het uitzicht over het glooiende hoogplateau van Zimbabwe. Beiden droegen smetteloos wit; twee gedistingeerde heren met de gepaste schoenen, de juiste handschoenen, het blauwe logo van de

Royal Harare Golfclub op hun poloshirt. De ene blank als een eischaal, de andere zwart als steenkool.

Op de snelweg die het golfterrein langs de westkant begrensde, reed een eenzame bus, volgestouwd met Zimbabwanen, op weg naar hun hutten op de voorvaderlijke gronden die ze hadden heroverd op de blanke grootgrondbezitters. Ze zouden de dag kromgebogen doorbrengen op hun velden, hakkend in de aarde die hun na drie generaties opnieuw toebehoorde. Ze hoopten op een oogst die voldoende zou zijn om de vele monden te voeden tot het volgende regenseizoen en voldoende om de wereld te tonen dat ook zij het land rendabel konden bewerken.

Toen de bus ter hoogte van de golfers kwam, zwol het zware geronk van de dieselmotor aan en verminderde opnieuw, enkele tonen lager. Makura en Van Heerde keken even toe hoe de donkere walm uitlaatgassen zich langzaam oploste, nog voordat hij hun neusvleugels kon prikkelen.

'Ik heb met mijn collega van defensie gesproken, John, we kunnen onze gang gaan in Ituri. Het probleem Uganda wordt opgelost.'

Van Heerde reageerde niet onmiddellijk. Hij trok een van zijn handschoenen uit en bestudeerde al wandelend zijn hand.

'Er is een probleem.'

'Wat? Blaren op je handen? Ga je al uitvluchten zoeken nog voor we goed en wel begonnen zijn?'

'Nee. Er is een complicatie opgetreden in Ituri. Ik heb mijn contact verloren.'

'Jammer.'

'Zeg dat wel. Het zag er veelbelovend uit.'

'Niets aan te doen. Ging het niet om een Belg? Is hij bang geworden? Opnieuw met zijn staart tussen zijn benen op de vlucht geslagen? Daar zijn ze goed in.' Makura lachte. Van Heerde lachte mee.

'Nee', zei hij, 'vermoord. Een lokale afrekening of zoiets.'

Makura wandelde onbewogen verder.

'Zo zo', zei hij, 'meestal zijn zij het die moorden. Kameraad Lumumba zou het kunnen getuigen indien ze hem niet in stukjes hadden laten hakken toen hun mijnen in gevaar kwamen.' Hij ontstak opnieuw in een bulderlach. 'Maar de laatste tijd worden de rollen omgekeerd, in Rwanda waren ze ook net iets te laat om te vluchten.' Hij hield plots halt en keek zoekend rond. 'Ik heb mijn balletje hier ergens zien neerkomen, zie jij iets?'

Van Heerde hief zijn voet op en keek naar de grond.

'Schurk,' zei Makura. Hij rolde het balletje in de juiste positie. Hij stak zijn hand uit en wachtte tot de caddy er de putter had ingelegd. Hij keek intussen geconcentreerd naar de vlag van de hole, plantte zijn voeten dertig centimeter uit elkaar en zijn club een vuistbreed achter het balletje.

'Maar goed, John, ik ben er zeker van dat er een andere gelegenheid komt. Die diamanten zitten er niet sinds gisteren en ze zullen er morgen ook nog wel zitten, dat hoef ik jou niet te vertellen. Laat maar iets weten als je ons nodig hebt.' Hij zwaaide zijn club net niet tot horizontaal en plaatste een beheerste slag. Het balletje legde de vijftien meter tot aan de vlag af in een volmaakte kromme, opgelegd door het terrein, eerst snel, geleidelijk vertragend om uiteindelijk te stoppen op de rand van de hole en met een zwierige draai in de put te verdwijnen.

Makura keek Van Heerde triomfantelijk aan. 'Zo doe je dat, John. De soldaat laten voorgaan, anders kom je nergens.'

Le village typique (3)

Het geluid van de tamtams klonk steeds dwingender zonder dat de spelers enig teken van vermoeidheid vertoonden. Hun naakte bovenlichamen blonken bij het licht van het hoog opgestookte vuur. Hun handen geselden onophoudelijk de strakgespannen dierenvellen. Ze creëerden wisselende ritmes, maar bleven in volmaakte harmonie, zonder dat een van hen ook maar een woord wisselde met de ander. Ze staarden voor zich uit, of in het vuur, af en toe meewiegend met hun eigen cadans, of opspringend wanneer de spanning die ze zelf hadden opgebouwd te veel werd.

Achter hen was er niets dan donkerte. En stilte. Alle mogelijke geluid leek opgezogen in de holtes van de boomstammen en kon alleen ontsnappen via de drums, op bevel van de roffelende handen.

Plots hielden ze op. Zonder dat er iemand een teken leek gegeven te hebben of een woord had gesproken. Ze keken de kring rond tot hun ogen bleven rusten op Chitambo. Hij zat aan de andere kant van het vuur, op een stoel, zijn beiden handen steunend op zijn staf. In de stilte die was ingevallen, klonk het geroezemoes van alle anderen die verzameld waren op de vuurplaats, in een wijde kring, groot en klein, het hele dorp leek aanwezig te zijn.

Chitambo trok zich op aan zijn wandelstok en ging staan. Hij droeg zijn blauwe jasje en zijn groene broek en was blootsvoets. Toch straalde hij een gezag en waardigheid uit die bijna tastbaar rond zijn lichaam hingen. Hij staarde naar het oosten, in de richting van de vlakte van de Ituri en zette met vaste stem een lied in. Enkele zinnen maar, toen werd de melodie overgenomen door tientallen mannenstemmen. De stemmen werden verdubbeld, er ontstond een baslijn.

Chitambo zweeg, maar nam over telkens als het koor stil-viel. Er ontstond tussen Chitambo en de mannen een twee-zang die enkele minuten aanhield, tot de tamtams de samen-zang kwamen ondersteunen. Ook het ritme werd complexer toen het geluid van twee xylofonen zich tussen de donkere to-nen van de drums mengde. Intussen bleef het mannenkoor Chitambo beantwoorden, tot hij ging zitten en knikte in de richting van een jonge vrouw. Ze ging op haar beurt staan, wiegde een ogenblik mee met het ritme en nam het lied over. Haar krachtige, heldere stem droeg verder dan de kring, ver-der dan de hutten, en deinde uit over het dorp tot ze werd op-geslorpt door de veilige rand van het woud. Ze zong enkele lijnen heel alleen, ondersteund door de xylofonen. Haar ogen waren gesloten, haar naakte voeten stevig in de grond geplant. Ze wiegde met haar nog smalle heupen, hield haar armen ge-plooid, de handpalmen naar boven gericht.

Zonder dat iemand een teken had gegeven vielen de vrou-wen in, na enkele zinnen in twee stemmen. De drums onder-steunden opnieuw het ritme en toen ook de mannen invielen, was er niemand nog die zweeg. Allen leken ze opgenomen in de melodie, in de harmonie van het lied waarin iedereen zijn plaats had gevonden.

Alleen de twee personen die op de bank naast Chitambo zaten, zongen niet mee. Ze zaten dicht bij elkaar, een deken om zich heen geslagen, één had haar arm in een wit gipsver-band, dat tot haar schouder reikte. Ze keken en zwegen. Ze keken als gebiologeerd naar de vrouw, de voorzangeres, die nu constant bleef zingen, ook als de anderen invielen. Haar stem klonk boven alles uit of ze zong rond alle andere stem-men heen, ze zweefde erboven of ze weefde zich ertussen, maar ze viel telkens weer veilig in het ritme en de harmonie van de groep.

Nog steeds had ze de ogen gesloten, het rossige licht van het vuur verlichtte haar ovale gezicht, haar hoge jukbeenderen en haar krachtige kin, haar wiegende schouders en het muntstuk dat aan een leren touwtje rond haar hals bungelde en dat bij elke beweging de aanzet van haar borsten beroerde.

In de stilte die volgde op de samenzang, stond Serge op. Hij plooide de deken rond Mireille en ging tot bij Chitambo. Hij haalde een buideltje uit zijn zak en reikte het hem aan, zonder een woord. Chitambo nam het over. Hij schudde de inhoud in zijn handpalm en keek ernaar. Na enkele seconden al liet hij de diamanten weer in het buideltje glijden en gaf het terug aan Serge.

'Het is nieuwsgierigheid die de blanke over de wereldzeeën heeft voortgedreven tot in het hart van Afrika. En het is hebzucht die er hem heeft gehouden. Doelloos loopt hij er rond, over de gronden van onze voorvaderen, niet wetend dat wie de grond niet begrijpt, ook het volk niet kan begrijpen dat de grond heeft voortgebracht. Ze kennen het land niet, en ze kennen de wetten niet die het land heeft voortgebracht. Ze zijn dwaas, maar wij glimlachen om hun dwaasheid. En wij glimlachen om hen die de manieren van de vreemden overnemen, want wij weten dat zij hun ziel verliezen. De grond is onze ziel, en ook onze wet. De grond is onze wijsheid, de grond waakt over ons, omdat hij de lichamen van onze voorouders voor ons bewaakt.' Toen richtte hij zich tot Serge: 'Hoe kan je de grond verkopen en verhandelen als hij de oorsprong is van alles wat is en nog moet komen? Ook van de diamanten die je me net wilde geven? De blanken zijn dwazen, hoe kunnen zij zaken doen met dingen die geschapen zijn voor iedereen? Doelloos lopen zij rond, en zij luisteren niet naar de woorden die wijzen naar het verleden. Neem dus deze stenen mee, zij behoren jou toe, zoals ze mij toebehoren. Neem ze mee, over de wereldzeeën en doe ermee wat je broer ermee gedaan zou hebben.

En als je wil, kom dan terug. We zullen je verwachten.'